복지법인시설실무길라잡이(2권)
/이 상문 지음/

도서명 복지법인시설실무길라잡이(2권)

발　행 | 2024년 3월 6일
저　자 | 이상문
펴낸이 | 한건희
펴낸곳 | 주식회사 부크크
출판등록 | 2014.07.15.(제2014-16호)
주　소 | 서울시 금천구 가산디지털1로 119, SK트윈타워 A동 305호
전　화 | 1670-8316
이메일 | info@bookk.co.kr

ISBN | 979-11-410-7537-8

www.bookk.co.kr

" 복지법인시설실무길라잡이 " 발간

이 책은 2024년도 보건복지부와 각 시도에서 발간한 "사회복지법인과 사회복지시설관리안내"를 중심으로 사회복지관련 새로운 법령과 제도의 변화에 맞추어 현장 실무자들이 이해하기 쉽도록 다양한 사례를 수록해 두었으며,

● 또한 이 책은 내용 분량이 많은 점을 감안하여 현장 실무자들이 쉽게 찾아볼 수 있도록 1권과 2권으로 분권하여 편집하였습니다.

● 이 책에서 인용한 주요 복지실무사례는 저자가 운영하고 있는 "복지법인시설실무카페"의 자료를 참고하였으며,

● 실무사례에 대한 답변과 견해는 객관적인 입장을 유지하도록 노력하였으나, 경우에 따라서는 각자의 의견이 다를 수도 있습니다. 이란 경우에는 주무관청의 해석이 우선함을 밝혀둡니다.

● 그리고 이 책 내용에 대한 이해가 부족한 점은 "복지법인시설실무카페"에 글을 올려 주시면 성심성의껏 저자 본인이 직접 답변드리도록 하겠습니다 ((https://cafe.naver. com/leesm1955)

이 책의 주요 내용과 특징을 간략하게 소개드리면

1. 자료 출처는 보건복지부를 비롯한 중앙부서 및 지방자치단체, 관련 유관기관 등에서 공개(답변)한 자료와 사례를 알기 쉽게 요약하였습니다.

2. 이 책에서 인용한 질의, 답변 사항은 카페에서 해석(답변)을 가능한 한 객관성을 유지하고자 합니다만, 만약 다른 의견이 있는 경우에는 주무관청의 유권해석이 우선함을 미리 알려드립니다.

3. 이 책에서 실린 내용과 의견은 "복지법인시설의 실무자"의 업무 참고자료 활용을 주목적으로 하며, 게재 내용은 확정적인 효력

은 없으며, 만약 다른 의견이 있는 경우에는 반드시 주무관청에 유권해석을 받도록 하시기 바랍니다.

4. 이 책은 사회복지 법인 또는 시설 종사자가 실무 수행 시 참고용 교재로 활용하시기 바라며, 아무쪼록 사회복지법인, 시설 종사자 여러분들께서 실무 수행 시 조금이나마 이 책의 자료가 도움이 되었으면 좋겠습니다.

5. 유의사항 : 이 책의 주요 내용은 사회복지 업무 수행에 필요한

참고자료이며, 법적인 효력이나 지침이 될 수 없음을 알려 드립니다.

※ 이 책에서 별도의 규정을 두지 않는 한, 용어는 아래와 같이 약칭으로 합니다.

  - 사회복지법인 및 사회복지시설 재무회계규칙 : 재무회계규칙

  - 사회복지사업법 : 사회복지사업법

  - 사회복지사업법 시행령 : 같은 법 시행령

  - 사회복지사업법시행규칙 : 같은 법 시행규칙

  - 지방자치단체를 당사자로 하는 계약에 관한 법률 : 지방계약법

  - 지방자치단체 보조금 관리에 관한 법률 : 지방보조금법

  - 지방자치단체 보조금 관리에 관한 법률 시행령 : 같은 법 시행령

  - 지방자치단체 보조금 관리에 관한 법률 시행규칙 : 같은 법 시행규칙

  - 보조금 관리에 관한 법률 : 보조금법

  - 공익법인의 설립ㆍ운영에 관한 법률 : 공익법인법

  - 상속세 및 증여세법 : 상증법

  - 지방자치단체 : 지자체

CONTENTS

〔2권〕

12. 공익법인(사회복지법인 포함) 세무신고 및 세무

1 2. 인사노무 관리

1️⃣3️⃣. 사회복지시설 종사자 호봉 획정과 승급

1️⃣4️⃣. 노사협의회 설치

1️⃣5️⃣. 사회복지시설

1. 사회복지시설의 신고...................................**168**

16. 법인관리

17. 사회복지법인 비치서류..........................254

1 7 부록

①② 결산 (2권)

1. 결산의 개념 및 기능 (재무회계규칙 제19조, 제 20조)

○ 1회계연도에 있어서 세입 예산의 모든 수입과 세출 예산의 모든 지출을 확정적인 계수(計數)로 표시한 것을 말한다(세입총액은 초과해도 무방하지만 세출 총액은 초과 지출하면 아니된다).

○ 법인과 시설에서 집행한 결산에 대해 법인이사회의 결산 승인을 얻어야 집행에 대해 종결되는 것을 말한다. 이때 회계적 법적 책임은 별개로 한다.

○ 결산서는 세입세출결산서와 주석으로 구성된다.

2. 결산서 작성 원칙

○ 세입세출결산서 작성기준(재무회계규칙 제5조)

- 결산의 절차는 회계연도 종료일인 12월 31일을 기준으로 모든 지출원인행위를 마감하고 지출과 반납을 완료하여야 한다.

※ 결산서 작성 전 확인사항(재무회계규칙 제19조) : 회계연도 12월 31일을 기준으로

○ 반납금 여입, 과오납반환 등 미정산 부분을 확인한다.

○ 퇴직적립금의 충족 여부를 확인하다. 12월 31일 전 직원이 퇴사한다는 것을 가정하여 전 직원의 평균임금을 산출한 다음, 퇴직금 추계액을 정한다(인건비 + 제 수당 : 1/12이상 금액을 퇴직금으로 적립하여야 한다).

○ 비품대장과 현물재고를 상호 확인하고 재물조사 실시 여부도

확인한다.

○ 후원금(후원물품 포함) 수입, 지출 내역을 확인한다.

○ 통장별로 12월31일자 예금잔액증명서를 금융기관으로부터 받아 놓는다.

○ 이월예산 규모를 점검하고 각종 증빙서 구비 여부 등도 확인한다.

○ 모든 장부를 12월31일로 마감한다.

○ 현금출납부상 세입 누계금액과 총계정원장의 모든 계정별 세입 누계금액의 합계가 일치하는지 확인한다.

○ 현금출납부와 총계정원장, 거래통장, 사회복지시설정보시스템상의 잔액 일치 여부를 확인한다.

○ 장부상의 12월말 누계금액을 기록한 다음, 과목별 예산금액과 결산금액을 세입세출결산서에 이기한다.

전산으로 회계 처리하는 경우, 예산금액을 입력하고 수입, 지출에 관한 사항들이 자동적으로 계산되어 출력된다.

3. 결산서 작성요령 및 결산준비

결산작성요령 및 결산준비 ⇢ 세입·세출결산서 작성(법인감사) ⇢ 결산의 승인과 공고

● 결산의 작성요령

○ 과목별 예산의 증감사항이 모두 반영되었는지 확인해야 한다. 예산액의 증감을 가져오지 않는 예산전용, 예비비 지출 등이 모두 반영되었는지 확인한다.

○ 예산과목 또는 사업목적의 위배 사항은 없는지 확인해야 한다.

○ 예산편성지침에서 정한 지침과 규칙의 서식대로 작성되었는지 확인한다.

○ 결산보고서와 같이 첨부되어야 할 서류들은 빠짐없이 구비되었는지 확인한다.

○ 이사회 개최 기일과 재무회계규칙에서 정하는 기일 내에 시·군·구에 제출될 수 있는지 확인해야 한다.

● 결산의 준비

○ 반납금 여입, 과오납 반환 등 미정산 부분을 확인한다.

○ 퇴직적립금의 충족여부를 확인한다. 12월 31일 전직원이 퇴사한다는 것을 가정하여 전직원의 평균임금을 산출한 다음, 퇴직금추계액을 정한다. 추계액과 실제적립액과의 일치여부를 비교한 다음 부족분은 추가 적립해야 한다.

○ 비품대장과 현물재고를 상호 확인하고, 재물조사 실시 여부도 확인한다. 파손, 분실 등으로 인하여 사용할 수 없게 된 비품 등의 재산은 이사회의 불용재산폐기처분승인을 얻은 후에야 폐기처분할 수 있다.

○ 후원금(물품)수입·지출내역을 확인한다. 후원금 영수증 원부의 기록유지는 잘 되어 있는지, 후원금(물품) 지급내역의 누락사항은 없는지 확인한다.

○ 통장별로 12월 31일자 예금잔액증명서를 금융기관으로부터 받아 놓는다. 또는 12월 31일자 통장사본을 첨부한다.

○ 이월예산 규모를 점검하고, 각종 증빙서 구비 여부등도 확인한다.

○ 수기로 하는 장부에는 12월 누계금액을 기록하고, 전자 장부인 경우에는 대부분 자동으로 누계금액이 기록되므로 이를 확인한다(12월말 누계금액이 결산금액이 된다)

○ 현금출납부상의 세입 누계금액과, 총계정원장의 모든 계정별세입 누계금액의 합계가 일치하는지 확인한다.

○ 현금출납부상의 세출 누계금액과 총계정원장의 모든 계정별 세출 누계금액의 합계가 일치하는지 확인한다.

○ 세입 잔액에서 세출 잔액을 뺀 잔액이 차기 이월금이 된다. 이 잔액이 12월 31일 현재의 예금잔고 및 현금보관액 등의 합계금액과 일치하는 지를 확인한다. 또한 현금출납부의 12월 31일 잔액과 일치하는지도 확인해야 한다.

○ 총계정원장의 계정별 누계금액과 계정과목별 보조부의 누계금액이 일치하는지를 확인한다. 이 잔액은 결산이사회시에 차기 이월한다는 결의에 의해 "차기이월금"으로 처리되고 장부의 잔

액을 "0"으로 기재함으로 장부는 마감된다.

※ 장부마감이란? : 회계년도 말을 맞이하여 더 이상의 거래를 계속하지 아니하고 종료함에 따라

출처 사회복지시설 운영 매뉴얼(대구시.2012)

● **예비비 사용 첨부서류 (재무회계규칙 제14조)**
 ○ 법인의 대표이사 및 시설의 장은 예측할 수 없는 예산외의 지출 또는 예산의 초과지출에 충당하기 위하여 예비비를 세출예산에 계상할 수 있다.
 ○ (결산보고서에 첨부해야 할 서류) 결산보고서에는 다음 각 호의 서류가 첨부되어야 한다.
 - 세입·세출결산서 - 과목 전용조서 - 예비비 사용조서
 ● **결산 추경예산 편성**
 ○ 법인이나 시설의 예산을 집행하다보면, 여러 사유로 세입과 세출이 일치하지 않을 수 있음
 ○ 세입예산 대비 세입액 초과는 문제가 없으나, 당초 세출 예산대비 세출액이 초과하여 지출된 경우에는 문제가 발생할 수 있음
 ○ 그리고 세입 초과분은 결산시 잉여금으로 다음연도에 이월하면 되지만 세출 초과분은 결산시 문제가 발생하므로 당해연도 11월 내지 12월경에 세입과 세출액을 정확하게추계하여 맞추는 결산추경을 하게 됨.
 ▷ (실제로는 10월경부터 예산 및 장부, 통장 잔액 등을 대조하여야 함)
 ○ 반면에 세출액을 너무 적게 집행하여 잔액(불용액)이 많이 남는 경우에도 예산낭비로 지적을 받을 수 있음
 ○ 이때 세출예산액을 결산 추경에 실제집행 가능액 수준으로 삭감 조정하여야 함
 ○ 법인과 시설에서는 결산 추경이 중요함
● **세입세출 결산서안 작성 시 특별히 유의사항**

 ○ 전년도 이월금이 정확하게 이월되었는지 여부 및 이월 잔액 통장금액 일치 여부

- 매 회계연도 12월 31일 기준으로 잔액 확인후 일치하여야 함

```
◆ 실행예산운영 및 결산추경
○ 실수입이 세입예산에 비하여 심히 감소하거나 감소될 우려가 있어 세출예산집행에 차질을 초래 가져 왔을 때
○ 예산부서에서 미집행된 경비예산을 사전 조정하여 예산배정에서부터 통제하여 세입을 고려하면서 점차적으로 집행토록 하는 예산 근거 재무회계규칙 제25조
○ 실행예산에 따른 구체적인 세입세출 조정작업은 마지막 추경(결산)에서 세입세출 예산총액 대비 과목별로 집행사항을 비교분석, 삭감조정하여 결산이 될 수 있도록 조치하여야 한다.
※(세출예산을 초과 집행하면 안되나, 부득이 한 경우 마지막(결산)추경에서 조정하여야 함. 출처 복지법인시설실무가이드
```

○ **세출예산계정 과목 대비 초과 지출 여부 확인(결산 추경 기준)**
  - 세출예산과목 대비 초과 지출 하면 안됨
  - 만약 초과지출이 있는 경우 결산추경에 실행예산 편성으로 조정하여야 함
○ **현금 및 예금명세서 내역(전년도. 현년도 계좌 대비)**
  - 거래은행별 통장 일치 여부(전년도 대비 통장해지분 등 누락이 있으면 안됨)
○ **전년도 세입세출 이월액 및 현년도 세입세출결산액과 통장 잔액 일치 여부**
  - 통장별 전년도 이월액과 결산서상 이월액의 일치 여부
○ **후원금 수입명세서 및 사용결과보고서**
  - 이월 후원금의 지정, 비지정 후원금으로 구분하여 정확하게 구분 여부
○ **고정자산(임차보증금, 전화가입권 등) 내역**

- 임차보증금이나 전화가입권 등 누락 여부

○ **세입세출외 현금 결산 실시**

- 일시 보관금 등(퇴직적립금, 4대보험, 연말정산금, 부가가치세 환급금 등)

○ **예비비 사용 조서 - 예비비 사용 목적 적정 여부**

○ **예비비(보조금반납액) 및 순세계잉여금 일치 여부**

○ **과목 전용 조서**

- 전용 전결(시설장 목간 전용)과 절차 준수 준수

○ **특정목적사업(적립금) 세입세출 결산 적정 여부(통장잔액 일치 여부)**

- 환경개선자금, 운영충당자금

◆**세입세출 예산액 추계 결과, 세출이 당초 예산액보다 초과 지출 가능성이 있는 경우, 반드시 결산추경(11월 또는 12월 경)에 실행예산 편성으로 조정하여야 합니다.**

○ **잉여금 및 순세계잉여금**

- 잉여금이라 결산결과 실제 수입총액에서 실제 지출총액의 차이를 말한다.
- 순세계잉여금이란 잉여금 중에서 법정잉여금, 이월금, 보조금 사용 잔액을 공제한 금액을 말한다.
- 순세계잉여금 발생의 이유는 세입예산액보다 실제 수입이 많은 경우 및 세출 예산액보다 실제 적게 지출한 경우(불용액)에 발생한다.

◆ **순세계잉여금은 다음 회계연도 세입재원으로 활용 가능하며, 다음연도 제1차 추경에 편성한다.**

○ 잉여금 = 실제 수입액- 당해연도 지출액

○ 순세계잉여금 = 잉여금 - (법정잉여금 + 보조금 사용 잔액)

◆ 불용액

○ 세출예산에 편성된 금액보다 집행액이 적은 경우 그 차액을 말한다.

○ 불용액이 발생하는 이유는 세출예산을 잘못 예측 편성하여 집행하지 못한 경우 및 세출예산에 반영하였으나 사정변경으로 이를 일부만 집행한 경우에 발생한다. 불용액 중 보조금 잔액이나 반납금을 제외한 금액은 순세계 잉여금으로 정리한다.

4. 결산서 작성절차

업무명	주요 내용	해당기관	일정
① 세입세출 결산보고서 작성	법인회계와 시설회계의 세입·세출 결산서 작성 1회계연도 출납기한(12월31일)까지 완결. 장부 마감	법인 대표이사, 시설의 장	출납완료시
②시설운영위원회보고	시설회계의 결산보고서 법인에 제출 전까지 시설운영위원회 보고(법인이 아닌 개인시설의 경우 결산서 확정) 법인회계, 수익사업회계는 불필요	시설의 장	결산보고서 작성 후
③ 결산보고서 법인에 제출	시설회계 결산서를 법인에 제출 법인회계 및 수익사업회계 결산서 법인에 제출 법인감사 실시	시설의 장 법인 대표이사	결산보고서 작성후
④ 결산 보고서 법인이사회 의결	법인에서 제출한 법인(시설, 수익사업) 결산서를 이사회 의결로 확정	법인 대표이사	결산보고서 작성 후

⑤ 확정된 결산보고서 주무관청 제출	확정된 결산보고서를 시·군·구청장에게 제출	법인 대표이사, 시설의 장	다음연도 3월 31일까지
⑥ 확정된 결산보고서 공고	확정된 결산 보고서를 시·군·구청장 및 법인(시설)홈페이지에 20일 이상 공고 사회복지시설정보시스템에 게재시 공고 갈음 가능	·법인 대표이사, 시설의 장	결산보고서 제출 20일 이내

5. 차인잔액의 결산서와 예산의 표기

- 결산잔액은 당해연도 세출예산서에는 표기하지 안고 총괄표에 차인잔액으로 보고

- 결산잔액은 다음년도 세입예산서상 전년도이월금에 편성

결산을 하다보면 다소 이해가 가지 않는 부분이 있을 겁니다

예산은 세입과 세출이 딱 떨어지는 데, 결산은 그렇지 않고 차액이 발생합니다 즉, 수입금이 세출금보다 많은 경우가 많고 간혹 그 반대인 경우도 있을 수 있습니다

○ 수입과 지출을 맞추기 위하여 인위적인 추경작업을 하면 절대 안됩니다

○ 결산상 차인잔액은 어떻게 결산서에 표기하느냐 이것이 문제죠

결론적으로 결산잔액은 결산서에 한목으로 표기하지 않습니다

개별 예산과목별로 결산이 이뤄져 집행잔액은 표기되나 총액으로는 표시할수 없습니다

○ 그래서 결산 총괄표에 총수입에서 총지출을 뺀 차인잔액(이

월금+보조금잔액+순이월금)을 표기하는 것입니다

○ 그럼 차인잔액은 어떻게 처리되나요 내년도 이월금으로 넘어가게 되므로 내년도 세입예산상 전년도 이월금 과목에 편성하게 됩니다

● 사회복지시설 결산보고서 작성시 잔액증명 첨부 여부

○ 결산은 잔액증명이 되어야 결산 검증을 할 수 있습니다 즉, 예산의 집행액과 잔액을 입증하려면 통장 현재액이 필요하기 때문입니다

○ 그런데 사회복지시설 재무회계규칙 제20조(결산보고서 첨부서류)에는 구체적인 규정은 없습니다 출처 복지법인시설실무가이드

● 사회복지시설 잉여금 전출이 가능한 경우

○ 우리부의 장기요양기관의 회계처리기준에 따르면,

○ 장기요양기관으로 지정된 노인요양시설의 회계처리는 사회복지법인 및 사회복지시설 재무회계규칙 상의 시설회계로 관리하여야 하며, 동기준에 의하여 장기요양기관(노인요양공동생활가정 포함)의 잉여금은 시설 전체 세입에서 제반 운영비 등을 지출(반드시 운영충당 적립금 및 시설환경개선준비금까지 적립하여야 함)하고 남은 잔액을 말합니다.

○ 동 잉여금은 법인의 경우 법인으로 전출하여 이사회 의결을 통하여 법인 정관에서 정한 목적 사업 중 장기요양기관 인프라 확충 운영 및 노인복지사업에 한하여 지출하도록 규정하고 있음을 알려드립니다. 출처 보건복지부 인구정책실 노인정책관 요양보험운영과, 2012-11-0

● 사회복지 재무회계 규칙에 없는 차기 이월금 관련

문의

○ 결산서 작성시 사회복지법인 시설재무회계규칙(별표4) 시설 회계 세출예산과목구분에 따라 이월금(보조금 잔액, 순세계잉 여금 등)의 경우, 예비비 및 기타(81) - 순세계잉여금(811) 또는 정부보조금 반환금(812) 과목으로 편성한다.

 - 이후 다음연도에 정부보조금은 교부기관에 반납조치하고

 - 순세계잉여금은 전년도이월금으로 다음연도 1차 추경에 편성한다.

○ 사회복지시설에 세입·세출 계정과목에 보면 세입에는 이월 금이라는(전년도이월금) 계정이 있는데 세출에서는 차년도 이월금이라는 계정이 없어 참 난감합니다.

○ 기업회계 세입·세출 계정과목을 알고 싶은데요. 저의 짧은 자료수집으로는 할 수가 없어 자료 부탁드려요. 사회복지법인 세입·세출에도 없더라구요. 법인은 복식을 사용해야 한다고 하는데 왜없는지 잘 모르겠어요.

먼저 재무회계와 예산회계를 구별해서 이해해야 할 것 같습니다.

○ 재무회계는 복식부기에 따라 회계 계정과목을 적용하여 재무제표를 작성합니다.

 - 자산, 부채, 자본의 증감을 기록하여 일정시점의 재무상태를 알 수 있는 대차대조표와 일정 회계기간의 경영성과 즉, 수익과 비용의 발생 금액을 알 수 있는 손익계산서를 작성합니다.

 - 예산회계에서는 재무회계의 복식부기에 따른 계정과목에 따라 작성하는 것이 아니고 세입과 세출에 해당하는 예산과목을 적용하여 수지 계산을 합니다.

○ 정리하여 보면 전년도 이월금이나 차년도 이월금은 예산과

목입니다.

따라서 당연히 복식부기에서는 사용하는 계정과목이 아니라 예산과목인 것입니다.

(회계 계정과목과 예산과목은 일부 일치하는 과목도 있겠지만 완전히 같지 않습니다).

전년도이월금이나 차년이월금에 해당하는 회계 계정과목은 아마도 현금성 자산에 포함되어 있겠지요.

※ 님이 물으신 사회복지 재무회계 규칙은 복식회계를 정한 것이기 때문에, 따라서 차년도 이월금은 회계 계정과목이 아니기 때문에 없는 것입니다. 또한 차년이월금은 예산의 수지결산에는 사용할 수 있지만 회계 계정과목이 아니기 때문에 없는 것입니다. 또한 차년이월금은 예산의 수지결산에는 사용할 수 있지만 회계 재무표를 작성할 때에는 사용할 수 없는 계정과목입니다.

　　카페지기 드림　　출처 : 공익법인회계&세무사랑방

● 이월비가 세출과목에 없는 사유

○ 이월액은 세출 예산과목으로 표기하지 않고 결산시 세입·세출결산서를 기준으로 총괄설명서로 표기하게 됩니다.
이월사업비는 명시, 사고, 계속비 승인된 자금이 수반된 예산이고 순이월금은 결산(차인)잔액에서 이월사업비, 보조금반납금을 공제한 후 순수하게 남는 순세계 잉여금(일반, 후원)을 말하는 것입니다.

○ 순세계잉여금은 당초예산서에 추정한 금액을 세입(전년도이월금)에 편성하고 결산이 끝난후 추경예산편성시 세입과목 전년도이월금에 확정된 순세계잉여금을 가감하여 정확하게 맞추어야 하고 이와 함께 결산으로 확인된 보조금집행잔액을 추경예산시 세입(잔액)과

세출(반납) 과목에 반영하여 지자체 등 교부기관에 정산
반납하는 것입니다.

○ 참고로 결산서는 현액기준이므로 예산서의 세입과목에는 표
  기되지 않는 전년도이월사업비(계속, 명시, 사고)가 세입과목
  에 추가되는 것입니다.
출처 : 세출과목에 없는 차기 이월금 처리 관련 문의
  (예산회계실무)

◆ **사회복지법인, 사회복지시설의 재무회계처리방법(재무제표
작성)**

제목 : 사회복지법인. 사회복지시설의 재무회계처리방법(재무
  제표 작성)
  (국민신문고, 2019.4.12. 2AA-1904.249096)
  안녕하십니까? 귀하께서 국민신문고를 통해 신청하신 민원
에 대한 검토결과를 다음과 같이 알려드립니다.
  귀하의 민원내용은 외부감사 대상 사회복지법인의 회계처
리방법 및 재무제표 작성범위에 관한 것으로 판단됩니다.
  귀하의 질의사항 중 먼저 사회복지법인의 회계처리방법에
대해 검토한 의견은 다음과 같습니다. 사회복지사업법 제23조
4항에 따라 재산과 그 회계에 관하여 필요한 사항은 보건복
지부령으로 정하도록 하고 있으며 이에 따른 보건복지부령인
"사회복지법인시설 재무회계규칙" 제2조의2(다른 법령과의 관
계)에 따르면 법인 및 시설의 재무 및 회계 처리에 관하여 다
른 법령에 특별한 규정이 있는 경우를 제외하고는 이 규칙이
정하는 바에 따른다고 규정되어 있고 제23조에는 회계는 단
식부기에 의한다고 하면서 법인회계와 수익사업회계에 있어
서 복식부기의 필요가 있는 경우에는 복식부기에 의한다고
규정되어 있습니다.

한편, "상속세 및 증여세법" 제50조의4, 같은 법 시행령 제43조의4 및 기획재정부 고시 제2017-35호 "공익법인회계기준"(2018.1.1.시행)에 따라 공익법인 등을 회계처리 및 재무제표를 작성할 때는 발생주의 회계원칙에 따라 복식부기 방식으로 하여야 한다고 규정되어 있습니다.

그런데 기획재정부 고시인" 공익법인회계기준" 역시 제6조(다른 법령과의 관계 등) 제2항에 따르면 복식부기 및 발생주의에 따른 공익법인의 회계 및 재무제표 작성에 관하여 다른 법령에서 특별한 규정이 있는 경우 외에는 이 기준에 따른다고 규정되어 있는 바, 상속세 및 증여세법상 공익법인에 해당하는 사회복지법인의 회계의 적용 방식에 대하여는 "상속세법 및 증여세법"과 사회복지사업법의 소관부처에 유권해석이 필요할 것으로 판단됩니다.

귀하의 질의사항 중 사회복지법인의 재무제표 작성범위에 대해 검토한 의견은 다음과 같습니다.

가. 보건복지부령"사회복지법인 및 사회복지시설 재무회계 규칙" 제6조(회계의 구분)에 따르면 법인회계, 각 시설의 시설회계 및 수익사업회계로 구분한다고 되어 있습니다만,

나. 사회복지법인의 경우 "상속세 및 증여세법" 제16조제1항 및 같은 법 시행령 제12조에 따라 법령으로 정하는 사업을 하는 "공익법인 등"에 해당하며, 같은 법 제50조의4(공익법인 등에 적용되는 회계기준) 및 같은 법 시행령 제43조의4(공익법인 등에 적용되는 회계기준)에 따라 제정된 "공익법인 회계기준" 제2조(보고실체)에 따르면 재무제표를 작성할 때에는 공익법인 전체를 하나의 보고실체로 하여 작성한다고 규정되어 있는 바,

다. 공익법인 재무제표를 작성할 때에는 법인회계, 각 시설의 시설회계 및 수익사업회계를 하나의 보고실체로 하

여 작성하여야 합니다.

　귀하의 질문에 만족스러운 답변이 되었기를 바라며, 답변내용에 대한 추가 설명이 필요한 경우 복지정책과 (051-888-3165)에게 연락주시면 친절히 안내해 드리도록 하겠습니다. 감사합니다.

　라. 출처 : 국민신문고(2AA-1904.249096),(2019.4.12.)
　　　　　 부산광역시 복지정책과.(051-888-3165)

6. 전년도 이월금 결산요령

● 수입과 지출은 엄격히 구분하여야 합니다.

○ 세출예산을 집행하고 남은 잔액은 따로 세출로 잡지 아니하고

○ 연말 결산에 집행 잔액을 그대로 이월금(반환금 또는 예비비)으로 다음연도 이월시키시면 됩니다

● 이월금(반환금 : 보조금 집행잔액, 예비비 : 기타) 구분

○ 이때 자금원천을 구분하여 보조금, 후원금, 자부담으로 정리하시면 되며,

○ 특히 후원금에서 발생한 이자는 후원금으로, 보조금 통장에서 발생한 이자는 보조금 원천으로 반납하여야 함

○ 결산시 보조금 잔액 등은 교부기관에 (반환금)반납하시고, 다른 자금원천(예비비)은 "전년도이월금"으로 이월하여 다음연도 제1차 추경에 편성하시면 됩니다.

7. 결산의 승인과 공고(재무회계규칙 제42조 및 제19조)

● 결산의 승인

○ 결산은 1회계연도의 모든 수입과 지출을 확정된 계수로 표시하는 행위

○ 결산은 예산주기의 마지막 과정으로 법인이사회의 승인을 받으면 확정된다

○ 결산은 집행 책임을 확정하고 해제하는 특징이 있다

○ 결산은 사후적인 행위로 위법.부당한 행위를 무효로 하거나 취소할 수 없다.

 - 법인의 감사는 당해 법인과 시설에 대하여 매년 1회 이상 감사를 실시하여야 한다. 감사요구는 법인의 대표이사가 한다. 법인이사회 전에는 반드시 기간을 정하여 감사를 실시하고 그 결과를 세부적으로 감사보고서에 작성, 이사회에 보고한다. 지적사항에 대해서는 그의 시정 및 조치 요구사항을 포함하여야 한다.

● 사회복지법인 감사보고서 작성(재무회계규칙제42조)

- 세입세출 결산서 필수 첨부서류

○ 사회복지법인은 임원 중 감사 2인 이상을 반드시 두어야 하고, 사회복지법인,시설 재무회계규칙 제42조에 따라 법인의 감사가 법인과 법인이 운영하는 시설에 대한 매년 1회 이상 감사를 실시하는 것입니다.

○ 감사 중 1인은 법률 또는 회계에 관한 지식에 관한 사람이 있는 사람이어야 한다고 법률(사회복지사업법 제18조 제7항)에 규정되어 있으므로 반드시 세무사나 회계사일 필요는 없습니다.

 - 다만, 사회복지사업법 제18조 및 시행령제10조에 따라 법인(시설 포함) 직접 3회계연도의 평균 세입결산액이 30억원을 초과하는 경우, 전문감사인(공인회계사) 1인이상을 주어야 한

다

○ 감사보고서는 감사가 작성, 날인하는 것이므로 감사 이외의 자는 감사의 자격이 없으며, 감사와 지도점검은 구분되어야 합니다.

다만, 법인의 직원이 감사를 보조하여 감사에게 의견을 제시할 수는 있을 것입니다.

● **공익법인 재무제표에 의한 결산서 작성**(상증법 제50조의4, 시행령 제43조의6)

○ 사회복지법인은 상증법 제16조제1항 및 같은 법 시행령 제12조에 의한 공익법인에 해당함

○ 상증법 제50조의4 및 시행령 제43조의4에 따라 공익법인 계기준 제3조에 의한 법인 및 시설(수익사업 포함)을 포함한 통합 재무제표를 작성하여야 함

○ 법인에서는 이사회 결산서 승인후 국세청 홈택스에 재무제표와 전문감사인(공인회계사)의 감사보고서를 함께 아래 보고서를 포함하여 공시하여야 합니다

- 기부금 수입사용 내역 포함
- 공익법인 출연재산에 대한 보고
- 법인 전용통장 개설계좌 신고

● **이사회 승인된 결산서의 주무관청 제출과 공고**(재무회계규칙제19조)

○ 이사회 의결을 거친 후 결산관련 서류는 다음연도 3월 31일까지 시장·군수·구청장에게 제출하고 세입·세출 개요와 후원금품의 수입 및 사용내역 개요를 법인(시설)의 홈페이지 또는 게시판과 주무관청 인터넷 홈페이지에 20일 이상 공고하도록 하여야 한다.

(근거)

- 신문 등의 자유와 기능보장에 관한 법률」 제2조 제1호
- 잡지 등 정기간행물의 진흥에 관한 법률」 제2조 제1호의 규정에 의한 '정기간행물에 게재하는 것으로 갈음할 수 있다.

○ 법인이사회의 회의록에는 발생한 예비비 승인, 예산 동일 항 내에 목간 전용승인, 결산 후의 잔액 사용방안 승인 등은 반드시 기재되어야 한다.

○ 법인(시설)의 세입세출결산서(안)를 이사회 승인 제출시 감사보고서(별지서식)가 첨부되어야 한다.

출처 : 사회복지시설운영 매뉴얼(대구시.2012)

8. 결산관련 장부 비치(재무회계규칙 제24조)

● 필수 비치장부

○ 현금출납부, 총계정원장, 재산관리대장, 비품관리대장, 급여대장

● 사회복지시설정보시스템을 활용할 수 있다(재무회계규칙 제6조의2)

○ 결산서 공고는 사회복지사업법 제6조의2제2항에 따라 정보시스템에 게시하면 공시하는 것으로 갈음할 수 있다.

◆ 결산결과 세출예산보다 초과 지출된 경우 처리방법은?(유의)

○ 회계 연도가 지난 후에는 전용이나 추가경정예산편성을 할 수 없다면, 결산 결과 세출예산보다 초과 지출된 경우 처리 방법은?

○ 전용이나 추가경정예산을 편성하지 못한 채 세출예산액보다 초과 지출된 과목이 있더라도

이를 취소, 수정, 무효로 할 수 없으며, 초과된 내역이 나타나는 그대로 결산서를 작성하여야 합니다.

○ 다만, 그에 대한 책임이 따를 경우 책임을 져야 합니다.
출처 시원한 복지회계

9. 공익법인 재무제표에 의한 결산서 작성
(상속세 및 증여세법 50조의4, 시행령 제43조의6)
● 공익법인 재표제표의 결산서 작성

○ 사회복지법인은 상속세 및 증여세법 제16조 제1항 및 같은 법 시행령 제12조에 따라 공익법인에 해당함.

○ 같은 법 제50조의4 및 시행령 제43조의4에 따라 공익법인회 계기준 제3조에 따라 재무제표를 작성할 때에는 공익법인 전체(법인, 시설, 수익회계)를 하나의 보고 실체로 작성한다고 규정하고 있음.

○ 법인 산하 전체(법인, 시설, 수익사업을 포함)의 통합재무제표 를 작성하여야 한다.

○ 재무제표 작성을 위해서는 법인 및 시설에서 복식회계에 의한 장부정리가 우선 되어야 한다.

● 보조금관련 세무회계처리

정부에서 지원해주는 보조금은 일반적으로 수익관련 보조금이 많습니다.

○ 보조금의 경우 특정 목적이 지정된 보조금이 많으며, 이 경우에는 인건비를 지원한다거나, 세무회계관련 비용을 지원한다고 볼 수 있습니다.

  - 이런 보조금의 경우는 당기손익에 반영하지 않고 특정의 비용과 상계처리합니다.

○ 특정목적이 없는 보조금은 영업외수익으로 처리합니다.

○ 보조금이 만약 주된 영업활동과 직접적인 관련성이 있다면 영

업수익 즉 매출액으로 처리합니다. 예를 들면 매출가격이 매출원가에 미달하는 재화나 용역을 계속 제공하게 할 목적으로 지급되는 보조금을 말합니다.

○ 수익관련 보조금을 사용하기 위하여 특정의 조건을 충족해야 하는 경우에는 그 조건을 충족하기 전까지는 선수수익으로 회계처리합니다. 예를 들면 관련 보조금을 받아 법인을 설립한 경우이거나 사회적기업의 경우는 보조금 회계처리가 대부분인 경우가 많습니다.   출처 : 따뜻한 세무회계컨설팅 대표 세무사 현보라

10. 공익법인 결산서 국세청 홈택스 공시의무
(상속세 및 증여세법 제50조의3)

● 자산총액 5억원 이상 공익법인은 다음의 결산서류 등을 해당 공익법인 등의 사업연도 종료일부터 4개월 이내에 국세청의 인터넷 홈페이지에 게재하는 방법으로 공시하여야 합니다. (상증법 § 50의3)
- 대차대조표
- 손익계산서(수지계산서 등 포함)
- 기부금 모집 및 지출명세
- 해당 공익 법인 등의 대표자 · 이사 · 출연자 · 소재지 및 목적사업에 관한 사항
- 주식보유 현황 등

● 12월 결산 공익법인 등 결산서류 공시

○ 출연재산 보고서 등 제출
 - 제출기한 : 사업종료 연도이후 5월2일까지

◆사회복지법인, 시설 재무회계규칙 제20조(결산보고서에 첨부하여야 할 서류)

결산보고서에는 다음 각 호의 서류가 첨부되어야 한다. 다만, 단식부기로 회계를 처리하는 경우에는 제1호부터 제3호까지 및 제14호부터 제23호까지의 서류만을 첨부할 수 있고, 소규모시설의 경우에는 제1호 및 제17호의 서류만을 첨부할 수 있으며, 「영유아보육법」 제2조에 따른 어린이집은 보건복지부장관이 정하는 바에 따른다.

1. 세입·세출결산서
2. 과목 전용조서
3. 예비비 사용조서
4. 대차대조표
5. 수지계산서
6. 현금 및 예금명세서
7. 유가증권명세서
8. 미수금명세서
9. 재고자산명세서
10. 기타 유동자산명세서(제6호 내지 제9호의 유동자산외의 유동자산을 말한다.)
11. 고정자산(토지·건물·차량운반구·비품·전화가입권)명세서
12. 부채명세서(차입금·미지급금을 포함한다.)
13. 제충당금명세서
14. 기본재산수입명세서(법인만 해당한다.)
15. 사업수입명세서
16. 정부보조금명세서
17. 후원금수입 및 사용결과보고서(전산파일을 포함한다.)
18. 후원금 전용계좌의 입출금내역
19. 인건비명세서
20. 사업비명세서
21. 기타비용명세서(인건비 및 사업비를 제외한 비용을 말한다.)
22. 감사보고서
23. 법인세 신고서(수익사업이 있는 경우에 한한다.)

┌───┐
│ ◆ **공익법인의 국세청 홈택스 보고자료 제출** │
│   │
│   상속세 및 증여세법에 따라 공익법인인 사회복지법인은 매년 │
│ 관할세무서에 아래 사항 보고서를 제출(홈택스)하여야 합니다. │
│ ○ 공익법인 결산 재무제표 공시(기부금 수입사용 내역 포함) │
│   (법인, 시설, 수익 포함) │
│   (상속세 및 증여세법 제50조의3 및 시행령 제43조의3) │
│ ○ 공익법인 출연재산에 대한 보고(상증법 제48조제5항 및 시 │
│ 행령 제41조) │
│ ○ 법인 전용통장 개설계좌 신고(상증법 제50조의2) │
│ ○ 제출방법은 국세청 홈택스를 사용하면 됩니다만, 여간 어려 │
│   운 과정이 아닙니다. │
│   무엇보다도 법인 통합 재무제표가 잘 되어 있어야 가능합니 │
│   다. │
│   법인에서는 꼭 참고하세요. │
│ ○ 그리고 사회복지법인시설 재무회계규칙에 따른 │
│   예·결산보고서의 주무관청에 제출하여야 합니다. │
│   │
│ 출처 : 복지법인시설 실무카페 │
└───┘

- **국세청 홈택스(신고/납부), (공익법인보고서 제출)**
○ **결산서류등 공시**
 - **제출기한 : 사업종류 연도이후 5월2일까지**
 - **홈택스(세금종류별 서비스), (공익법인 공시), (공시)**
○ **외부전문가 세무확인서 제출**
 - **홈택스(신고납부), (공익법인보고서), (세무확인서제출)**

○ **의무이행보고**
 - **홈택스(신청/제출), (공익법인 의무이행보고)**
○ **연간 기부금 모금액 및 활용실적 공개/ 공익법인 의무이행**
보고

- 제출기한 : 사업종료 연도이후 5월2일까지
- 사회복지법인, 어린이 집,기재부 장관이 지정 고시한 비영리법인, 사회적협동조합, 공공기관 등
○ 기타사항
- 공익법인 출연재산 등을 직접 공익목적에 사용하는 경우
▷ 운용소득 70% 이상 직접 공익목적에 사용(22.1.1부터는 80%이상) 출처 국세청

11. 특정보조사업자에 대한 공인회계사의 회계 감사(검증) (지방보조금법제18조)

○ 지방자치단체의 장으로부터 교부받은 보조금 총액이 10억원 이상 보조사업자가 해당된다. 다만, 보조금 총액이 3억원 이상인 경우는 검증을 받아야 한다.

○ 해당 보조사업자는 감사인(공인회계사 등)이 해당 회계연도를 기준으로 감사보고서를 보조금을 교부한 지방자치단체의 장에게 제출하여야 한다.

○ 감사보고서 등 절차와 제출서류는 지방보조금법 시행규칙에서 정하는 서식과 절차에 의한다.

12. 공익법인(사회복지법인 포함) 세무신고 및 세무확인

○ "상속세 및 증여세법" 제50조의4 및 같은 법 시행령 제43조의4에 따라 같은 법 제16조제1항에 따른 공익법인 등은 "공익법인회계기준"(기획재정부 2018.1.1.시행)에 따라 회계처리 및 재무제표를 작성할 때에는 발생주의 회계원칙에 따라 복식

부기 방식으로 하여야 함 출처 : 2019 사회복지법인.시설 업무가이드(p55)

○ 공익법인 등의 외부 세무확인(상속세 및 증여세법 제50조, 시행령 제43조)

1) 공익법인(사회복지법인포함) 등은 사업연도별로 출연받은 재산의 공익목적사업 사용여부에 대하여 2명의 변호사, 공인회계사, 또는 세무사를 선임하여 사업연도 종료일로부터 2개월 이내에 세무확인을 받아야 한다. 다만, 다음에서 정하는 공익법인 등은 세무확인을 받지 않아도 된다.
   - 사업연도 종료일 현재 대차대조표상 총 자산가액의 합계액이 5억원 미만인 공익법인 등. 다만, 해당 사업연도의 수입금액과 그 사업연도에 출연받은 재산가액의 합계액이 3억원 이상인 공익법인 등은 제외
   - 불특정 다수인으로부터 재산을 출연받은 공익법인 등(출연자 1명과 그의 특수관계인이 출연한 출연재산가액의 합계액이 공익법인 등이 출연받은 총재산가액의 100분의 5에 미달하는 경우에 한함.)
   - 국가나 지방자치단체가 재산을 출연하여 설립한 공익법인 등으로서 감사원의 회계검사를 받은 경우

2) 외부전문가의 세무 확인을 받은 공익법인 등은 세무확인보고서를 해당 공익법인 등이 사업연도의 종료일로부터 3월 이내에 관할 세무서장에 보고하여야 한다.

3) 과세기간 또는 사업연도의 종료일 현재 대차대조표 상 총 자산가액이 5억원 이상이거나 해당 사업연도의 수입금액과 출연받은 재산가액의 합계액이 3억원 이상인 공익법인 등은 외부전문가의 세무확인을 받아야 하는 것임.

○ 상속세 및 증여세법 제50조 및 같은 법 시행령 제43조 규정과

관련임.

[1][3] 인사노무관리

1. 사회복지조직과 인사관리
● 사회복지조직의 특성과 구성
○ 사회복지조직(이하 "조직"이라한다)은 공공이익을 실현하는 비영리조직이다

○ 조직의 인사관리 주요 내용으로는 종사자(직원)의 모집 및 채용, 업무과업의 분석과 할당, 과업평가에 대한 실행, 종사자 교육훈련, 지도감독 등으로 구성된다

● 사회복지조직의 인사와 노무관리
○ 인사관리는 종사자의 모집과 채용, 오리엔테이션, 업무과업 분석과 할당, 과업평가 실행, 교육훈련과 경력개발, 성과문제에 대한 대응, 종사자의 보상과 이직관리 등이 주요 내용으로 구성된다.

○ 노무관리는 인사관리와 거의 같은 의미로 사용하고 있으나, 조직 구성원인 근로자인 종사자(이하 "종사자"라 한다)의 비인간화를 막고 근로의욕을 향상시키는데 있다

- 앞으로는 종사자의 노동력을 가장 합리적, 능률적으로 사용하거나 또는 조직 목표달성을 위한 여러 조건들을 정비하는 시책으로 중요성이 강조되고 있다

2. 인사관리 구성요소

● 종사자의 모집과 채용

○ 조직 구성원에 대한 인건비 지원이 대부분 정부 보조금의 자금원천으로 채용원칙은 원칙적으로 공개경쟁모집을 하도록 되어 있다

○ 조직 운영 정원규모에 대해서는 법령과 지침에 따로 정해져 있으며, 종사자의 자격요건에 대해서도 개별법령과 지침 등에서 규제하고 있다

● 종사자에 대한 교육훈련

○ 종사자의 발전을 위한 사회복지사업법을 비롯한 다른 법령에서 법정의무교육 이수를 하도록 되어 있다

○ 교육훈련에 대해서는 법인과 시설에서는 공가 처리와 교육비를 예산에서 지원하고 있다

○ 사회복지사의 보수교육에 대해서는 보건복지부에서 한국사회복지사협회에 위탁관리하고 있다

● 업무분석 및 업무분장,평가

○ 업무분석과 업무분장에 대해서는 시설의 장을 비롯한 구성원들이 함께하여 업무를 배분 할당하여 정한다

○ 업무분석은 시설 자체적으로 실시하는 경우도 있으며, 주무관청에서도 업무분석과 평가를 실시하여 지도감독을 행한다

● 종사자에 대한 보상과 이직

○ 종사자에 대한 급여수준은 보건복지부에서 권고하는 사회복지시설종사자 인건비 가이드라인을 기준으로 예산의 범위 내에서 각 시도별로 각종 수당을 부가하여 지급하고 있다

○ 조직 내 구성원의 갈등과 이해를 조정하기 위해 노사협의회나 간담회 등을 통해 해소하고, 법인(시설)운영규정이나 취업규칙에 따라 복무나 휴가 등을 실시하고 있다

○ 부득이 종사자중 조직을 이직하는 경우가 발생하면, 사용자

는 이에 대한 사유를 분석하여 우수하고 능력있는 인재가 이직하지 않도록 노력해야 한다

3. 인사노무관리에 적용되는 법령 등

● **인사관리분야**

○ 중앙부처 주무관청인 보건복지부와 시도에서는 매년 공표하는 업무지침을 기준으로 적용하고, 특별한 규정이 없으면 지방공무원법이나 인사규정을 준용한다

○ 개별 법령 및 지침과 법인(시설)운영규정 등에서 정하는기준을 적용하여야 한다

● **노무관리분야**

○ 근로기준법과 남녀고용평등법, 최저임금법과 취업규칙을 기준으로 사례별로 구분 적용 검토하여야 한다

○ 이 책에서는 위 분야에 해당하는 개별법령을 중점적으로 다루도록 한다

4. 근로기준법 기초이해

● **근로기준법**

○ 목적(근로기준법 제1조)

헌법에 따라 근로조건의 기준을 정함으로써 근로자의 기본적 생활을 보장, 향상시키며 균형있는 국민경제의 발전을 꾀하는 것을 목적으로 한다

○ 정의 (근로기준법 제2조)

- 근로자

임금을 목적으로 사업이나 사업장에 근로를 제공하는 사람을 말

한다
 - **사용자**
 사업주 또는 사업 경영담당자, 그 밖에 근로자에 관한 사항에 대하여 사업주를 위하여 행위하는 자를 말한다
 O **근로계약**
 - 근로자가 사용자에게 근로를 제공하고 사용자는 이에 대하여 임금을 지급하는 것을 목적으로 체결된 계약을 말한다
 O **임금**
 - 사용자가 근로의 대가로 근로자에게 임금,봉급 그 밖에 어떠한 명칭으로든지 지급하는 모든 금품을 말한다
 O **평균임금**
 -산정하여야 할 사유가 발생한 날로부터 이전 3개월 동안에 그근로자에게 지급된 임금의 총액을 그 기간의 총일수로 나눈 금액을 말한다
 -산출된 금액이 그 근로자의 통상임금보다 적으면 그 통상임금액을 평균임금으로 한다
 O **1주**
 - 휴일을 포함한 7일을 말한다
 O **소정 근로시간**
 - 근로기준법 또는 산업안전보건법에 따른 근로시간의 범위에서 근로자와 사용자 사이에 정한 근로시간을 말한다
 O **단시간근로자**
 - 1주동안의 소정근로시간이 그 사업장에서 같은 종류의 업무에 종사하는 통상 근로자의 1주동안의 소정근로시간보다 짧은 근로자를 말한다
● **근로자여부 판단**
 O **업무내용을 사용자가 정하고 취업규칙 또는 복무(인사)규정**

등의 적용을 받으며 업무수행과정에서 사용자가 상당한 지휘.감독을 하는지

 ○ 사용자가 근무시간과 근무장소를 지정하고 근로자에게 이에 구속을 받는지

 ○ 보수의 성격이 근무자체의 대상적 성격인지, 기본급이나 고정급이 정해져 있는지 및 근로소득세를 원천징수 여부 등

> ◆ **근로기준법상 근로자 개념과 산재법 및 고용보험법상 근로자개념은 같다**
>
> ○ 산업재해보상법이나 고용보험법의 적용을 받는 근로자의 개념은 근로기준법상 근로자와 동일하므로 근로기준법상 근로자로 인정되면
>
> ○ 업무상 재해에 따른 산재보상이나 고용보험법상 실업급여 등의 혜택을 받을 수 있다

● 근로기준법의 특징 (근로기준법 제15조)

 ○ 사용자보다 사회적 약자인 근로자를 보호하고, 법정 최저근로조건을 강제함으로써 근로자의 기본적 생활을 보장.향상시키는 것을 목적으로 한다

 ○ 법에서 정한 근로조건은 최저기준이므로 최저기준에 마달하면 무효가 되는 강행규정임

- 그러나 근로조건이 최저기준을 초과하면 유리조건 우선의 원칙에 따라 최저기준보다 그 근로조건이 우선 적용된다

5. 복지시설과 근로기준법

● 근로기준법 적용여부(근로기준법 제11조)

 ○ 우리나라 복지시설 대부분이 종사자의 인건비를 정부나 지방자치단체 보조금을 지원받고 있는 특수성이 존재하지만 근로

기준법 적용을 받고 있다

○ 근로기준법은 상시근로자수 5인이상의 사업 또는 사업장에 적용되며, 상시근로자수 4인이하의 사업장에는 정당한 이유없는 해고의 제한, 연차유급휴가 등 일부 내용은 적용되지 않습니다.

● **상시 근로자수 산정 방법**(근로기준법 시행령 제7조의 2)

○ 해고 등 법 적용 사유 발생일 이전 1개월동안 사용한 근로 자의 연인원(기간제, 단시간근로자 등 비정규직도 포함)을 1개 월간 가동 일수로 나누어 산정합니다

○ 동일 법인이 운영하는 시설이 2개이상인 경우

- 각 시설들이 장소적으로 분리되어 있는지? 납세번호증상에 대표자가 각각 다르게 기재되어 있는지? 각 시설별로 서로 다 른 취업규칙을 제정하여 운용하고 있는지? 인사노무관리, 예산 편성 및 집행 등이 서로 독립적으로 이루어지는지

여부를 종합적으로 고려하여 별개의 사업장 여부를 판단해야 합 니다.

- 하나의 법인 내에 여러 개의 사업 또는 사업장이 있는 경우 라도 원칙적으로 그 전체를 하나의 사업장으로 보아야 한다(근 로기준과-4221, 2005.8.12.)

○ 법인이 운영하는 복지관의 경우

- 복지관은 법인이 운영하는 사회복지시설에 불과할 뿐 법인과 별도의 당사자 능력을 갖는 법인격 없는 사단 또는 재단으로 볼 수 없다(대법원 2006.2.4., 선고2005두 5673판결)

○ 복지관은 소송 당사자 능력이 없고 원고 법인만이 소송을 제기할 수 있다 (대법원 2006.2.24. 선고 2005두5673 판결)

● **정부의 시설운영지침과 근로기준법과의 관계**

○ 보건복지부에서 매년 "사회복지시설 관리안내" 등 시설 운

┌───┐
◆ 시설장을 근로자로 볼 수 없다는 사례

○ 사회복지법인 산하 장애인 생활시설의 원장은 원고 법인 직원에 대하여 직접 보직변경과 같은 인사권을 행사하기도 하였고, 참가인도 다른 직원들과 마찬가지로 근로시간이 지정되어 있고 급여규정의 적용을 받으며,

○ 시설에 상근할 의무가 부담한다는 점, 참가인은 매월 고정적으로 정해진 급여를 지급받고, 소득세, 주민세 및 사회보험료를 매달 급여에서 공제하여 납부하며, 고용보험, 건강보험, 국민연금 등에 가입되어 있었다는 점 등을 들어 참가인이 근로자의 지위에 있다고 주장하나

○ 참가인은 원고 법인으로부터 생활시설의 운영,인사, 회계 등 전반에 관한 권한을 위임받아 이를 독자적으로 처리하여 온 것일뿐 그 업무집행에 관하여 원고 법인의 구체적인 지휘감독을 받는 근로자라고 볼 수는 없다

(서울행정법원 2009.10.15., 선고 2009구합12174 판결)
└───┘

영에 대한 지침을 시달하고 있지만, 이 지침도 상위법인 근로기준법이나 최저임금법 등을 위반할 수는 없다

 ○ 정부 인건비 지원을 받지 아니하는 시설의 경우도 근로기준법을 위반할 수는 없다

6. 인사노무관리

● 채용

○ 정의

 - 법인이나 시설에서 조직 구성원이 될수 있는 지식과 기술능력 및 잠재적 역량이 있는 사람들을 구별해서 선택하는 과정

이다

● **공개모집(원칙)** (사회복지시설관리안내, 보건복지부)

○ 공개모집이란 자격을 갖춘 누구에게나 응모 기회를 제공하여, 경쟁을 통해 능력 있는 자를 임용하는 제도를 말함.

○ 채용예정분야, 지원 자격요건, 근무조건 등을 명시하여

 - 해당법인 및 시설 홈페이지, 지자체 홈페이지, 워크넷, 복지넷, 사회복지시설정보시스템, 희망이음 중 3곳 이상의 사이트(단, 워크넷, 복

넷, 희망이음 중 2곳에는 반드시 공고) 등애 채용관련사항을 15일 이상 공고한 후 법인 및 시설 내규 등에 의해 채용

 - 불가피한 경우 공고기간을 자체 사정에 따라 7일 이상 15일 이내로 단축 가능함

○ **면접관은 면접대상자와 특수한 관계에 있는 자는 배척하여야 함**

○ **특수 관계자는 재무 및 회계담당자로 채용되거나 직무를 수행할 수 없음**

 - 사회복지사업법 시행령 제9조에 의한 법인의 출연자, 이사, 6촌이내 혈족

● **공개모집의 예외**(시설관리 p39-40)

 ◆ **(전제사항)**

 - 종전에 공개모집 절차에 따라 시설에 채용된 사람일 것

 - 설치운영자와 근로.고용계약이 체결되어 있을 것

 - 해당 시설을 운영하는 법인의 임원, 운영자 개인 또는 시설장과 특별한 관계가 없을 것

 - 해당 직위와 관련하여 법령에 따른 자격기준을 충족시킬 것

○ 동일 시설 내 승진, 인사이동으로 보직이 변경되는 경우로서 종

전에 공개 모집에 의해 시설에 채용된 사람

○ 설치, 운영자가 법인인 경우로서 법인사무국에서 근무하다 그 법인이 설치, 운영하는 시설로 인사이동하는 경우

◆ **장애인복지관장 자격기준(유권해석)**

○ 장애인복지법시행규칙 자격기준 개정전 규정에 따라 채용되었다 할지라도, 계약만료시점에 시설장 자격기준에 대한 충족여부는 재검토되어야 할 것임

○ 사회복지분야라 함은 공무원으로서는 기관 직제상 사회복지관련과에 해당하거나 사회복지전담공무원으로서 근무한 경력으로 볼 수 있음
　- 보건복지부 장애인권익지원과-7447.2017.11.13.)

◆ **아동복지시설장의 자격기준(유권해석)**

○ 아동복지법 시행령 별표4의 시설장 자격기준 제6호에서"영유아보육법"에 의한 보육교사1급 자격을 가진 자로서 아동에 관련된 사회복지업무에 5년 이상 종사한 경력이 있는 자"라고 규정하고 있는 바, 이때의 사회복지업무에 종사한 경력이란 보육교사 1급자격을 취득한 이후의 경력만을 의미함 - 법제처 10-0341, (2018.01.09.)

● **60세 초과 종사자 특례 근로계약(인건비 보조금 지원가능한 경우)**

○ 60세 초과 종사자를 대체할 사람을 공개모집하였음에도 불구하고 응시자가 없는 경우

-복지넷, 워크넷, 사회복지시설정보시스템 또는 희망이음, 법인 및 시설 홈페이지, 지자체 홈페이지중 3곳이상(단 복지넷, 워크넷, 희망이음 중 2곳은 반드시 공고)에 15일이상 공개모집하였으나 응시자가 없는 경우, 1회이상 다시 공개모집절차를 진행하여야 하며, 2회이상 응시자가 없는 경우 해당 결과를 주무관청에 제출

- 60세를 초과한 종사자의 특례 근로계약은 1년으로 하되, 63

◆근로기준법

제1조(목적)이 법은 헌법에 따라 근로조건의 기준을 정함으로써 근로자의 기본적 생활을 보장, 향상시키며 균형 있는 국민경제의 발전을 꾀하는 것을 목적으로 한다.

제2조(정의)① 이 법에서 사용하는 용어의 뜻은 다음과 같다.<개정 2018. 3. 20., 2019. 1. 15., 2020. 5. 26.>

1. **"근로자"**란 직업의 종류와 관계없이 임금을 목적으로 사업이나 사업장에 근로를 제공하는 사람을 말한다.
2. **"사용자"**란 사업주 또는 사업 경영 담당자, 그 밖에 근로자에 관한 사항에 대하여 사업주를 위하여 행위하는 자를 말한다.
3. "근로"란 정신노동과 육체노동을 말한다.
4. **"근로계약"**이란 근로자가 사용자에게 근로를 제공하고 사용자는 이에 대하여 임금을 지급하는 것을 목적으로 체결된 계약을 말한다.
5. **"임금"**이란 사용자가 근로의 대가로 근로자에게 임금, 봉급, 그 밖에 어떠한 명칭으로든지 지급하는 모든 금품을 말한다.
6. **"평균임금"**이란 이를 산정하여야 할 사유가 발생한 날 이전 3개월 동안에 그 근로자에게 지급된 임금의 총액을 그 기간의 총일수로 나눈 금액을 말한다. 근로자가 취업한 후 3개월 미만인 경우도 이에 준한다.
7. **"1주"**란 휴일을 포함한 7일을 말한다.
8. **"소정(所定)근로시간"**이란 제50조, 제69조 본문 또는 「산업안전보건법」 제139조제1항에 따른 근로시간의 범위에서 근로자와 사용자 사이에 정한 근로시간을 말한다.
9. **"단시간근로자"**란 1주 동안의 소정근로시간이 그 사업장에서 같은 종류의 업무에 종사하는 통상 근로자의 1주 동안의 소정근로시간에 비하여 짧은 근로자를 말한다.

② 제1항제6호에 따라 산출된 금액이 그 근로자의 통상임금보다 적으면 그 통상임금액을 평균임금으로 한다.

> **제15조(이 법을 위반한 근로계약)①** 이 법에서 정하는 기준에 미치지 못하는 근로조건을 정한 근로계약은 그 부분에 한정하여 무효로 한다.<개정 2020. 5. 26.>
> ② 제1항에 따라 무효로 된 부분은 이 법에서 정한 기준에 따른다.

세까지는 공모절차 없이 재계약 가능하며, 63세를 초과하여 근무하고자 하는 경우에는 위의 방식으로 1회 공개모집절차를 진행하여 응시자가 없는 경우 해당 결과를 주무관청에 제출하고, 65세까지 계약 연장 및 인건비 보조금 지원가능

※60세 초과 종사자를 특례 채용한 경우에는 특례 근로계약 당시의 호봉으로 동결(이후 호봉 승급 없음)

○ 60세 초과 종사자의 기존 인건비 내에서 청년 인력(만 29세 이하)을 채용하는 경우

  - 신규 채용 및 인력 운용계획을 시설운영위원회 및 법인이사회를 거쳐 주무관청에 제출

  - 위의 계획에는 60세 초과 종사자 및 신규 채용 인력 2인의 인건비를 60세 초과 종사자의 기존 인건비 100% 내에서 지급하되, 60세 초과자의 인건비는 기존 인건비의 50%를 초과할 수 없음

  - 청년 인력에 대해서는 인건비 지급 가이드라인을 적용

※ 다만 위의 절차를 거치는 경우라 하더라도 65세를 초과하는 경우에는 인건비 보조금을 지원할 수 없음

출처 2024년 사회복지시설 관리안내(보건복지부, p28)

● **시설장 내정자의 공개모집**

  ○ 보건복지부 <사회복지시설 관리안내>에 따르면 모든 사회복지시설 종사자는 공개 채용하도록 규정하고 있으며, 지침에 열거하고 있는 공개모집 원칙의 예외에 해당하는 경우 공개모집 예외 원칙을 완화하여 적용 가능하도록 안내하고 있음

○ 이러한 사실을 종합하여 보면, 공개모집 원칙은 법률적 강제조항은 아니지만 시설 운영과 관련한 투명성을 제고하기 위해 마련된 기준으로써 이를 위반할 경우 해당 시설의 설치·운영자에게 보조금 지급을 배제하거나, 수탁법인인 경우 수탁자 선정 심사 시 배제가 용이하도록 감점할 수 있는 평가항목을 마련할 수 있도록 안내하고 있는 바, 해당 지침의 내용은 보조금을 받기 위해서는 준수하여야 하는 기준으로 봄이 타당할 것임

○ 또한 해당 수탁 받고자 하는 법인이 시설장 공개채용을 하지 않고 평가 점수에서 감점을 받고도 수탁자로 선정이 가능할지는 의문이나 그럼에도 불구하고 위탁계약이 체결된다면 보조금 지급은 불가할 것임(보건복지부 사회서비스자원과-4461, 2019. 8. 14.)

○ 다만, 우리 시에서는 보건복지부 지침에 따른 공개모집 원칙 준수를 위하여 공개채용 절차 위배

출처 2020 부산시 사회복지법인.시설 업무가이드(p211)

● 법인 임원(이사. 감사)와 특별한 관계인의 공개채용

○ 면접관으로 해당 시설의 운영위원회 외부위원만 면접관중 외부인력으로 참여 가능

○ 사회복지법인의 경우 관할 지자체 지역사회보장협의체에 추천한 외부추천이사를 면접관으로 포함시킬수 있으며, 외부추천이사가 면접관으로 참여하기 어려운 경우 지자체에서 추천하여 임명한 외부감사로 대체 가능

○ 외부인력 면접관이 실제 면접에 참여한 면접관중 과반수가 되어야 함

○ 상증법 시행령 제2조의2에 의한 특수관계인에 해당하며, 공익법인 의무 미이행에 따른 가산세가 부과됨. 특히 특수관계

인은 시설에 회계담당을 할 수 없다

 - 상증법 시행령 제80조제10항에 따라 전문자격증 소지자(사회복지사, 아동보육시설 보육사, 의사)는 가산세 부과에서 제외됨

● **결격사유(사회복지사업법 제35조)**

 ○ **시설장의 결격사유**(법 제35조, 제35조의2)

  - 전체 사회복지시설에 공통적용

 ○ **종사자의 결격사유**(법 제35조의2)

  - 전체 사회복지시설에 공통 적용

 ○ **기타 다른 법령에 규정이 있는 경우**

  - 공직자윤리법(퇴직공직자의 취업제한)

  - 사회복지분야의 6급이상 공무원으로 재직하다 퇴직한지 3년이 경과하지 아니한 사람 중에서 퇴직 전 5년 동안 소속하였던 기초지자체가 관할 하는 시설의 장이 되고자 하는 사람(2027.12.20. 시행)이후 최초로 퇴직하는 공무원부터 적용함)

 ○ **결격사유 조회 방법**

● **사회복지사 자격정지 가능 여부(기소유예.선고유예)**

 ○ 기소유예의 경우에는 사회복지사업법 시행규칙 제4조의39 별표1의3) 사회복지사의 자격취소 등에 관한 세부기준2.개별기준 라목3에 따라 "자격정지 3개월"의 규정을 적용할 수 있을 것임

 ○ 다만, 선고유예의 경우에는 피의사실만으로 행정처분을 한 이후 선고유예의 실효가 발생할 경우 행정처분의 적용 조항이 달라질 수 있으므로 선고유예의 실효 또는 면소여부에 따라 행정처분이 이루어져야 할 것임

출처 보건복지부 복지정책과-1181, (2019.3.29.)

● 퇴사후 퇴직일시금 받고 재입사한 경우

 안녕하세요. 로시컴-네이버 지식iN 상담 공인노무사 최창국 입니다.

 ○ 퇴사와 재입사에 대해서는 법적으로 제한이 없습니다(정년 퇴직의 경우, 계약직으로 가능함).

 ○ 따라서 회사에서 퇴사와 재입사를 허용한 경우 그에 따르면 됩니다.

 ○ 다만 재입사한 경우에는 기존 재직기간은 모두 소멸이 되고 신규입사자처럼 취급이 됩니다. 출처 : 네이버지식in

● 계약직 계약 만료후 근로계약 단절없이 정규직 채용시

 ○ 당 근로자의 계약 종료와 관계없이 계속 사용하고자 하여 정직원 전환이 되었다면 채용과정 등에 관계없이 계속근로가 인정되어 연차등도 모두 인정이 되고요.

 ○ 해당 근로자를 계속 사용할 의사가 없어 계약을 종료시키고 불특정인을 신규채용하고자 했던 과정에서 기존 근로자가 채용된것 뿐이라면 근로관계는 단절이 되므로 기존 연차는 수당으로 지급, 퇴직금까지 정산하면 되고요. 3월 1일부터 신규 근로자로 보시면 됩니다.

[출처]계약직 계약만료 후 근로관계 단절없이 정규직으로 채용시(연차 문의) (예산회계실무)|작성자 곰이누나

● 기간제 근로자가 근무중인 기관에 정규직 채용 공고에 응시한 경우

 - 해당 기관에서 질의하신 내용과 같이 해당 기간제 근로자는 최초에 육아휴직 대체근로자 신분인 기간제 근로자로 입사하여 근로계약 체결 기간 중에 있는 자입니다

◆ **결격사유 조회 방법**

　시설장은 사회복지시설 종사자 신규 채용시 다음과 같이 결격 사유 해당 여부를 조회하여야 한다.

○ 사회복지사업법 제35조 : 시설장(법인에서 조회)

○ 사회복지사업법 제35조의2 : 종사자(채용권자인 시설장이 조회)

　- 조회 방법 : 조회 대상 본인 동의서를 징구하고,경찰청 홈페이지 지료실에 조회신청서를 다운로드 받아(구비서류 첨부)

○ 관할 경찰서에 범죄경력조회(시설의 경우 경찰청 인터넷 홈페이지 활용) 또는 소속 법인 의뢰

　※ 유의사항 : 관할 경찰서별로 조회방법이 조금 다르므로 반드시 확인이 필요함.

- 해당 기간제 근로자가 중간에 정규직 채용 공고에 별도로 응시 하지 않았다면, 해당 근로자는 근로계약기간까지 근무한 후에 계약기간 만료로 근로계약 종료가 예정되어 있었던 자로 볼 수 있습니다.

- 그러나 해당 기간제 근로자는 귀 기관에서 다른 부서 또는 다른 직종에 우연히 정규직 채용 공고를 접한 후 기간제 근로자로 재직 중에 별도로 이력서 등을 제출하고 공개채용 방식으로 진행된 해당 정규직 근로자 선발(채용) 과정에 응시 한 것으로 판단됩니다

- 이는 해당 기간제 근로자의 자발적인 선택으로 본인이 동일한 기관이기 하지만 다른 정규직 직종에 이력서 등을 제출하고 응시하여 면접과정까지 마친 후에 최종 합격하였다면,

- 해당 기간제 근로자는 단순히 기간제 근로자에서 정규직 근로자로 근로계약이 변경되어 연속적으로 이어지는 것이 아니라, 기간제 근로자 신분을 스스로 포기하고 이후

- 다시 동일한 기관에 재입사에 성공한 것으로 봐야 하는바,

근로관계는 연속적으로 이어지는 것이 아니라, 단절된 것으로 볼 수 있습니다.

- 그러므로, 자발적 퇴사로 퇴직처리한 후에 4대보험 상실처리
- 바로 정규직으로 입사신고(4대보험 취득신고, 정규직으로)
- 경상보조금으로 지원받은 퇴직적립금이 있다면 향후 지자체에 1년이내 퇴사자이므로 퇴직연금 예산 반납
- 연차휴가도 따로 계산하여야 합니다(기간제 근로자 때 연차 발생과 정규직 최초 입사일을 기준으로 새로 산출하여야 합니다
출처 한국사회복지관협회

● **사회복지사의 채용 및 임면보고**(사회복지사업법 제13조)

○ 법인 및 시설을 설치, 운영하는 자는 매월 말일까지 서면 또는 사회복지시설 정보시스템을 통하여 시장, 군수, 구청장에게 임면 사항을 보고

○ 보조금 미지원 시설 종사자 채용보고는 사회복지사업법 제13조에 따라 사회복지사의 채용 및 임면사항(호봉 승급, 신상변동 포함)은 매월 말일까지 주무관청에 보고하게 되어 있으며, 인건비하고는 별개사항입니다.
출처 : 복지법인시설 실무카페

7. 호봉 (사회복지시설관리안내.보건복지부)

● **호봉 적용**

○ 보건복지부의 "사회복지시설 관리안내"와 시도 자체 기준을 근거로 근로기준법상 근로조건의 저하 등 다른 법령을 위반할 수 없음.

○ 보건복지부 이외 다른 지침이 있는 경우에는 그 지침을 우선

적용함.

● 호봉의 획정

○ 원칙적으로 근무 년수 1년에 대해 1호봉을 인정함.

○ 호봉은 현 시설 근무경력에 본 기준에서 인정하는 경력을 합산하여 결정

◆계약직에서 정규직 채용방법

○ 기존에 계약직 즉, 기간제도 근무하고 있는 근로자가 근로계약 기간이 도래하여 계약연장 또는 반복, 갱신 등을 하는 경우 인건비를 보조금으로 지급받지 아니하는 일반 기업체의 경우 내부 결정(대표이사 최종 결정 또는 인사위원회 내부 결정 등)만으로도 충분히 가능하지만

○ 보조금으로 인건비를 지급받고 있는 기관 또는 해당 근로자의 인건비가 보조금으로 집행되는 대상자라면 사회복지시설 관리안내 지침등에 근거하여 "공개채용" 절차를 거쳐야 할 것으로 판단됩니다.

○ 2019 사회복지시설 관리안내 공개채용 원칙의 예외(사회복지시설 관리안내 39p)로 인정하고 있는 5가지 경우에 한하여 공개채용 원칙을 하지 않아도 무방하며, 그 외 경우에는 공개채용을 원칙으로 하고 있습니다.

○ 공개채용 절차를 거쳐 기존에 근무하던 동일한 근로자를 다시 채용하여도 무방하며, 공개채용 절차 과정에서 기존 기간제 근로자보다 더 우수할 것으로 판단되는 지원자가 지원했을 경우, 새로운 지원자를 최종 합격시켜도 무방할 것입니다.

출처 : 한국사회복지관협회

○ 호봉은 열거된 경력에 대해서만 관련 인정률로 인정함.

○ 시설에서는 인정경력 이외 임의로 인정한 경력에 대하여는 원칙상 보조금으로 초과 인정과 관련한 인건비를 지급할 수 없음.

● **경력의 인정**(사회복지시설관리안내, 보건복지부)

○ **사회복지시설 경력(100% 인정)**

- 사회복지사업법 제2조에서 정하는 사회복지시설에서 근무한 경력

- 사회복지사 자격증 보유 여부와는 관계없음.

○ **유사경력(80% 인정)**

- 사회복지사업법에서 열거된 사회복지사업 관련 법률에 따라 사회복지 관련 자격증을 소지하고 법령에 정해진 해당 자격의 업무를 수행한 경력

- 요양보호사, 정신보건전문요원, 사회복지사, 언어재활사 등

- 물리치료사, 간호(조무)사, 영양사, 조리사로서 관련 자격증을 소지하고 "동종" 직종에 근무한 경력

- 사회복지법인에서 근무한 경력(사회복지공동모금회 포함)

- 공무원으로서 사회복지분야 근무한 경력

◆ **유사경력인정(사례)**

○ 사회복지시설관리안내에서는 법령에 채용이 의무화된 사업장이 아니더라도 사회복지사자격증을 소지하고 사회복지사로 채용되어 해당 자격의 업무를 수행한 경력인 경우 사회복지 경력 유사경력으로 80%를 인정할 수 있음 - 보건복지부 사회서비스자원과 -709(2021.02.04.)

※ **근무경력 인정** : 보건복지부(사회복지시설관리안내)와 시도 개별지침에 따른 열거주의를 적용함

◆ **기타 근무경력 인정 사례**

○ **학교사회복지사**

- 학교 및 교육복지센터는 사회복지시설이 아닙니다. 더불어 인정시설에 해당하지아니합니다.

- 근무하는 지역사회교육전문가가 경력으로 인정되려면 시도별 별도의

지침이 있는 경우, 유사경력80% 인정됩니다(서울시의 경우)

○ 학교 조리원

- 관련 자격증(조리사)을 소지하고 학교조리원으로 근무한 경우, 유사경력 80% 인정됩니다

○ 노인장기요양보험법에 의한 장기요양기관의 경우는 노인복지법과 노인장기요양보험법에 의해 각각 신고된 시설의 경우는 경력100% 인정되지만, 노인장기요양보험법에만 신고된 경우는 유사경력 80% 인정됩니다

○ 사회복지사업법 제2조에서 열거한 사회복지시설이 아닌 시설

- (물리치료사, 간호사(조무사), 요양보호사, 정신건강전문요원, 사회복지사, 언어재활사, 장애인재활상담사, 조리사등)로서 사회복지관련 자격증을 소지하고 법령 등에서 정해진 해당 자격의 업무를 수행한 경력은 유사경력 80% 인정됩니다

○ 사회복지시설(사회복지사업법)에서 근무한 경력

- 사회복지사 자격증 소지와 관계없이 경력 100% 인정됩니다(시설 근무 조리사, 사무원, 요양보호사, 간호사(조무사) 등)

◆ 사회복지시설 대체인력 근무경력관련 (질의응답)

○ 사회복지시설 종사자 대체인력지원사업은 사회복지시설관리안내(p.24) 사회복지시설 경력 다목으로 2018.01.01.부터 근무한 경력으로 인정됨.(다만, 어린이집 및 장기요양보험을 재원으로 하는 시설은 제외)

○ 대체인력에 대한 근로계약 체결 및 급여지급기관은 해당 사업을 수탁받은 협회이며, 실제 근무기관은 해당 인력의 파견된 사회복지시설임

○ 기존 종사자의 육아휴직 등으로 비어 있는 자리에 인적기준을 충족시키기 위해 시설 설치.운영자와 근로계약을 맺고 채용된 경우라도 하더라도 정규직 유무와 무관하게 사회복지시설 근무경력 100% 인정 가능할 것으로 사료됨

-출처 보건복지부사회서비스자원과-6326. 2019.12.05.)

● **민법에 의해 설립허가된 비영리법인에서 근무한 상근직원 경력**

○ 비영리법인중 민법 제32조에 따라 보건복지부장관의 허가를 받아 설립된 법인으로서 "사회복지사업법" 제2조의 사회복지사업을 수행하는 사단.재단법인에서 직원으로 상근한 경력은 유사경력으로 인정됨

○ 그러나, 보건복지부장관이외 다른 기관에서 허가를 받은 비영리법인의 경우 유사경력이 인정되지 아니함

출처 2022년 사회복지시설 관리안내(보건복지부, p263)

● **경력기간의 계산(사회복지시설관리안내, 보건복지부)**

○ 인정대상 경력이 중복되는 경우에는 그 중 유리한 경력 하나만 인정

○ 경력기간은 년, 월, 일까지 계산하되, 민법상 역에 의한 방법에 의해 계산함(12월을 1년으로, 30일을 1월로 계산함)

● **경력의 조회**

○ 보조금으로 인건비가 지급되는 시설 종사자의 채용 전 경력에 대한 인정은 인건비 지급의 기준이 되므로, 시설장은 반드시 전력 조회를 실시하되, 임용일로부터 3월 이내에 완료

○ 경력의 증명은 증명 권한이 있는 자(시설장, 시장, 군수, 구청장 등) 발행한 경력증명서에 의함.

○ 부득이한 경우 내부 증빙서류(임용장, 승진발령기록 등) 또는 외부증명 자료(국민건강보험공단 자료, 금융기관 보수입금 자료내역, 근로소득납세증명 등) 종합적으로 검토하여 경력인정

● **호봉의 획정과 승급 방법 (사회복지시설관리안내, 보건복지부)**

○ 초임봉의 획정

```
┌─────────────────────────────────────────────────────┐
│      ◆ 사회복지시설 종사자 경력과 사회복지사 경력의 구분        │
│                                                       │
│  ○ 사회복지시설 종사자 경력은 사회복지사업법 제2조에 해당하     │
│    는 시설에 자격증 소지여부와 관계없이 실제로 근무한 경력을    │
│    말한다.                                             │
│  ○ 반면에 사회복지사 근무경력은 사회복지사 자격증을 소지하     │
│    고 시설에 근무했을 때 인정하는 경력을 말하나, 이때 사회복   │
│    지사 자격증을 소지하고 있어도 다른 기관의 의무 채용 직종    │
│    (사무원, 요양보호사, 간호조무사, 물리치료사, 영양사 등)에 근 │
│    무한 경력은 동종 직종에 근무할 경우에 한 해 별도로 산정한   │
│    다.                                                 │
│    (예시 : 보건소 간호(조무)사 - 노인요양원 간호(조무사) 근무  │
│    경우)                                               │
│    출처 : 2019년도 사회복지법인.시설 업무가이드(p203)         │
└─────────────────────────────────────────────────────┘
```

시설에 신규 채용되는 종사자, 신규채용일

○ **호봉의 재획정**
   - 시설종사자가 다음 사유 발생 시 호봉을 재획정함.
   - 법령이나 지침의 개정에 따라 재획정하는 경우
   - 재획정하고자 하는 날 현재로 휴직, 정직 중인 경우에는 복
   직일에 재획정함.

○ **최고호봉은 31호봉을 초과할 수 없음(원장. 관장은 30호봉을
   초과할 수 없다).**

○ **승급은 시설에 재직 중인 직원이 다음에 해당하는 경우 호봉을
   승급함.**
   - 정기승급일이 되어야 함.
   - 정기승급일 현재 승급제한 기간 중에 해당되지 않아야 함.
   - 호봉 승급에 필요한 기간이 1년을 경과하여야 함.

○ 승급의 제한

  - 징계처분, 직위해제 또는 휴직(남녀고용평등법에 의한 육아
    휴직과 업무상 질병으로 인한 휴직은 제외)중에 있는 자

◆ **사회복지법인에서 지자체의 수탁을 받아 설치된 산하
  시설의 직원으로 근무한 경력 산정**

○ 사회복지법인에서 사무국 직원뿐만 아니라 사회복지법인의
  목적사업을 수행하기 위해 채용된 직원의 경우에도 유사
  경력이 인정된다고 할 것임.
(보건복지부 사회서비스자원과-6125,2017.8.20.)

◆ **급여기준 적용 직위 변경시 유의사항**

○ 관리직, 사무직, 의료직 등 직종 변경을 하는 경우 기존 직종에
  따른 호봉을 그대로 변경된 직종에 반영하는 것이 아니므로, 변경
  된 직종에 맞게 호봉을 재획정하여야 함.
  (예시)
   - 의료기관 근무 유사 경력을 호봉으로 인정받던 간호조무사가
     동일한 시설에서 사회복지사로 직위를 변경하면서 기존 의료기
     관 근무 유사 경력을 그대로 호봉으로 인정하여 호봉 과다 책
     정에 다른 보조금 반환 사유 발생

● **사회복지이용시설(사회복지직) 직위별 승진 최소
소요 연한**

**별표 6. 사회복지이용시설(사회복지직) 직위별 승진 최소 소요 연
  한**

직위	선임사회복지사	과장	부장.사무국장	비고
연한	사회복지사로 만3년(4년차)이상	선임사회복지사로 만5년(6년차)이상	과장으로 만7년(8년차)이상	

(1) 승진에 필요한 "최소 소요연한"은 해당 직위에서의 실 근무경력을 말하며, 소요기간은 동일 시설 및 법인 내 시설 근무경력을 우선 적용

(2) 2013년 12월 31일 이전 기준(해당 직종에서의 실 근무경력)에 의해 승진한 경우 종전 자격 유지

(3) 사회복지사는 만3년(4년차)의 "최소 소요연한"을 충족하는 경우, 승진 정원(인건비 예산)의 범위 내에서 선임사회복지사로 당연 승진으로 보할 수 있음

(4) 장애인복지관 일반직의 승진 최소 소요 연한은 개별 지침 등 별도 기준을 적용

(5) 생활시설 선임생활지도원은 만5년(6년차)이상인 생활지도원 중에서 법인 및 시설의 제반여건 등을 감안하여 선정

별표 7. 사회복지이용시설(사회복지외 직종) 의 직급별 승진 최소 소요 연한

직급	3급	2급	1급	비고
연한	4급으로 만3년(4년차)이상	3급으로 만5년(6년차)이상	2급으로 만7년(8년차)이상	

(1) 승진에 필요한 "최소 소요연한"은 해당 직위에서의 실 근무경력을 말함. 소요 기간은 동일 시설 및 동일 법인 내 시설 근무경력을 우선 적용

※ 승진최소 소요연한은 사회복지사로서 총 경력이 아닌 해당 직책(직위)에서의 실 근무경력을 말하는 것으로, 현재 근무하는 기관의 해당 직책에서의 실 근무경력을 말함

(2) 2013년 12월 31일 이전 기준(해당 직종에서의 실 근무경력)에 의해 승진한 경우 종전 자격 유지

(3) 4급으로 만3년(4년차)의 "최소 소요연한"을 충족하는 경우, 승진 정원(인건비 예산)의 범위 내에서 3급으로 당연 승진으로 보할 수 있음

(4) 장애인복지관 일반직의 승진 최소 소용 연한은 개별 지침 등 별도 기준 적용

(5) 생활시설 선임생활지도원은 만5년(6년차) 이상인 생활지도원 중에서 법인 및 시설의 제반 여건 등을 감안하여 선정

(6) 직급별 승진 최소 소요연한은 관리직, 사무직, 의료직 등은 개별 지침상 별도 기준이 있으면 이를 적용
※ 본 별표의 직급별 승진 최소 소요연한은 관리직, 사무직, 의료직, 타 직종 등에 각각 적용하며 개별 지침상 별도 기준이 있는 경우 이를 적용

※ 가이드라인 권고 기준 외 별도 지급 수당이 있는 경우에는 수당의 성격에 따라 통상임금 산정 범위 내에서 별도 판단 필요

8. 근로계약

● **근로계약의 체결**(근로기준법 제15조)

○ **근로계약이란**

- 근로자가 사용자에게 근로를 제공하고 사용자는 이에 대하여 임금을 지급함을 목적으로 체결된 계약

○ **근로계약 체결 방식**

- 근로자가 사용자에게 근로를 제공하고 사용자는 이에 대하여 임금을 지급함을 목적으로 체결된 계약을 말하며, 구두계약체결도 효력은 있으나, 반드시 서면으로 작성하여 근로자에게 교부

하여야 한다

- 사용자는 법인대표이사, 시설장(개인시설의 경우), 법인으로부터 인사권이 위임된 시설장
- 근로자는 법인.시설 종사자, 시설장(법인 산하)
- 근로조건 서면 명시 및 교부의무

○ 근로계약서 작성은 고용노동부에서 정하는 표준근로계약서(서식)을 활용하면 된다

● 근로계약기간

○ 통상 정규직 근로자는 근로계약기간의 정함이 없으며, 본인 자발적으로 퇴사하거나, 사용자가 해고하지 않으면 정년까지 보장된다

○ 근로계약기간을 정하여 채용한 기간제 근로자는 특별한 사정이 없는 한 기간 만료됨과 동시에 고용관계 또한 자동적으로 종료되는 것이 원칙이며 사용자는 근로계약기간 만료후 계약을 갱신할 법적 의무가 없다

○ 기간제 근로자를 2년 초과 사용시에는 무기근로계약으로 간주한다

● 근로계약서 작성

○ 근로기준법 제17조(근로조건의 명시)① 사용자는 근로계약을 체결할 때에 근로자에게 다음 각 호의 사항을 명시하여야 한다. 근로계약 체결 후 다음 각 호의 사항을 변경하는 경우에도 또한 같다. <개정 2010. 5. 25.>

1. 임금
2. 소정근로시간
3. 제55조에 따른 휴일
4. 제60조에 따른 연차 유급휴가
5. 그 밖에 대통령령으로 정하는 근로조건

② 사용자는 제1항제1호와 관련한 임금의 구성항목·계산방법·지급방법 및 제2호부터 제4호까지의 사항이 명시된 서면을 근로자에게 교부하여야 한다. 다만, 본문에 따른 사항이 단체협약 또는 취업규칙의 변경 등 대통령령으로 정하는 사유로 인하여 변경되는 경우에는 근로자의 요구가 있으면 그 근로자에게 교부하여야 한다.

◆ 사회복지법인 산하 시설에 근무하는 종사자의 근로계약 사용주는 누구?(질의응답)

1. 안녕하십니까? 귀하께서 국민신문고를 통해 신청하신 민원(2AA-2108-0475535)(2021.8.18)에 대한 검토 결과를 다음과 같이 알려드립니다.

2. 귀하의 민원내용은 "근로계약 체결 주체인 사용자가 누구인지"에 관한 것으로 이해됩니다.

3. 귀하의 질의사항에 대하여 검토한 의견은 다음과 같습니다.

   가. 근로기준법제2조제1항제2호에서 "사용자"란 사업주 또는 사업경영담당자, 그밖에 근로자에 관한 사항에 대하여 사업주를 위하여 행위하는 자를 말하고

   - 동법제17조에서 사용자는 근로계약을 체결할 때에는 근로자에게 임금, 소정근로시간, 제55조에 따른 휴일(주휴일), 연차유급휴가 및 그 밖에 대통령령을 정하는 근로조건을 명시하여야 하고, 상기 사항을 변경하는 경우 또한 같다고 규정하고 있습니다.

   - 여기서 "사업주"란 사업을 책임지고 경영하는 주체로서 기업주 개인이나 법인 그 자체를 말하고

   - 사업경영담당자는 사업주로부터 사업경영의 전부 또는 일부에 대하여 포괄적인 위임을 받고 대외적으로 사업을 대표하거나 대리하는 자를 말하며(예시주식회사 대표이사 등)

   - 근로자에 관한 사항에 대하여 사업주를 위하여 행위하는 자는 채용, 인사관리, 급여, 노무관리, 재해방지, 근로조건의 결정 등의 사항에 대하여 사업주 등으로 부터 권한과 책임을 부여 받은자(부장, 과장, 계장 등)로서 그 범위 내에서 사용자의 책임을 지는 자

를 말합니다.

나. 우리부는 재단법인 천주교 A회가 B시와 복지관 운영에 관한 위.수탁계약을 체결하고, 동 계약에 따라 재단법인에서 복지관을 운영하고 있는 경우에는 특별한 사정이 없는 한 재단법인의 대표자가 근로기준법 제15조에 의한 사용자(사업경영담당자)에 해당하고, 복지관 운영과 관련하여 재단법인에서 복지관 운영을 전담할 관장을 임명 파견하여 관장에게 근로자 채용 등 인사.경영권의 전반에 대한 실질적인 권한을 부여하고 복지관 운영을 위해 관장명의로 사업자등록을 하여 관장이 대외적인 대표권을 행사하고 있다고 하는 바, 재단법인이 복지관을 운영하면서 법인 내부적으로 운영방법을 정한 것에 불과하다면 재단법인 대표자가 사용자(사업경영담당자)에 해당하며, 관장 역시 근로기준법의 사용자에 해당하므로 위반행위에 대한 책임이 있다는 행정해석을 시달한 바 있으며(근기68207-78, 2003.01.21.)

- "근로기준법" 제15조(현 근로기준법 제2조)에 의한 사용자는 사업주 또는 사업경영담당자 기타 근로자에 관한 사항에 대하여 사업주를 위하여 행위하는 자로 근로계약의 당사자(통상 사업주)뿐만 아니라 "근로기준법"을 지켜야 할 의무가 있는 자도 포함됩니다(근기682071910, 2001.6.14.).

다. 따라서 귀 질의와 같이 근로기준법상 사용자 범주는 사업주 뿐만 아니라 사업경영담당자와 근로자에 관한 사항에 대하여 사업주를 위하여 행위하는 자도 포함되므로, 법인 그 자체(사업주)뿐만 아니라 근로자의 인사복무 및 임금지급까지 실질적인 권한과 책임을 행사하는 시설장(사업경영담담당자 또는 근로자에 관한 사항에 대하여 사업주를 위하여 행위하는 자) 또한 근로기준법을 지켜야 할 의무가 있는 자로 사료되므로, 근로계약체결 당사자를 시설장으로 보아 근로계약을 체결하여도 무방하다 사료됩니다.

4. 상담센터의 상담은 질의한 사실에 한정하여 법령과 행정해석 등을 참조하여 작성하는 것이므로 별도의 법적인 효력을 부여하는 결정이나 판단은 아닙니다.

출처 : 고용노동부 고객상담센터 인터넷상담과 주무관(052-702-5131)에게 연락주시면 친절히 안내해 드리도록 하겠습니다.

(2AA-2108-0475535.2021.8.13) 감사합니다. 끝

○ 근로계약의 사용자 지위는 법인의 대표이사, 시설장(개인시설 대표자)이나 법인 산하 시설장의 경우는 구체적인 내용에 따라 사용자 또는 근로자의 지위도 함께 가질 수 있다

◆ 근로계약서 작성 위반사례

① 임금의 구성항목이 변경되었으나, 근로자의 임금총액이 동일 하다는 이유로 사업주가 근로계약서를 서면으로 교부 하지 않은 사례

○ 임금총액은 동일하나, 중요 근로조건인 임금의 구성항목이 변경되었으므로 변경된 내용을 적은 근로계약서를 근로 자에게 교부하여야 하며, 기본급이 낮아져 근로조건이 저하된 것이므로 근로자의 동의를 받아야 함

② 입사후 즉시 근로계약서를 작성하지 않은 사례

○ 근로자의 채용이 확정되면, 근로개시전에 근로조건의 내용 을 반영한 근로계약서를 작성.교부하여야 함

○ 근로계약을 체결할 때 서면으로 작성하지 아니하면 근로기 준법 위반 (500만원이하의 벌금)

③ 근로계약서에 반드시 기재되어야 할 사항을 누락한 경우

○ 임금. 소정근로시간. 휴일 및 휴가와 관련된 규정은 반드시 기재되어야 할 사항이므로 구체적으로 기재하여야 하나, 지나치게 추상적으로 기재

④ 근로계약서 작성하였으나, 근로자에게 교부하지 않은 사례

○ 근로계약서는 작성하여 반드시 근로자에게 서면으로 교부하여야 하나 교부하지 않았다면 법 위반임

표준근로계약서(기간의정함이없는경우)

(이하"사업주"라함)과(와)(이하"근로자"라함)은 다음과 같이 근로계약을체결한다.

1.근로개시일:년 월 일부터
2.근무장소:
3.업무의내용:
4.소정근로시간:시분부터 시분까지(휴게시간:시분~시분)
5.근무일/휴일:매주일(또는매일단위)근무, 주휴일매주요일
6.임금
-월(일, 시간)급:원
-상여금:있음( )원, 없음( )
-기타급여(제수당등) :있음( ), 없음( )
·원, 원
·원, 원
-임금지급일:매월(매주또는매일)일(휴일의경우는전일지급)
-지급방법:근로자에게직접지급( ), 근로자명의예금통장에입금( )
7.연차유급휴가
-연차유급휴가는근로기준법에서 정하는 바에 따라 부여함
8.사회보험적용여부(해당란에체크)
□고용보험□산재보험□국민연금□건강보험
9.근로계약서교부
-사업주는근로계약을체결함과동시에본계약서를사본하여 근로
자의 교부요구와 관계없이 근로자에게교부함(근로기준법제17조 이행)
10.근로계약, 취업규칙등의성실한이행의무
-사업주와근로자는각자가근로계약, 취업규칙, 단체협약을지키고성실하게이
    행하여야함
11.기타
 이 계약에 정함이 없는 사항은 근로기준법령에 의함
년 월 일
(사업주)사업체명:(전화:)
        주소:
        대표자:(서명)
(근로자)주소:
        연락처:성명:(서명)

표준근로계약서(기간의정함이있는경우)

(이하"사업주"라함)과(와)(이하"근로자"라함)은 다음과 같이 근로계약을

체결한다.
1.근로계약기간:년월일부터 년월일까지
2.근무장소:
3.업무의내용:
4.소정근로시간:시분부터시분까지(휴게시간:시분~시분)
5.근무일/휴일:매주일(또는매일단위)근무, 주휴일매주요일
6.임금
-월(일, 시간)급:원
-상여금:있음()원, 없음()

-기타급여(제수당등) :있음(), 없음()
·원, 원
·원, 원
-임금지급일:매월(매주또는매일)일(휴일의경우는전일지급)
-지급방법:근로자에게직접지급(), 근로자명의예금통장에입금()
7.연차유급휴가
-연차유급휴가는근로기준법에서정하는바에따라부여함
8.사회보험적용여부(해당란에체크)
□고용보험□산재보험□국민연금□건강보험
9.근로계약서교부
-사업주는근로계약을체결함과동시에본계약서를사본하여근로자의교부요구
　　　와관계없이근로자에게교부함(근로기준법제17조이행)
10.근로계약, 취업규칙등의성실한이행의무
-사업주와근로자는각자가근로계약, 취업규칙, 단체협약을지키고성실하게이
　　　행하여야함
11.기타
-이계약에 정함이 없는 사항은 근로기준법령에의함
년월일
(사업주)사업체명:(전화:)
　　　　　주소:
　　　　　대표자:(서명)
(근로자)주소:
　　　　　연락처:
　　　　　성명:(서명)

● 근로계약서 보관
　○ 근로계약서를 비롯한 관련 서류는 노사간의 분쟁을
　　　　　예방하기 위해 근로기준법 제42조에 의해 3년간
　　　　　보관하여야 함

○ 근로자 명부, 근로계약서, 임금대장, 고용. 해고에 관한 서류, 휴가에 관한 서류 등

◆ **지방자치단체가 복지시설을 법인에게 위탁운영을 해 오다가 위탁계약 만료로 새로운 법인에게 위탁할 경우 고용승계해야 할 의무 없다. (2000.01.25, 근기 68207-177)**

○ [질의]자치단체가 설립하고 그 운영을 법인에 위탁(운영비 국고 40%, 지방비 60%)한 ○○복지관의 위탁기관인 A자치단체와 B법인과의 위탁계약기간이 만료되어 다시 C법인과 새로운 위탁계약을 체결하는 경우- 종전 종사자에 대한 고용승계를 이행해야 하는지 여부- 만약 고용승계를 하는 경우 A법인의 취업규칙 내용인 임금·퇴직금 누진제 등에 대하여 포괄적으로 승계하여야 하는지 여부

○ [회 시]지방자치단체가 설립한 ○○복지관을 "지방자치단체 사회복지시설 등 설치 및 위탁운영에 관한 조례"에 의거 B법인과 위·수탁계약을 체결하고 일정한 운영비를 지급하며, B법인은 관장 이하 직원을 자체적으로 채용하고 사업계획을 승인받아 운영하는중 계약기간이 만료되어 A자치단체가 C법인과 새로운 위·수탁계약을 체결하고자 하는 경우- B법인과 C법인간에 고용승계에 관한 별도의 특약이 없는 한 원칙적으로 C법인이 B법인과 근로관계를 맺고 있는 근로자의 근로관계를 승계하여야 할 법적 의무는 없다고 사료됨. 다만 법적 의무와는 별도로 근로자의 고용안정을 도모한다는 차원에서 볼 때 C법인이 새로이 근로자를 채용한다면 법인의 근로자로서 당해 ○○복지관에서 근무했던 퇴직자를 우선 고용하는 것이 바람직하다고 사료됨.
종전 위탁업체가 폐업된 후 새로 위탁업체를 선정한 경우 고용승계에 관한 별도의 특약이 없는 한 협회가 종전 업체의 근로자를 승계할 의무는 없다

(2004.03.16, 근로기준과-1297)

○ [질 의] 본○○종합복지관은 1987년 11월부터 (사)○○재활협회가 ○○광역시로부터 위탁받아 운영하여 오던 중, 지난 2003년 10월 31일자로 폐업신고를 하고 공모를 통해 2004년 1월 1일부터 (사)○○총연합회가 ○○광역시로부터 새로이 위탁받아 전 직원을 고용승계하여 동 복지관을 운영해 오고 있음. 근로기준법 제24조 및 동법 시행령 제17조에 의거 근로조건의 명시 및 관련서류의 보존을 위한 노사간의 근로계약서 체결 여부에 대한 당위성

○[회시]귀 질의내용만으로는 구체적인 사실관계가 불분명하여 명확한 회신을 드리기 어려우나, ○○광역시가 ○○○종합복지관 (이하 '복지관')을 설치하고 ○○재활협회(이하 '협회')와 위탁계약을 체결하여 협회로 하여금 이를 관리운영토록 해 오다가 복지관 폐업 후 상당한 기간(2개월)이 경과하여 △△총연합회(이하 '연합회')와 새로이 위탁 계약을 체결하고 이를 운영토록 한 경우라면, 협회와 협회가 사용한 근로자간의 근로관계는 원칙적으로 종료된 것으로 볼 수 있으므로 연합회는 고용승계에 관한 별도의 특약이 없는 한 협회가 고용한 근로자를 승계할 의무는 없다고 사료되며, 협회가 사용하였던 근로자를 다시 고용하더라도 새로운 근로계약을 체결하여야 할 것임.

다만, 연합회와 협회간에 고용승계 특약 등에 의하여 실질적으로 고용승계가 이루어진 경우라면 노사당사자는 계약갱신의 필요성 등에 따라 새로운 근로계약 체결 여부를 결정할 수 있을 것이나, 어느 경우라도 임금, 근로시간 등 근로조건은 서면 근로계약을 체결하여 명시함이 바람직하다 할 것임.

● 종합복지관의 위탁자 변경시 근로자 고용승계 여부
(2000.08.14.,68207-2807)

○[질 의]○○시는 복지관을 설립하고 A와 위·수탁계약을 체결하여 운영하던 중 계약기간이 만료되어 B와 새로운 위·수탁계약을 체결하였고 B는 A로부터 복지관을 인수하는 과정에서 A의 복지관 직원에 대한 퇴직금 지급의무를 100% 승계하였으며 간부 3명을 제외한 모든 직원의 신분을 그대로 유지하였을 경우 복지관 직원의 고용승계 여부

○ [회 시]○○시가 설립한 장애인복지관을 ○○시 조례에 의거 ○○시가 A와 위·수탁계약을 체결하고 일정한 운영비를 지급하며 운영하던 중 계약기간이 만료되어 B와 새로운 위·수탁계약을 체결함으로써 기존 위탁업체 근로자를 현재 고용하고 있다면 고용승계의 문제는 발생하지 아니함.또한 변경된 위탁업체에서 근로자가 근로관계를 계속 지속할 경우 기존의 위탁업체와 근로자간의 근로관계가 변경된 위탁업체에서 계속 승계되는 것으로 보아야 할 것인지 단절된 것으로 보아야 할 것인지는 다음의 사실관계에 따라 판단하시기 바람.
- 근로자에 대한 기존 위탁업체의 퇴직금 채무를 새로운 위탁업체가 그대로 인수하면서 근로조건이 종전과 동일하다면 기존업에서의 근로년수가 계속근로년수에 포함됨.
- 그러나 기존위탁업체가 근로자에 대한 퇴직금을 정산하여 근로자가 이미 수령하였고 근로계약을 새로이 체결하였다면 기존업체에서의 근로년수가 계속근로년수에 포함되지 않음.
※ 출처 : 열린노무법인 홈페이지

9. 복무

● 복무관리

○ **시설장 및 종사자의 자격 등**(사회복지사업법 제35조, 같은 법 제35조의2)

○ 시설장(종사자 포함)은 사회복지사업법 및 개별법령 등에 명시된 시설의 장의 결격사유에 해당하지 않아야 하고, 각 시설유형이 요구하는 자격 기준을 갖춘 자라야 한다.

● **상근 의무**

○ 시설장(종사자 포함)은 상근 의무가 있으며 상근 의무는 공무원에 준하여 관리

○ 상근 의무란 휴일, 기타 근무를 하지 않은 날을 제외하고 일정한 근무계획하에 매일 소정의 근무시간 중 상시 그 직무에 종사해야 하는 것을 말함(평일 : 09시부터 18시).

● **겸직 허용범위**(사회복지시설관리안내, 보건복지부)

○ 공무원의 경우 영리업무에 종사하는 것은 금지되어있음.

○ 비영리업무라도 담당 직무수행에 지장이 없는 경우에 한해서 소속기관장의 사전 허가를 받아야 한다.

○ 겸직 관련 사례로는 명예직, 겸임교수, 시간강사 등 비상근 임원으로 선임되어 관련 업무를 수행하는 경우에는 겸직 가능

○ 종사자의 경우에도 시설 상근을 전제로 인건비가 지급되는 것이므로 상근 의무가 있음.

● **시설장이나 종사자의 근무시간 외부강의 등 업무 처리기준**

○ **적용 대상**

- 보조금 인건비를 지원받는 사회복지시설의 장 및 종사자

○ **외부강의 범위**

- 대가를 받고 세미나, 공청회 발표회 등에서 강의.강연. 발표. 토론하는 경우

○ **근무시간 내 외부강의 허용범위**

- 월 최대시간 : 총 12시간 이내

○ 근무시간외 외부강의
- 개인 휴가(연차 조퇴 등) 처리
○ 세부업무처리 방법
- 근무시간내 대학교 등 시간강사.겸임교수 등으로 위촉되어 1개월 초과하여 지속적으로 출강할 때에는 대가의 유무와 관계없이 주무관청에 사전에 신고하고 승인을 얻어야 함
- 외부강의는 반드시 요청기관의 공문 요청에 의하도록 하며, 개인적인 전화나이메일 등을 통한 외부강의 행위는 금지
- 근무시간내 업무와 직접적인 연관성이 없는 1회성 외부강의에 대해서는 개인 휴가처리(연가, 외출, 조퇴 등)
- 근무시간내 업무와 직접적인 연관성이 있는 1회성 외부강의에 대하여는 복무규정에 의거 출장 처리
- 외부 출강시 근무 상황부 기록 등 복무관리 철저
- 사회 통념상 벗어나는 고액 강의료 수수금지
▷(강의요청기관에서 실비의 강의료를 지급하는 경우는 출장여비를 지급하지 아니함)
- 본인이 속한 사회복지시설의 운영 법인에서 운영하는 다른 사회복지시설에서 "외부 강의 등"을 실시할 경우 보조금으로 "외부강의 등"에 대한 대가 집행 금지
- 대학교, 대학원 정규 정기 출강 등을 위하여 정상적인 근무형태가 아닌 주말, 공휴일 출근 후 평일 대체휴무 사용 등에 대해서는 상근의무위반여부 등에 대하여 주무관청과 사전에 협의하고 승인을 얻어야 함
출처 21 사회복지법인.시설 업무가이드(p258)

● 사회복지시설 종사자(시설장 포함) 영리행위 및 겸직금지

○ 영유아보육법 시행규칙 별표2 제2호 가목에 대하여, 보육

시설 업무 외에 다른 일을 별도의 업으로 삼는 것은 허용되지 않고 다른 업무의 수행이 영리를 주된 목적으로 한 것이 아니라거나 시설 운영시간과 물리적으로 겹치지 않는다고 하여 이와 달리 볼 것이 아님(대법원 2014.2.27. 선고 2012두14484)

○ 성폭력방지 및 피해자 보호등에 관한 법률 제12조제3항 각 호에 따른 보호시설 종사자는 보호시설 근무시간 외의 시간에 그 직무 외에 영리를 목적으로 하는 업무에 종사할 수 없음(법제처 18-0817, 2091.3.7.)

○ 사회복지사업법 제35조제1항에 의하면 사회복지시설장은 상근 의무가 있으며, 주40시간 근무를 전제로 보조금으로 급여를 지급받는 정규 종사자도 마땅히 상근 의무가 있다고 할 것임(사회복지시설 종사자 영리행위 및 겸직 금지 안내 : 서울시 보건의료정책과-11955, 2020.4.3.)

출처 2021 사회복지법인.시설 업무가이드(p256.부산시)

● **연장근로**

○ 연장근로란 1일 8시간을 초과하거나 1주 40시간을 초과하여 근로하는 경우를 말한다.

◆ 시설장의 상근 의무(질의응답)

○ 사회복지사업법 제35조의 규정에 의하면, "시설의 장은 상근하여야 한다"라고 정하고 있고

○ 사회복지법인관리안내 지침에는 정기적으로 보수를 받는 상근이사는 겸직이 불가하다고 되어 있으므로

○ 상근직인 직책 간의 겸직은 불가하다고 할 것인바

○ 기록에 의하면, 이 사건 시설장은 법인사무를 전담하고 정기적인 보수(법인수당)를 지급받는 상근이사직을 겸직하고 있어 이는 겸직 불가 및 상근의무 위반이라 하겠고

○ 또한 이 사건 시설에서 시설장에게 급여를 지급하고 있음에도 법인업무 겸직에 따른 보수를 별도로 지급한 것은 이중지급에 해당

되어 부당하다 하겠다.

출처 : 국민권익위원회 서행심 2008-1104, (2008.6.16.)

◆(사례)

○ 월요일 연차사용 여부와 관계없이 화요일에 8시간을 초과하여 근로한 시간은 연장근로에 해당하며, 연장근로에 대해서는 통상임금에 50% 가산된 연장근로수당을 지급해야 한다

○ 주중에 연차휴가를 쓰고 토요일에 근로를 제공했다면 토요일 8시간까지는 연장근로에 해당하지 아니하여 시간당 통상임금만 추가로 지급하면 될 것이고, 8시간을 초과하는 시간은 연장근로에 해당하여 연장근로수당이 지급되어야 한다

○ 휴일에 8시간 이상 근로한 경우, 휴일근로 및 연장근로에 대한 수당은 근로기준법 56조제2항에 따라, 5인이상 사업장의 경우 8시간이내의 휴일근로는 통상임금의 50%, 시간을 초과한 휴일근로는 통상임금의 100%를 가산하여 지급하여야 한다

◆ 시설장의 시간외 근무대상 여부

○ 근로기준법 제53조에는 연장근로 시에는 당사자 간에 합의하면 1주간 12시간 한도로 근로시간을 연장할 수 있다고 되어 있습니다.
그런데 시설장의 지위는 종사자에 대한 복무와 관리감독 권한을 행사하고 근무명령 권한을 가지고 있습니다. 만약, 시설장이 연장근로를 하고자 하는 경우 당사자 간에 합의를 누구하고 해야 하는지? 모순이 생깁니다. 또한 시설장은 종사자와 근로계약서 작성할 때 사용자 지위이기도 합니다. 그러므로 시설장의 경우, 관리감독자이기 때문에 시간 외 근무 대상이 되지 않는다고 해석할 수 있습니다.

○ **근로기준법**
제4장 근로시간과 휴식

제50조(근로시간) ① 1주 간의 근로시간은 휴게시간을 제외하고 40시간을 초과할 수 없다.

② 1일의 근로시간은 휴게시간을 제외하고 8시간을 초과할 수 없다.

③ 제1항 및 제2항에 따라 근로시간을 산정하는 경우 작업을 위하여 근로자가 사용자의 지휘·감독 아래에 있는 대기시간 등은 근로시간으로 본다. <신설 2012. 2. 1., 2020. 5. 26.>

제53조(연장 근로의 제한) ① 당사자 간에 합의하면 1주 간에 12시간을 한도로 제50조의 근로시간을 연장할 수 있다.

② 당사자 간에 합의하면 1주 간에 12시간을 한도로 제51조 및 제51조의2의 근로시간을 연장할 수 있고, 제52조제1항제2호의 정산기간을 평균하여 1주 간에 12시간을 초과하지 아니하는 범위에서 제52조제1항의 근로시간을 연장할 수 있다. <개정 2021. 1. 5.>

③ 상시 30명 미만의 근로자를 사용하는 사용자는 다음 각 호에 대하여 근로자대표와 서면으로 합의한 경우 제1항 또는 제2항에 따라 연장된 근로시간에 더하여 1주 간에 8시간을 초과하지 아니하는 범위에서 근로시간을 연장할 수 있다. <신설 2018. 3. 20.>

1. 제1항 또는 제2항에 따라 연장된 근로시간을 초과할 필요가 있는 사유 및 그 기간

2. 대상 근로자의 범위

④ 사용자는 특별한 사정이 있으면 고용노동부장관의 인가와 근로자의 동의를 받아 제1항과 제2항의 근로시간을 연장할 수 있다. 다만, 사태가 급박하여 고용노동부장관의 인가를 받을 시간이 없는 경우에는 사후에 지체 없이 승인을 받아야 한다. <개정 2010. 6. 4., 2018. 3. 20.>

⑤ 고용노동부장관은 제4항에 따른 근로시간의 연장이 부적당하다고 인정하면 그 후 연장시간에 상당하는 휴게시간이나 휴일을 줄 것을 명할 수 있다. <개정 2010. 6. 4., 2018. 3. 20.>

⑥ 제3항은 15세 이상 18세 미만의 근로자에 대하여는 적용하지

아니한다. <신설 2018. 3. 20.>

⑦ 사용자는 제4항에 따라 연장 근로를 하는 근로자의 건강보호를 위하여 건강검진 실시 또는 휴식시간 부여 등 고용노동부장관이 정하는 바에 따라 적절

한 조치를 하여야 한다. <신설 2021. 1. 5.>

[법률 제15513호(2018. 3. 20.) 부칙 제2조의 규정에 의하여 이 조 제3항 및 제6항은 2022년 12월 31일까지 유효함.]

제56조(연장·야간 및 휴일 근로) ① 사용자는 연장근로(제53조·제59조 및 제69조 단서에 따라 연장된 시간의 근로를 말한다)에 대하여는 통상임금의 100분의 50 이상을 가산하여 근로자에게 지급하여야 한다. <개정 2018. 3. 20.>

② 제1항에도 불구하고 사용자는 휴일근로에 대하여는 다음 각 호의 기준에 따른 금액 이상을 가산하여 근로자에게 지급하여야 한다. <신설 2018. 3. 20.>

1. 8시간 이내의 휴일근로: 통상임금의 100분의 50
2. 8시간을 초과한 휴일근로: 통상임금의 100분의 100

③ 사용자는 야간근로(오후 10시부터 다음 날 오전 6시 사이의 근로를 말한다)에 대하여는 통상임금의 100분의 50 이상을 가산하여 근로자에게 지급하여야 한다. <신설 2018. 3. 20.> 출처 : 복지법인시설 실무카페

● **근로시간** (근로기준법 제50조)

○ **법정 근로시간**

- 1주 간의 근로시간은 휴게시간을 제외하고 40시간을 초과할 수 없다

- 1일의 근로시간은 휴게시간을 제외하고 8시간을 초과할 수 없다

- 근로시간 산정에 있어서 작업을 위하여 근로자가 사용자의 지휘감독 아래에 있는 대기시간 등은 근로시간으로 본다

○ 소정 근로시간

- 법정근로시간 안에서 근로자와 사용자간에 정한 근로시간을 의미한다

10. 연장근로. 휴일근로. 야간근로 (근로기준법 제56조)

● 연장.야간 및 휴일 근로(가산임금)

○ 연장근로

- 근로기준법에서 정한 1일 또는 1주의 법정근로시간을 초과하는 근로를 말한다.
(1일8시간, 1주40시간)(휴게시간을 제외한 근로시간을 말함)

- 통상임금의 150%를 임금으로 지급해야 한다

○ 야간근로

- 시간상 오후10시부터 다음날 오전 6시 사이의 근로를 말함

- 통상임금의 150%를 임금으로 지급해야 한다

○ 휴일근로

- 근로기준법상 법정휴일(주휴일, 근로자의 날 등)과 단체협약 또는 취업규칙에서 정한 약정휴일에 근로한 경우

- 휴일근로(8시간이내) : 통상임금의 150%의 임금을 지급해야 한다

- 휴일근로(8시간을 초과한 경우) : 통상임금의 200%

임금을 지급해야 한다

○ **법 규정상**

- 근로기준법에는 연장근로는 당사자 합의가 있더라도 1주일에 12시간을 초과할 수 없다고 되어 있다.
- 사용자는 연장근로에 대하여는 통상임금의 100분의 50이상을 가산하여 근로자에게 지급하여야 한다
- 사용자는 위 조항이외 휴일근로에 대하여는 다음 각 호의 기준에 따른 금액이상을 가산하여 근로자에게 지급하여야 한다
가. 8시간 이내의 휴일근로 : 통상임금의 100분의50
나. 8시간을 초과한 휴일근로 : 통상임금의 100분의100
다. 사용자는 야간근로(오후10시부터 다음날 오전 6시 사이의 근로를 말한다)에 대하여는 통상임금의 100분의50 이상을 가산하여 근로자에게 지급하여야 한다

○ **개념**

 법정근로기준시간을 초과한 근로시간을 말한다
- 1일 8시간을 초과하거나 1주 40시간을 초과한 근로시간

○ **연장근로 실시요건**

- 당사자간에 합의
- 시설에서는 합의의 방법으로 시간외 근무명령을 활용한다
- 1주당 12시간 초과금지
- 여성 및 연소자에 대한 연장근로 규제

○ **근로자 본인이 사용자(시설장)와 합의없이 자발적으로 근무한 경우는 연장근로로 보지 않는다**

- 사용자의 지시에 의해서 법정휴일 또는 약정휴일에 근로하는 것을 말하며 통상임금의 150%를 가산지급해야 한다

● **연장근로 등에 대한 보상휴가제**

 ○ 근로자와 합의하면 연장근로 등에 대해서 수당을 지급하는

대신에 휴가를 줄 수 있는 제도를 말한다
- 보상휴가는 근로자 본인의 신청에 의해 임금에 갈음하여 동등
한 가치에 갈음하여 실시할 수 있다

11. 휴게시간의 부여
● 휴게시간 부여 방법
○ 근로시간이 4시간인 경우는 30분이상, 8시간인 경우에는 1
시간이상을 부여해야 함
○ 휴게는 일시에 부여해도 되고, 분할하여 부여해도 됨
○ 휴게시간을 근로시간 도중이 아닌 업무의 시자 전 또는 업
무가 끝난 후에 부여하는 것은 근로기준법을 위반됨
○ 휴게시간의 자유이용 보장
- 근로자가 사용자의 지휘감독에서 벗어나 자유로이 이용할 수
있도록 외출도 보장됨

12. 연소자 및 여성의 야간.휴일근로(근로기준법 제70조)
● 여성 근로자 및 연소자 야간.휴일근로 제한
○ 여성 근로자에 대한 야간 및 휴일근로시 당사자의 동의를
받아야 함
○ 원칙적으로 임산부와 연소 근로자의 야간 및 휴일근로는 금
지
○ 야간근로 및 휴일근로가 불가피한 경우에 한하여 적용
○ 임신 중인 여성근로자의 야간 및 휴일근로 금지시기는 원칙
적으로 임신사실이 있을 때임

```
┌─────────────────────────────────────────────────┐
│            ◆ 시간외 수당 지급요령                    │
│ ○ 시간외 수당 지급대상                             │
│ 근무명령에 의하여 규정된 근무시간외에 근무한 자(1시간이상 근 │
│ 무한자)에 대하여 예산 범위 내에서 시간외 수당을 지급한다    │
│ ○ 시간외 수당은 매시간에 대하여 해당 공무원에 적용되는 기 │
│ 준호봉의 봉급액의 55%를 지급한다                     │
│ ○ 시간외 근무수당이 지급되는 근무명령 시간은 1일4시간, 1개 │
│ 월 57시간을 초과할 수 없다                          │
│ ○ 시간외 근무명령에 따라 근무한 시간은 월별로 1일 근무시간 │
│ 은 분단위까지 더하여 월별 시간외 근무시간을 정한 후 1시간미 │
│ 만은 버린다                                       │
│ ○ 해당일의 시간외 근무시간이 1시간 미만일 경우에는 더하지  │
│ 아니한다. 다만 공휴일 및 토요일은 해당 일의 시간외 근무시간 │
│ 을 적용한다                                       │
│ ○ 지방공무원 수당 등에 관한 규정 제15조를 준용함        │
│ ○ 육아기 단축근로의 경우에도  근로자가 명시적으로 청구할   │
│ 경우 시간외 근무를 할 수 있으며 시간외 근무수당을 받을 수  │
│ 있다.                                            │
└─────────────────────────────────────────────────┘
```

● 산후 여성근로자의 시간외 근로(근로기준법 제71조)

○ 산후 1년이 지나지 아니한 여성 근로자에게는 1일 2시간. 1주 6시간. 1년 150시간을 초과한 연장근로를 시킬 수 없음

○ 유산. 사산한 여성근로자도 산후 여성 근로자에 포함함

13. 휴가

● 휴가의 종류

○ **연가** : 종사자가 개인적인 편의를 위해 사용하는 휴가

    - 근로기준법 적용
○ **병가** : 질병 또는 부상으로 직무를 수행할 수 없는 경우 또는 감염병에 걸려 다른 종사자의 건강에 영향을 미칠 염려가 있을 때
    - 연 60일 범위 내
    - 병가 중 연간 60일을 초과하는 병가일수는 연가일수에서 공제 다만, 의료법에 의하여 교부된 진단서를 제출하는 병가는 연가일수에서 공제하지 않음.
    - 병가일수가 연 6일을 초과하는 경우에는 의사의 진단서를 첨부해야 함.
    - 질병 또는 부상으로 인한 지참. 조퇴. 외출의 누계 8시간은 병가 1일로 계산
○ **공가** : 종사자가 일반 국민의 위치에서 국가기관의 업무 수행에 협조하거나
나 법령상 의무의 이행이 필요한 경우
    - 병역법 또는 그 밖의 다른 법령에 따른 출석하는 경우, 산업안전보건법 제43조에 따른 건강진단 또는 국민건강보험법 제52조에 따른 건강검진, 천재지변, 교통차단 또는 그 밖의 사유로 출근이 불가능할 때
○ **특별휴가** : 사회통념상 인정되는 경조사 등의 처리를 위한 휴가
    - 결혼, 출산, 사망
○ **장기근속 유급휴가** : 시설 종사자의 장기근속 기간에 따른 유급 휴가
    - 장기근속 기간 내 휴가를 사용하여야 하며, 소급이나 이월 불가
○ **배우자 출산휴가** : 근로자가 배우자의 출산을 이유로 청구할

수 있는 휴가를 말한다. 남녀고용평등법 제18조의2에 따라 사업주는 근로자가 청구할 경우 10일간의 배우자 출산휴가를 주어야 하며, 휴가는 유급을 하며, 급여는 통상임금으로 지급한다

◆ 병가 사용시 보조금에서 인건비 지급 가능 여부

○ 공무원 병가 적용방식대로 "유급"으로 처리하되, 예산 범위 내에서 보조금으로 지급 가능하며, 보조금 예산 부족시에는 후원금.자부담 등이 자금원천으로 처리

○ 위 규정을 초과하거나, 위반한 병가 시행일수는 보조금 인건비 지급시 "보수의 일할 계산"하여 차감 집행 확행

● 병가시 무급으로 처리하게 되나요?

○ 병가는 근로기준법 등 노동관계법에는 규정되어 있지 않습니다. 따라서 근로자가 개인적인 부상 또는 질병으로 병가를 사용하고자 하는 경우, 사업장의 단체협약 및 취업규칙, 근로계약서 등에 규정되어 있는 경우에는 그에 따라 처리하면 되고

○ 병가에 대한 규정이 되어 있지 않은 경우에는 사업장에서 반드시 병가를 부여할 필요가 없습니다. 이런 경우 근로자의 연차휴가를 모두 소진하여 할 수 있으며, 연차휴가도 존재하지 않는 경우(연차휴가 소진을 원하지 않는 경우) 사업장에서는 무급휴가 또는 결근으로 처리될 수 있습니다.(이런 경우 병가사용일수 만큼 임금이 공제될 수 있으며, 1주 주휴수당도 공제될 수 있습니다)

● 육아시간

○ 5세이하의 자녀를 가진 종사자는 24개월의 범위에서 자녀돌

봄.육아 등을 위한 1일 최대 2시간의 육아시간을 받을 수 있음

- 육아시간 사용시 1일 최소근무시간은 4시간이상이 되어야 하며, 최소 근무시간을 충족하지 못한 육아시간은 연가로 처리함

- 육아시간을 사용하는 날에는 근무시간 전후에 시간외 근무를 명할수 없음

● 가족돌봄휴가(남녀고용평등법)

○ 가족돌봄휴가는 자녀의 양육을 목적으로 연 최대 10일까지 청구할 수 있습니다.

- 연간 2일은 유급(자녀가 2인이상의 경우는 3일)
○ 최근 어린이집 휴원, 자녀학교의 개학연기 등의 사유로 자녀를 돌볼 필요에 의하여 휴가를 신청 가능 사유에 해당합니다.
○ 질병, 사고, 노령 등의 사유로 조부모, 외조부모, 부모배우자, 자녀 또는 손자녀를 돌봐야 하는 경우
○ 유급 가족돌봄휴가는 시간 단위로 분할하여 사용할 수 있음

● 출산휴가(출산전후 휴가)

○ 시설의 장은 임신하거나 출산한 종사자에게 출산 전과 출산 후를 통하여 90일(한번에 둘이상의 자녀를 임신한 겨우에는 120일)의 출산휴가를 승인하되, 출산 후의 휴가기간이 45일(한번에 둘이상 자녀를 임신한 경우는 60일)이상이 되게 하여야 한다(출산한 날 또는 출산을 준비하는 과정등을 포함)

○ 다만, 임신중의 종사자가 다음 각 호의 어느 하나에 해당하는 사유로 출산휴가를 신청하는 경우에는 출산 전 어느 때라도 최장 45일(한번에 둘이상의 자녀를 임신한 경우에는 59일)의 범위 안에서 출산휴가를 나누어 사용할 수 있도록 하여야 함

○ 출산휴가급여

- 고용보험 가입 180일이상이며

- 출산 전후휴가를 시작일 이후 1개월에서 종료일이후 12개월 이내 신청

- 통상임금의 100% 지급(단태아 : 대규모기업 기업 30일, 우선 지원대상 기업 30일) (다태아 : 대규모기업 45일, 우선지원대상기업 120일)

- 지원액(상한액) :

- 단태아 : 대규모기업 200만원, 우선 지원대상기업 600만원)

- 다태아 : 대규모기업 300만원, 우선 지원대상 기업 800만원

- 지원액 (하한액) : 근로자의 통상임금(최저임금액 이상)

◆ **출산휴가 및 육아휴직 관련 (질의응답)**

① **출산전후 급여**

○ 안녕하세요. 로시컴-네이버 지식iN 상담 공인노무사 박초아입니다. 출산전후 휴가는 일용직, 계약직에 관계없이 90일간 부여되는데, 이 경우 최초 60일분에 대한 급여는 단체협약이나 취업규칙 등에 정함이 있는 경우에는 그에 따르면 되고, 정함이 없는 경우에는 통상임금으로 사용자가 지급하도록 되어 있으며, 최종 30일분의 급여는 통상임금 상당액을 고용보험에서 지급하고 있습니다(우선지원대상기업은 90일분의 출산전후 휴가급여를 고용보험에서 전액지급).

○ 출산전후 휴가급여는 근로기준법 제74조에 따른 출산전후 휴가를 사용한 근로자 중 출산전후휴가 종료일 이전에 피보험 단위기간이 통산하여 180일 이상이 되어야 합니다.

상기 조건에 해당될 경우 산전후휴가 개시일 이후 1개월부터 종료일 이후 12개월 이내에 거주지 또는 사업장 관할 고용센터에 출산전후 휴가급여를 신청하실 수 있습니다.

출처 : 네이버지식in

○ 출산전후 휴가급여는 근로기준법 제74조에 따른 출산전후 휴가를 사용한 근로자중 출산휴가종료일 이전에 피보험단위기간이 통산하여 180일이상 되어야 한다.

○ 이 조건에 해당하면 출산전후 휴가개시일 이후 1개월부터 종료일이후 12개월 이내에 거주지 또는 사업장 관할 고용센터에 출산전후 휴가급여를 신청하실 수 있다.

○ 출산전후 휴가급여액은 근로기준법상 통상임금액에 상당하는 금액(상한액200만원)을 지급하게 되며, 이때 산정된 통상임금이 200만원을 초과하는 경우에는 200만원을 지급하게 된다.(고용노동부 고객상담센터)

② 출산휴가 4대보험와 자발적 퇴직요구하는 경우

○ 육아휴직 중 근로자가 자발적으로 퇴직을 요구하는 경우

- 근로자의 퇴직은 근로계약의 종료를 의미하는 것으로 "퇴직일"은 근로기준법에 규정한 계속근로년수에 포함되지 아니하는 것으로 고용노동부에서는 판단하고
있습니다(근기1455-35307.198712.31호)

- 즉 근로자는 스스로 원하는 퇴직일자를 정하여 자유롭게 퇴직을 할 수 있는바, 근로자가 원하는 날짜에 맞춰서 퇴직처리를 하시면 됩니다. 따라서 육아휴직자가 2020.04.30까지 재직하고 2020.05.01자에 퇴직을 원하는지, 아니면 퇴직의사는 2020.04말에 밝혔으나 퇴직은 다른 날짜에 특정하여 지정하였는지 정확히 알 수 없으므로 세부적인 판단을 하기 어렵습니다. 그러므로 퇴직일을 지정하는 특정하는 것은 해당 근로자의 의사를 다시 한 번 확인해서 처리하는 것이 바람직할 것으로 판단됩니다.

- 퇴직일은 마지막 근무일 또는 재직일 그 다음날을 퇴직일로 지정하며,

이 퇴직일자에 맞춰서 4대보험을 상실처리하게 됩니다.

- 산전휴가기간, 육아휴직기간, 사업주 귀책사유로 인한 휴업, 적법한 쟁의행위기간, 병역법 등의 의무이행기간 및 업무외 부상 또는 질병 기타의 사유로 인하여 사용자의 승인을 얻어 휴업한 기간에 대해서는 해당 기간의 임금을 제외한 연간 임금 총액을 해당 기간을 제외한 기간으로 나눈 금액을 부담금(계산식 : 휴가, 휴업기간 중 지급된 임금을 제외한 연간 임금총액 / 12개월 - 휴가 또는 휴직한 기간)으로 납부하여야 할 것이며, 무단결근 등 근로자 귀책사유로 인한 휴업인 경우에는 유·무급을 불문하고 연간 지급된 임금 총액의 12분의 1의 금액을 부담금으로 납부하여야 할 것으로 판단됩니다.

③ 출산휴가 및 육아휴직 기간 중 DC형 퇴직적립금 적립 방법

○ 근로자퇴직급여보장법 제13조 제1호에 따라 확정기여형(DC형) 퇴직연금제도를 가입한 사용자는 연간 1회 이상 가입자의 연간 임금총액의 12분의 1을 퇴직적립금으로 납부하도로 규정되어 있는바, 1년에 최소 1회 이상 퇴직연금 적립금액을 적립하시면 됩니다. 출처 : 한국사회복지관협회

④ 출산전후 휴가에 이어서 육아휴직 사용가능합니다.

○ 출산휴가 종료 후 복직했다가 육아휴직에 들어가야 한다는 법 규정은 어디에도 없습니다. 또한 육아휴직 개시일은 노동자가 정할 수 있습니다. 따라서 출산휴가에 이어서 육아휴직을 사용하시면 됩니다. 입사는 2014년1월13일 했고, 현재 연차는 20.1.13~2021.1.12기간에 18개 발생된 것 중 1일만 사용 육아휴직이 끝나고 나오면 연차 사용은 어떻게 계산되는 건지 궁금합니다.

- 육아휴직기간도 다른 직원과 똑같이 연차가 발생합니다. 따라서 미사용일수에 대해서는 수당으로 받으세요.

○ 또 한가지 출산휴가, 육아휴직시 4대 보험은 어찌되는 건지요? 사업장에서 내줘야 하는 부분이 있는지, 본인은 4대 보험이 나가는건 있는지 궁금합니다.

- 출산휴가 기간중에 사업주로부터 월급을 받은 기간은 4대 보험이 그대로 유지되어 보험료를 내야 합니다. 다만, 고용보험에서 지급받은 월급에 대해서는 부담하지 않습니다.
- 아울러 육아휴직 기간에는 회사에서 월급이 지급되지 않기 때문에 보험료를 내지 않습니다.

  다만, 건강보험료에 한해서는 복직 후 일시불로 내야 하지만, 월 보험료는 9,010원으로 감액됩니다.

  따라서 출산휴가나 육아 휴직시에는 4대 보험에 신고를 보험 유예 등을 신고해야 합니다.

○ 출산휴가의 경우는 출산일 또는 출산예정일을 기준으로 전후 90일간 사용할 수 있습니다. 따라서 문의하신 내용의 경우는 출산일 직후 날짜가 공휴일이라 하더라도 출산일부터 출산휴가를 신청하는 것이 맞습니다. 출처 : 부산광역시교육청 교육국 교원인사과

⑤ **출산휴가로 인한 잔여 연차사용**

○ 통상적으로 출산 전후 이후 육아휴직을 연속 사용하나, 당해연도 잔여연차가 있는 경우 출산전후 휴가에 잔여연차를 사용하고 이후 육아휴가를 연속 사용할 수 있다.

○ 또한 잔여연차가 해당 근로자의 출산전후 휴가 및 육아휴가이후 복직시 사용해야 하는 경우 시설장과 근로자간에 연차이월신청서(합의서)를 작성하여 보관해야 한다.

  출처 : 한국사회복지관협회

⑥ **출산전후 휴가 90일은 출산 후 휴가가 반드시 45일 이상 확보되어야 합니다.**

○ 가장 빠르게 개시할 수 있는 시기는 출산예정일 기준 44일 전입니다. 2021년 6월 30일 출산예정이라면 5월 17일부터 출산전후 휴가를 개시할 수 있습니다.

○ 출산전후 휴가는 근속기간에 상관없이 신청이 가능하며, 육아휴직은 해당사업장에서 6개월 이상 근무한 경우에 신청이 가능합니다. 출산전후 휴가와 육아휴직은 근무한 것으로 보기 때문에 재직기간에 포함시킵니

다.

단, 출산휴가 급여와 육아휴직 급여를 신청하기 위해서는 피보험단위기
간 180일 이상이 충족되어야 합니다.

⑦ **고용보험 출산전후 휴가 급여는 휴가 종료일 전까지 고용보험 피보험단위**
기간이 180일이상이어야 신청이 가능

○ 육아휴직은 휴직 개시일 전까지 피보험단위기간이 180일 이상이어야 고
용보험 육아휴직 급여 신청이 가능합니다(주 5일 근무자일 경우 보통 7
개월 반 ~ 8개월은 근무해야 피보 험단위기간 180일 이상이 됩니다).

○ 만약 피보험단위기간 180일을 충족하지 않는다면, 이전 사업장의
마지막 근무일부터 현 사업장 입사일이 3년 이내이고, 실업급여를
수급하지 않았다면 이전 사업장의 피보험 단위기간도 합산됩니다.

출처 : 안녕하세요? 안산여성노동자복지센터입니다.

⑧ **출산휴가와 육아휴직**

○ 우선 출산휴가와 육아휴직은 고용관계가 유지되어 있을때만 성립되기 때
문에 3월에 퇴직 시 출산휴가와 육아휴직 사용은 어렵습니다.

○ **출산휴가 기간동안 4대 보험은**
국민연금 : 급여가 없거나 있더라도 평소보다 50% 미만 시 납부예외
신청 가능
건강보험 : 출산휴가 90일 동안 평소와 똑같이 납부
고용보험 : 사업주로부터 최초 60일 보수를 받는 경우 보수 기준으로
납부
산재보험 : 출산휴가 신고로 부과되지 않습니다.

○ 2020년 출산휴가 급여는 상한액 200만원으로 만약 배우자분의 급여가
200만원을 초과하는 경우 어린이집에서 출산휴가 90일 중 최초 60일
차액분을 지급해줘야 하며, 200만원 미만일 경우에는 출산휴가 급여만
지원받으면 됩니다.

○ 출산휴가와 육아휴직 기간 모두 근속기간에 포함되기 때문에 퇴직금은
계속 적립되어야 합니다. 사업주가 출산휴가, 육아휴직 사용에 부담이
있다면 사업주 지원금(간접노무비, 대체인력 인건비 지원)을 알려주시
면 좋을 것 같습니다.

○ 출산휴가와 육아휴직 사용으로 퇴사를 종용하거나 사용을 거부하는 것 모두 법에 위반됩니다.

출처 : 안산여성노동자복지센터 www.asww.or.kr

⑨ **출산휴가자 가족수당 지급**

○ 출산전후 기간동안 급여는 통상임금에 해당하여 지급하나, 가족수당은 통상임금에 해당하지 아니하므로 출산전후 휴가기간에는 지급하지 아니하며, 출산휴가 이전 기간에 대해 일할 계산합니다.

출처 : 한국사회복지관협회

● 연차유급휴가(근로기준법 제60조)

○ 대상

- 사용자는 1년간 80퍼센트 이상 출근한 근로자에게 15일의 유급휴가를 주어야 한다.
- 사용자는 계속하여 근로한 기간이 1년 미만인 근로자 또는 1년간 80퍼센트 미만 출근한 근로자에게 1개월 개근 시 1일의 유급휴가를 주어야 한다.
- 사용자는 3년 이상 계속하여 근로한 근로자에게는 제1항에 따른 휴가에 최초 1년을 초과하는 계속 근로 연수 매 2년에 대하여 1일을 가산한 유급휴가를 주어야 한다.

○ 계속 근로 1년 미만인 근로자 또는 1년간 80% 미만 출근한 근로자가 1개월 개근시 1일의 유급휴가를 주어야 한다. 다만 1년 이하 계약직 근로자 경우 11일의 연차유급휴가가 발생한다.

○ 연차유급휴가의 계산은 원칙적으로 입사일을 기준으로 하나, 취업규칙에 따라 회계연도를 기준으로 적용할 수 있다.

○ 연차유급휴가 사용촉진(서면)

- 사용자가 기간이 끝나기 6개월 전을 기준으로 10일 이내에 사용자가 근로자에게 연차유급휴가사용 촉진을 서면으로 한 경우에도 불구하고 근로자가 사용하지 아니한 경우에는 사용자

의 귀책사유에 해당하지 아니한 것으로 본다.
○ 1년 미만 계약직에도 근로기간이 끝나기 3개월 전을 기준으로
   10일 이내 연차유급휴가 사용촉진을 서면으로 한 경우에는 사
   용자의 귀책사유에 해당하지 아니한 것으로 본다.
○ **연차휴가의 소멸시효(3년)**
- 입사일로부터 1년이내이며, 사용하지 아니하면 자동소멸하며,
  대신 연차수당청구권이 발생한다(3년으로 소멸시효 완성됨)

◆ 출산전후휴가와 육아휴직을 사용한 기간제 근로자의 계약만료일

안녕하십니까? 고용노동부 고객상담센터입니다.
○ 우리부 행정해석에 따르면, 기간제 근로자가 근로계약기간 중에
   출산휴가를 쓰고 남은 기간에 대하여 육아휴직을 쓸 경우 계약
   이 만료되는 시점에 육아휴직을 썼다는 이유만으로 근로계약 기
   간이 자동연장은 되지 않으며, 사업주가 재계약을 하지 않을 경
   우 모든 휴가·휴직은 자동 종료된다는 입장이며(여성고용정책과
   -2173, 2015.7.23.)
  - 「남녀고용평등과 일·가정 양립 지원에 관한 법률」 제19조제5항
    은 육아휴직기간이 근로계약기간에 산입되는지 여부와는 무관
    한 규정이므로, 별도의 계약연장이 없는 경우 육아휴직 사용
    여부에 따라 근로계약기간이 변하는 것은 아니라는 입장입니
    다.(여성고용정책과-1580, 2013.8.14.)
  - 기간제 근로자의 근로계약기간이 2018.7.16.-2020.7.15.일 경우
    2019.8.11.-11.8.까지 출산전후휴가를 사용하고 2019.11.9.부터
    육아휴직을 사용하더라도 근로계약기간이 자동 연장되지
    않으므로 사업주가 재계약을 하지 않을 경우 해당 기간제
    근로자의 근로계약 만료일인 2020.7.15.에 근로관계는 종료될
    것으로 사료됩니다.

노동관계법령, 제도 등에 관해 문의사항이 있으신 경우 고용노동부
고객상담센터(국번없이 1350)으로 문의해 주시기 바랍니다.
담당부서 / 고용노동부 고용노동부고객상담센터 인터넷상담과

◆ 연차유급휴가를 사용하지 못한 경우

연차유급휴가를 사용하지 못한 경우 근로자에 대한 미사용 연차유급휴가에 대한 보상방법 및 기준

○ 근로기준법 제60조의 규정에 따라 사용자는 1년간 80% 이상 근로한 자에게는 15일의 유급휴가를 부여하여야 하며

○ 근로자가 이를 1년간 모두 사용하지 않을 시에는 사용자는 근로자에게 잔여 연차일수 만큼 연차유급휴가 미사용수당을 지급(대법원 1971.12.28. 선고 71다1713판결 참조)하여야 함.

○ 연차유급휴가 미사용수당은 연차유급휴가권이 소멸된 날의 다음 날에 발생하며,

○ (대법원 1995.06.30.선고 94다47155 판결 등 참조) 그 지급액은 취업규칙 등에서 정한 바에 따라 통상임금 또는 평균임금으로 지급하고, 별도의 규정이 없으면 통상임금으로 지급하되 휴가청구권이 있는 마지막 달의 통상임금으로 지급하여야 함.

출처 : 근로개선정책과-4218.2013.07.18.)

○ 연차휴가는 휴가 발생이후 1년간 행사하지 아니하면 휴가청구권이 소멸되고 미사용한 휴가일수에 대하여는 수당청구권이 발생함.

● 장기근속휴가

근속 기간	5년이상~10년미만	10년이상~20년 미만	20년이상~30년 미만	30년이상
휴가 일수	5일	10일	10일	10일

○ **대 상** : 국·시비지원 사회복지시설 종사자 중 기준 충족자

○ **내 용** : 장기근속 기간 내 휴가를 사용하여야 하며, 소급이나 이월 불가

○ **휴가일수** : 현 소속시설 재직기간(동일법인 내 타 시설 전보발령시 전후 기간 합산)근속기간을 기준으로 아래 규정을 초과하거나, 위반한 특별휴가 시행일수는 보조금 인건비 지급시 "보수의 일할 계산"하여 차감 확행

● 육아휴직

◆ 육아휴직 중 출산전후휴가 부여 기준

1. 평소 노동행정에 관심을 가져 주심에 감사드립니다.
2. 귀하께서 국민신문고를 통해 제출한 질의에 대하여 다음과 같이 회신합니다.

　가. 질의

○ 육아휴직 중 출산전후휴가 부여로 육아휴직 잔여기간이 남게 된 경우 육아기 근로시간 단축 1년을 부여해야 하는 지

　나. 회신

○ 관련규정 「근로기준법」

제74조(임산부의 보호) ① 사용자는 임신 중의 여성에게 출산 전과 출산 후를 통하여 90일(한 번에 둘 이상 자녀를 임신한 경우에는 120일)의 출산전후휴가를 주어야 한다. 이 경우 휴가 기간의 배정은 출산 후에 45일(한 번에 둘 이상 자녀를 임신한 경우에는 60일) 이상이 되어야 한다.

　　　「남녀고용평등과 일·가정 양립 지원에 관한 법률」

제19조의2(육아기 근로시간 단축) ① 사업주는 근로자가 만 8세 이하 또는 초등학교 2학년 이하의 자녀를 양육하기 위하여 근로시간의 단축(이하 "육아기 근로시간 단축" 이라 한다)을 신청하는 경우에 이를 허용하여야 한다. 다만, 대체인력 채용이 불가능한 경우, 정상적인 사업 운영에 중대한 지장을 초래하는 경우 등 대통령령으로 정하는 경우에는 그러하지 아니하다.

제19조의4(육아휴직과 육아기 근로시간 단축의 사용형태) ① 근로자는 육아휴직을 1회에 한정하여 나누어 사용할 수 있다.

---

② 근로자는 육아기 근로시간 단축을 나누어 사용할 수 있다. 이 경우 나누어 사용하는 1회의 기간은 3개월(근로계약기간의 만료로 3개월 이상 근로시간 단축을 사용할 수 없는 기간제근로자에 대해서는 남은 근로계약기간을 말한다) 이상이 되어야 한다.

○ 근로기준법 제74조에 의하면, "사용자는 임신 중의 여성에게 출산 전과 출산 후를 통하여 90일의 출산전후휴가를 주어야 한다"고 규정하고 있으므로

- 근로자가 육아휴직 중 출산을 하였다면 출산한 날을 포함하여 근로자가 신청한 기간으로 출산전후휴가를 부여해야 하며, 출산전후휴가를 부여한 기간부터 육아휴직은 종료됩니다.

○ 한편, 「남녀고용평등법」의 개정규정(제19조의2)은 이 법 시행 이후 육아휴직 또는 육아기 근로시간 단축을 사용하는 근로자부터 적용합니다. - 이 법 시행 전부터 육아휴직 등을 신청하여 계속 사용하고 있는 경우에도 육아휴직 등을 조기종료하여 잔여기간이 남아 있다면 개정규정(제19조의2)을 적용합니다.

○ 따라서, 근로자가 육아휴직 중 출산으로 인한 출산전후휴가를 부여받게 되어 육아휴직의 잔여 기간이 있는 경우에는 개정법에 따른 개정규정(제19조의2)을 적용받습니다.

※ 본 답변 외에 추가로 궁금하신 사항은 고용노동부 여성고용정책과 ○○○ 주무관(○○○-○○○-○○○○, ○○○○○○○○○○@○○○○○.○○)에게 연락하여 주시면 친절하고 신속히 답변드리겠습니다. 끝.

담당부서 / 고용노동부 통합고용정책국 여성고용정책과
관련법령 / 근로기준법

● 2023년 현재 3*3 부모육아휴직제(고용보험법 시행령 제95조의3 제1항)

○ 지급 요건

- 생후 12개월 이내 부무과 모두 육아휴직을 사용

. 22.1.1.이후 부모가 모두가 육아휴직을 모두 최초로 시작하는 경우

. 부모가 동일 자녀에 대해 동시에 육아휴직을 사용해도 적용

- 생후 12개월 이내의 자녀에 대한 육아휴직 사용

. 21년에 출생한 자녀라도 생후 12개월 이내에 무보 모두가 육아휴직을 사용한 경우라도 적용 다만, 두 번째 육아휴직자의 육아휴직 최초 개시일이 21년인 경우에는 3*3 부무육아휴직제 적용되지 않음

○ 생후 12개월 이내 여부는 두 번째 육아휴직자의 육아휴직 최초 개시일을 기준으로 판단

○ 21.11.19.부터 시행되는 임신 중 육아휴직을 사용한 경우에도 3*3 부모육아휴직제 적용

○ 지급 수준 및 지급기간

- 첫 3개월 육아휴직급여에 대해서는 월 통상임금의 100% 지급

다만, 월 상한액른 부모 모두가 육아휴직을 사용한 기간에 따라 매월 상향하여 지급

- 두 번째 육아휴직자의 육아휴직 사용기간(1개월~3개월)에 따라 추가로 첫 번째 육아휴직자에게 차액분을 지급

- 최종적으로 통상임금 100%, 월 최대 200~ 300만원 지원)

○ 4개월째부터의 육아휴직급여는 일반 육아휴직급여에 따라 통상임금의 80%(상한 150만원) 지급

○ 지급기간은 부모가 각각 사용한 육아휴직 기간 중 공통으로 사

용한 기간을 기준으로 삼아 지급

○ 신청 방법

- 3*3 부모육아휴직제는 두 번째 육아휴직자가 육아휴직급여를 신청할 때, 첫 번째 육아휴직자 급여에 대해서도 함께 신청

- "3*3 부모육아휴직제"와 "아빠육아휴직보너스제" 요건을 모두 충족하는 경우에는 "3*3 부부육아휴직제"를 사용

● **2024년부터 6*6 부모 육아휴직제(확대)**

○ 지급요건 : 생후 12개월 내에서 → 생후 18개월 이내로 확대

○ 급여상한액 ; 월 최대 200만원~ 300만원 → 월 최대 200만원~ 450만원으로 인상

● **육아휴직자 대체인력의 급여 및 대체인력지원센터 운영**

○ 시도별 처우개선계획에 의하여 종사자의 출산, 휴직 등사유로 대체인력을 채용하는 경우 해당 직원의 인건비 범위 내에서 기본급, 수당 등 급여지급이 가능하나, 구체적인 급여 수준은 당사자 간에 계약에 의함.

○ 보건복지부 대체인력지침에 따라 종사자의 단기간 병가, 휴직 등 단기간 결원을 보충하기 위하여 시도별로 대체인력지원센터를 운영함.

14. 출산휴가(출산전후 휴가)
● **출산 휴가사용**

◆ 출산/육아휴직급여

○ 출산전후 휴가급여는 근로기준법 제74조에 따른 출산전후휴가를 사용한 근로자 중 출산전후휴가 종료일 이전에 피보험단위기간이 통산하여 180일 이상이 되어야 합니다.
- 이 조건에 해당되면 출산전후휴가 개시일 이후 1개월부터 종료일 이후 12개월 이내에 거주지 또는 사업장 관할 고용센터에 출산전휴가급여를 신청하실 수 있습니다.
- 출산전후 휴가급여액은 근로기준법상 통상임금액에 상당하는 금액(상한액 200만원)을 지급하게 되며, 이때 산정된 통상임금이 200만원을 초과하는 경우에는 200만원을 지급하게 됩니다.
○ 육아휴직급여는 육아휴직을 30일이상 사용한 근로자중 육아휴직개시일 이전에 피보험단위기간이 통산하여 180일이상이 되어야 하고, 같은 자녀에 대하여 피보험자인 배우자가 30일 이상의 육아휴직을 부여받지 아니하거나 육아기 근로시간 단축을 30일 이상 실시하지 아니하고 있을 것을 요건으로 합니다.
- 이 조건이 해당되면 육아휴직개시일 이후 1월부터 종료일 이후 12월 이내에 사업주로부터 육아휴직확인서를 발급 받아 거주지 또는 사업장 관할 고용센터에 육아휴직급여를 신청할 수 있습니다.
- 육아휴직급여액 첫 3개월은 육아휴직 개시일 기준 월 통상임금의 80%(상한액 월 150만원, 하한액 월 70만원)를 지원, 나머지 기간은 육아휴직 개시일 기준 월 통상임금의 50%(상한액 120만원, 하한액 70만원)를 지원하게 됩니다.
- 단, 산정된 급여액 중 25%는 육아휴직 종료 후 해당 사업장에 복직하여 6개월 이상 계속 근무한 경우에 합산하여 일시불로 지급(25%를 빼고 남은 금액이 70만원 미만일 경우, 70만원을 지급)하게 됩니다.
출처 고용노동부

○ 출산전후 휴가는 근로자의 신청 절차 없이 사용할 수 있는 것

○ 휴가기간은 90일(둘 이상의 자녀를 임신한 경우 120일)

-휴가기간은 휴일. 휴무일을 포함함

-반드시 출산 후에(다태아 60일)이상이 되도록 휴가를 부여해야 함

○ 임신한 여성 근로자가 출산전후 분할 사용을 청구하는 경우 분할사용 사유가 있는 경우 출산 전 어느 때라도 나누어 사용할 수 있도록 해야 함

● **출산휴가,유.사산휴가중 급여**

○ 사용자는 출산전후휴가의 최초 60일(다태아 75일)동안 근로자에게 임금을 지급해야 함

○ 임금수준은 통상임금 전액

- 다만 우선지원대상기업의 경우 정부가 출산전후 휴가의 최초 60일동안 최대 월210만원까지 출산전후휴가급여를 지원(통상임금중 정부지원 초과하는 부분은 사업주가 부담해야 함)

○ 근로기준법 제74조에 따른 출산전후휴가를 사용한 근로자 중 출산전후휴가 종료일 이전에 피보험단위기간이 통산하여 180일 이상이 되어야 합니다.

- 이 조건에 해당되면 출산전후휴가 개시일 이후 1개월부터 종료일 이후 12개월 이내에 거주지 또는 사업장 관할 고용센터에 출산전휴가급여를 신청하실 수 있습니다.

- 출산전후 휴가급여액은 근로기준법상 통상임금액에 상당하는 금액(상한액 200만원)을 지급하게 되며, 이때 산정된 통상임금이 200만원을 초과하는 경우에는 200만원을 지급하게 됩니다.

출처 고용노동부

15. 임신 근로자 근로시간 단축

● **대상**

○ 임신후 12주이내 또는 36주 이후에 있는 여성 근로자

○ 임신 12주이내 사용했을지라도 36주이후다 됐을 때에는 다시 사용 가능함

● **단축시간**

○ 대상 근로자가 단축근로 신청시 임금삭감없이 1일 2시간의

근로시간 단축을 허용해야 함

○ 단축방식은 근로자가 신청하는 방식으로 허용하는 것이 원칙임

- 출퇴근시간의 변경을 신청하는 경우 변경 가능함

16. 배우자 출산휴가(남녀고용평등법 제18조의2)
● 휴가기간 및 사용

○ 근로자가 배우자의 출산을 이유로 휴가를 청구하는 경우 10일의 유급휴가를 부여하여 하며, 10일을 모두 유급으로 하여야 함

○ 휴가 시작일은 배우자가 출산한 날로부터 근로잔는 배우자 출산휴가를 사용할 수 있다

-휴일은 근로제공의무가 없으므로 휴가일수에 산입되지 않음

-배우자 출산휴가는 법령상 또는 그 성질상 출근한 것으로 보아야 하는 날 또는 기간이므로 주휴수당을 지급해야 함

○ 근로자가 배우자출산휴가를 5일만 청구해도 개정 법률상 10일을 부여해야 함

17. 육아휴직(남녀고용평등법 제19조)
● 대상

○ 임신 중인 여성근로자가 모성을 보호하거나, 만8세이하 또는 초등학교 2학년 이하의 자녀를 가진 근로자가 그 자녀를 양육하기 위하여 신청하는 법정 휴직제도

○ 근로자가 육아휴직을 신청할 경우 신청요건 확인

-가족관계증명서 등을 통해 자녀가 만8세 이하 또는 초등학교 2학년 이하의 자녀인지 확인

- 근속기간 6개월이상인지 확인

◆ **육아휴직급여(질의응답)**

○ 육아휴직을 30일이상 사용한 근로자중 육아휴직개시일 이전에 피보험단위기간이 통산하여 180일이상이 되어야 하고, 같은 자녀에 대하여 피보험자인 배우자가 30일 이상의 육아휴직을 부여받지 아니하거나 육아기 근로시간 단축을 30일 이상 실시하지 아니하고 있을 것을 요건으로 합니다.

- 이 조건이 해당되면 육아휴직개시일 이후 1월부터 종료일 이후 12월 이내에 사업주로부터 육아휴직확인서를 발급 받아 거주지 또는 사업장 관할 고용센터에 육아휴직급여를 신청할 수 있습니다.

- 육아휴직급여액 첫 3개월은 육아휴직 개시일 기준 월 통상임금의 80%(상한액 월 150만원, 하한액 월 70만원)를 지원, 나머지 기간은 육아휴직 개시일 기준 월 통상임금의 50%(상한액 120만원, 하한액 70만원)를 지원하게 됩니다.

- 단, 산정된 급여액 중 25%는 육아휴직 종료 후 해당 사업장에 복직하여 6개월 이상 계속 근무한 경우에 합산하여 일시불로 지급(25%를 빼고 남은 금액이 70만원 미만일 경우, 70만원을 지급)하게 됩니다.

출처 고용노동부

18. 육아기 근로시간 단축(남녀고용평등법 제19조의2)

● 대상

○ 만8세이하 또는 초등학교 2학년 이하의 자녀를 양육하기 위해 근로자에게 근로시간을 단출을 허용

○ 육아기 근로시간 단축은 1년 이내로 하되, 육아휴직(최대1년) 미사용기간을 합산할 수 있으므로 최대 2년까지 가능

○ 단축기간의 근로시간은 1주당 15시간내지 35시간

- 단축기간의 임금은 근로시간에 비례하여 임금을 삭감할 수 있음(통상임금만)

○ 사업주는 육아기 근로시간 단축을 활용 중인 근로자에게 연장근로를 요구할 수 없음.

- 다만 근로자가 명시적으로 청구하는경우에는 사업주는 주12시간 범위내에서 연장근로를 시킬수 있음

○ 육아기 근로시간 단축을 이유로 불리한 처우금지(근로자에게 불리한 처분이나 처우를 말함)

19. 유급휴일 부여

● **휴일의 개념**

○ 근로자가 근로를 제공할 의무가 없는 날로, 사용자의 지휘명령에서 완전히 벗어나 근로를 제공하지 않는 날을 의미함

● **휴일의 구분**(근로기준법 제55조)

○ **법정휴일**

- 주휴일 ; 통상 일요일(사업장별로 다른 요일을 특정할 수 있음)

- 근로자의 날, 관공서 공휴일, 대체공휴일,

○ **약정휴일**

- 창립기념일,노조창립일,기타휴무일(노사 당사자가 자율결정)

○ **주휴일의 적용**

-1주동안 소정근로일을 개근한 근로자에게 1주 평균 1일이상을 유급으로 부여 함

- 주중에 결근한 경우에는 무급으로 휴일을 부여하면 됨

- 주휴일이 반드시 일요일일 필요는 없으나, 근로계약 또는 취업규칙에 다른 요일을 특정해야 함

○ **주휴수당 산정방법**

- 1일 소정근로시간수 * 시간급 임금

- 사업장의 근로시간이 법정근로시간을 초과하는 경우, 법정근로시간에 해당하는 임금을 주휴수당으로 지급함

20. 임금

● 임금의 개념과 범위

○ 임금의 개념

- 임금이란 봉급, 수당, 월급, 보수, 상여금, 성과급 등 그 명칭을 불문하고 근로의 대가로 사업주가 근로자에게 지급하는 일체의 금품을 말한다

- 최저임금의 적용에 대하여 사용자는 근로자에게 최저임금액 이상의 임금을 지급하여야 한다. 그리고 최저임금을 이유로 종전의 임금을 낮추어서는 아니된다(최저임금법 제6조)

● 최저임금법의 적용(최저임금법 제3조)

○ 근로기준법 제2조에 따른 근로자, 사용자 및 임금을 말한다 다만, 동거하는 친족만을 사용하는 사업과 가사 사용인에게는 적용하지 아니한다

● 최저임금의 효력(최저임금법 제6조)

○ 사용자는 최저임금의 적용을 받는 근로자에게 최저임금액 이상의 임금을 지급하여야 한다

○ 사용자는 이 법에 따른 최저임금을 이유로 종전의 임금 수준을 낮추어서는 아니된다

○ 최저임금의 적용을 받는 근로자와 사용자 사이의 근로계약 중 최저임금액에 미치지 못하는 금액을 정한 부분은 무효로 하며, 이 경우 무효로된 부분은 이 법으로 최저임금액과 동일한 임금을 지급하기로 한 것으로 본다

● 임금에 포함되지 않는 보수(소득세법 제12조, 비과세대상)

○ 근로자가 아닌 자에게 지급되는 보수

○ 실비변상적이거나 순수한 복리후생적인 보수

◆(예시)

- 급식비(월 20만원 한도내), 근로기준법에 의한 보상금, 실업급여, 육아휴직 급여, 육아기 근로시간 단축 급여, 출산.보육수당(월10만원이내). 일.숙직료.여비, 자가운전보조금(월20만원이내), 학자금, 4대보험(사용자부담분) 등

● **법정수당과 임의수당** (근로기준법 제56조)

 ○ **법정 수당**

  - 근로기준법 제56조에는 연장근로수당, 야간근로수당, 휴일근로수당, 연차휴가근로수당, 주휴수당으로 규정하고 있다

 ○ **임의수당**

 - 법정수당이외 수당

(기본급, 기말수당, 정근수당등 법정수당을 제외한 모든 수당)

21. 복지시설 종사자의 임금

● **복지시설 종사자의 임금 지원기준**

 ○ 지방자치단체에서는 보건복지부 " 사회복지시설 종사자 인건비 가이드라인" 고려하여 보조금으로 기본급 및 수당을 지급함에 있어서 예산사정등에 따라 개별기준을 마련함인" 고려하여 보조금으로 기본급 및 수당을 지급함에 있어서 예산사정등에 따라 개별기준을 마련함

 ○ 국시비 지원의 경우, 중앙부처 및 시도 개별 시설종류별 담당부서에서 정한 기준을 적용함

 ○ 시설에서 종사자에게 임금 지급시 근로기준법 및 최저임금법, 취업규칙을 위반해서는 아니 됨

 ○ 국시비 지원의 경우, 중앙부처 및 시도 개별시설 종류별 담당

부서에서 정한 기준을 적용함

○ 시설에서 종사자에게 임금 지급시 근로기준법 및 최저임금법, 취업규칙을 위반해서는 아니 됨

● **사회복지시설 종사자 인건비 가이드라인**(사회복지사 등 처우 및 지위향상을 위한 법률 제3조 및 시행령 제4조)

○ 적용대상

- 사회복지사업법 제2조에 따라 사회복지사업을 행 할 목적으로 설립된 사회복지시설

(제외)

- 영유아보육법에 의한 어린이집, 노인장기요양법에 따른 노인의료복지시설과 재가복지시설은 제외

○ 적용원칙

- 위 가이드라인에 따른 인건비(기본급) 지급기준을 우선 적용하되, 복급 및 수당기준은 개별 시설 유형과 지자체별 예산 사정 등에 따라 별도 마련가능

- 호봉제 미적용 등 인건비 기준을 달리 적요하는 시설의 경우는 종사자 수, 이용자 수 등 시설의 규모에 따라 시설장 및 종사자의 인건비 지급기준을 시설별, 지자체별 개별 지침에 명시하여 적용 가능

- 근로기준법과 개별법령을 준수

○ 종사자의 보수수준 관리는 사회복지시설정보시스템 내 급여 및 회계 기능사용 조치 및 확인

○ 직위분류 예시에 포함되지 않은 시설유형 및 직위는 개별 사업지침을 참고하여 적용

○ 직위분류에 있어 생활복지사, 생활지도원 등은 시설종사자 인건비를 보조하기 위한 직위이며, 개별 법령상 생활복지사 등 자격은

해당 법령에 의해서만 인정

◆ (예시)

아동복지시설의 직업훈련교사는 직위의 분류에 있어 생활복지사에 해당하나 "아동복지법"상 생활복지사에는 해당하지 않음

◆ 휴업수당의 지급요건

○ 근로기준법 제46조에 따라 5인이상 사업장의 경우 사용자의 귀책사유로 휴업하는 경우에 사용자는 휴업기간동안 그 근로자에게 평균임금의 100분의 70이상을 수당으로 지급하여 한다. 다만 평균임금의 100분의 70에 해당하는 금액이 통상임금을 초과하는 경우에는 통상임금을 휴업수당으로 지급할 수 있다

○ 휴업기간도 근로관계는 존속하는 것으로 퇴직금을 산정하기 위한 계속 근로년수에 포함된다

● 통상임금과 평균임금

○ 통상임금

- 근로자 모두에게 지급되는 정기적.일률적으로 지급되는 " 고정적 임금'을 말함

◆ (예시)

- 기본급, 직책수당, 직무수당, 자격수당, 회계수당, 가계보조수당, 식대(급량비의 경우 전직원 일률 지급시), 조정수당 등

○ 평균임금

- 산정사유 발생한 날로부터 이전 3개월간에 지급된 임금총액을 그 기간의 총일수로 나눈 금액
- 퇴직금, 산업재해보상금, 휴업수당의 산정기초가 됨

○ (예시)

- 휴일.연장근로수당, 시간외 수당, 근속수당, 가족수당, 연차수당, 일.숙직비, 상여금, 명절수당(휴가비), 교통비 등

◆ 주휴수당(핵심)

○ 1주동안 규정된 근무일수를 다 채운 근로자에게 유급 주휴일을 주는 것이다. 즉 주휴일에는 근로 제공을 하지 않아도 되며, 1일분의 임금을 추가로 지급받을 수 있다.

○ 월급 근로자의 경우 월급에 주휴수당이 포함되어 있지만, 시간제 근로자 등이 경우 1주일 15시간이상 근무 여부에 따라 주휴수당 지급여부가 결정된다

● 평균임금과 통상임금 적용방법

○ 퇴직금 계산은 평균임금으로 계산하되, 통상임금이 평균임금보다 많은 경우, 통상임금으로 적용 가능

● 평균임금과 통상임금의 구분

평균임금	통상임금
○퇴직금(근로자퇴직급여보장법제8조제1항) ○ 휴업수당(근로기준법제46조) ○연차유급휴가수당(근로기준법제60조제5항) ○재해보상금(근로기준법제79조부터 제85조) ○구직급여(고용보험법 제45조) ○ 산재보험급여(산재보험법제36조,제52조)	○ 해고예고수당(근로기준법제26조) ○연장야간휴일근로수당(근로기준법제56조) ○연차유급휴가수당(근로기준법제60조제5항) ○ 육아휴직급여(근로기준법제70조) ○ 출산전후 휴가급여(고용보험법제76조)

● 임금 지급의 원칙

○ **통화지급의 원칙**

 – 임금은 법령이나 단체협약에 다른방식으로 지급하기로 정한 경우를 제외하고는 강제통용력이 있는 한국은행법에 의한 화폐를 지급해야 함

○ **직접 지급의 원칙**

 - 임금은 근로자에게 직접 지급해야 함

 - 근로자가 지정한 은행의 은행예금 계좌에 입금하여 임금 지급일에 인출할 수 있도록 하는 것은 가능함

○ **정기 지급의 원칙**

 - 임금은 매월 1회이상 일정한 날짜를 정하여 지급해야 함

 - 취업규칙에는 반드시 임금 지급시기를 명시해야 함

 - 월 도중에 근로자가입사해도 입사한 달에 도래하는 첫 임금 지

급일에 임금 일부를 지급해야 함

 - 일용근로자는 근로계약 시작.종료가 당일에 이루어지므로 원칙적으로 근로관계가 종료된 시점에 임금을 지급해야 함

○ 매월 지급하지 않아도 되는 임금(근로기준법 시행령 제23조)

 - 1개월을 초과하는 기간에 대하여 지급하기로 한 임금이나 부정기적으로 지급하기로 정한 임금(기타 수당)

◆(사례)

 ○ 근로자가 소재불명인 경우

 - 임금지급 준비를 완료하고 임금 수령을 촉구하면 됨

 ○ 근로자가 사망한 경우

 - 사망한 근로자의 권리를 승계한 민법상 상속자에게 지급해야 함

● 임금 지급관련 위반 사례

① 임금지급일이 매월 25일인 회사에서 1일 퇴직한 근로자에게 14일이내 금품을 청산하지 않고, 정기지급일(25일) 금품을 청산한 사례

 ○ 당사자와 합의없이 14일을 경과하여 정기 지급일에 지급한 것은 법 위반임

 ○ 퇴직일로부터 14일이내 불가피한 사유로 금품청산이 어려워 다음달 정기임금지급일에 지급한 경우 지연이자를 지급하여야 함

◆ 징계 제재(질의응답)

안녕하세요. 경기지방중소벤처기업청 비즈니스지원단입니다.

귀하의 질문내용에 대해 답변 드리겠습니다.

○ 질문의 문항에서 징계의 종류에서 ③항이 근로기준법과 상치됩니다. 근로기준법 제95조(제재 규정의 제한)에서 취업규칙에서 근로자에 대하여 감급(減給)의 제재를 정할 경우에 그 감액은 1회의 금액이 평균임금의 1일분의 2분의 1을, 총액이 1임금 지급기의 임금 총액의 10분의 1을 초과하지 못한다라고 규정하고 있습니다

```
┌─────────────────────────────────────────────────┐
│           ◆ 중도 입사자 급여계산                    │
│                                                   │
│ ○ 사내 규정이 정해지지 않은 경우 실제 근무일의 일수로 일할 │
│ 계산하는 것임                                       │
│ ○ 특정 근무 월의 도중에 퇴직하는 근로자에게 당해 근무 월의 │
│ 임금을 전액 지급한다고 정해지지 않은 한 퇴직일까지의 실제  │
│ 근로일수에 해당하는 임금을 일할계산하여 지급하는 것이     │
│ 무방하다                                           │
│ (근기 68207-690. 1999.03.24.)                       │
└─────────────────────────────────────────────────┘
```

○ 또하나 퇴직금지급기준에서 ② 월평균임금이라 함은 퇴직한 달이 속

하는 해의 연간 보수총액을 12로 나눈 금액을 말한다.와 ③ 금고 이상의 형을 받았거나 징계처분에 의하여 파면된 경우에는 그 퇴직금의 2분의 1을 감하여 지급한다.가 역시 근로기준법과 상치됩니다.

○ 근로기준법에서는 "평균임금"이란 이를 산정하여야 할 사유가 발생한 날 이전 3개월 동안에 그 근로자에게 지급된 임금의 총액을 그 기간의 총일수로 나눈 금액을 말한다. 근로자가 취업한 후 3개월 미만인 경우도 이에 준한다라고 규정하고 있으며 근로자퇴직금보장법에서는 퇴직금의 감액규정은 없습니다.

◆ 업무배제시 급여기준

노무사 2020.05.22 20:12

안녕하세요.

징계처분 전 조사를 위한 출근정지를 한 경우

징계 확정을 위해 회사가 노무수령을 거부한 것이므로

취업규칙 등에서 별도로 정한 바가 없다면

휴업수당(평균임금의 70% 이상)을 지급하여야 할 것으로 사료됩니다. 만일 취업규칙 등에서 해당 기간동안 그 이상을 지급하도록 정하고 있다면 그에 따라 지급하시면 되겠습니다.

참고하십시오. 출처 서울시사회복지사협회

◆ 급여 소급분을 지급한 경우

○ 4대보험 중 국민연금을 제외한 나머지 사회보험은 국세청
소득자료를 통해서 연말 보험정산을 내년에 사회보험료를 정
산하므로

○ 급여 소급분에 대하여 미리 징수 또는 내년에 개별 정산 가
능하나, 소급분에 대하여 미리 정산 징수하는 것이 바람직하
다.

● 근로기준법상 수당의 종류(근로기준법 제53조 및 제
56조)

○ 근로기준법에서는 연장, 야간, 휴일 근무에 대해서 규정하고 있
으며, 1주 1일의 유급휴일을 규정하고 있습니다.

○ 연장근로수당의 경우에는 소정근로시간을 초과하여 근무한 경우
5인 이상 사업장이라면 50% 이상을 가산하여 지급하도록 정하
고 있으며, 야간근무수당은 22:00~06:00시 사이에 근무한 경
우 50%를 가산하고, 근로계약시 정한 휴일에 근무한 경우에는
휴일근무수당을 50% 가산하여 지급하도록 정하고 있습니다.

○ 주휴수당은 1주일에 1일을 유급휴일로 부여하므로 1일
소정근로시간 분의 수당을 1주일에 1회 추가로 지급하여야 하는
것을 말합니다. 근로기준법 제 51조에서 55조까지를 살펴보시는
것이 좋을 것 같습니다.   출처 : 네이버지식in

● 임금대장 기재사항 등

근로기준법시행령 제27조(임금대장의 기재사항) ① 사용자는 법
제48조에 따른 임금대장에 다음 각 호의 사항을 근로자
개인별로 적어야 한다.

1. 성명
2. 생년월일, 사원번호 등 근로자를 특정할 수 있는 정보

3. 고용 연월일
4. 종사하는 업무
5. 임금 및 가족수당의 계산기초가 되는 사항
6. 근로일수
7. 근로시간수
8. 연장근로, 야간근로 또는 휴일근로를 시킨 경우에는 그 시간수
9. 기본급, 수당, 그 밖의 임금의 내역별 금액(통화 외의 것으로 지급된 임금이 있는 경우에는 그 품명 및 수량과 평가총액)
10. 법 제43조제1항 단서에 따라 임금의 일부를 공제한 경우에는 그 금액
② 사용기간이 30일 미만인 일용근로자에 대해서는 제1항제2호 및 제5호의 사항을 적지 않을 수 있다.
③ 다음 각 호의 어느 하나에 해당하는 근로자에 대해서는 제1항제7호 및 제8호의 사항을 적지 않을 수 있다.
1. 법 제11조제2항에 따른 상시 4명 이하의 근로자를 사용하는 사업 또는 사업장의 근로자
2. 법 제63조 각 호의 어느 하나에 해당하는 근로자

● **법정수당과 임의수당**(근로기준법 제56조)

○ 임금이란 근로기준법 제2조에 따라 사용자가 근로의 대가로 근로자에게 임금, 봉급, 그 밖에 어떠한 명칭으로든지 지급하는 일체의 금품을 말한다.

 - 근로기준법 제56조에는 법정수당으로 연장, 야간, 휴일근로수당으로 규정하고 있으며

○ 사회복지법인시설 업무가이드에 따르면 별표9 수당지급 기준에는 수당의 종류로 명절수당, 가족수당을 지급대상으로 하고 비정규직 경우에도 인건비로 교부된 보조금 예산 범위 내에서

지급 가능하다고 함.

○ 상기 수당이외 해당 복지관을 비롯한 사회복지시설에서는 운영법인 및 지방자치단체의 결정에 따라 자체 부담 또는 정부보조금으로 별도의 수당규정을 신설하여 지급할 수 있다고 규정하고 있음. (p151)

○ 사회복지시설 재무회계규칙(별표10) 노인장기요양기관의 세출예산과목 중 각종 수당(112)의 명세로는 시설직원에 대한 상여금 및 각종 수당(직종·직급별로 일정액을 지급하는 수당과 시간외 근무수당, 야간근무수당, 휴일근무수당 등) 및 그 밖의 수당으로 규정하고 있음.

○ 정액급식비 지급은 시설종사자에게 사회복지시설의 각종 수당규정에 따라 실비보상 등 형태의 금품으로 매월 정액을 지급하고 있으며, 종사자가 시설 식당에서 급식을 제공받을 경우에는 식대를 종사자가 실비로 시설에 부담하여야 함.
  - 그런데 종사자가 출근하여 시설의 방학, 휴가 등 사유로 자체 식당을 운영하지 않을 경우는 시설운영의 예외적인 사항으로 사료됩니다.

● 주휴수당

○ 1주동안 규정된 근무일수를 다 채운 근로자에게 유급 주휴일을 주는 것이다. 즉 주휴일에는 근로 제공을 하지 않아도 되며, 1일분의 임금을 추가로 지급받을 수 있다.

○ 월급 근로자의 경우 월급에 주휴수당이 포함되어 있지만, 시간제 근로자 등이 경우 1주일 15시간이상 근무 여부에 따라 주휴수당 지급여부가 결정된다

● 시간외 수당 지급대상

○ 지방공무원 수당 등에 관한 규정 제15조와 관련임(준용)

○ 시간외 수당 지급 대상
 - 근무명령에 의하여 규정된 근무시간외에 근무한 자에 대하여 예산의 범위 내에서 시간외수당을 지급한다.
 - 시간외 수당은 매시간에 대하여 해당 공무원에 적용되는 기준호봉의 봉급액의 55%를 지급한다.
○ 근무요령
 - 시간외근무수당이 지급되는 근무명령 시간은 1일 4시간, 1개월 57시간을 초과할 수 없다.
○ 시간외근무명령 산정 방법
 - 시간외 근무명령에 따라 근무한 시간은 월별로 1일 근무시간은 분단위까지 더하여 월별 시간외 근무시간을 정한 후 1시간 미만은 버린다.
 - 해당일의 시간외 근무시간이 1시간 미만일 경우에는 더하지 아니한다.
    다만 공휴일 및 토요일은 해당 일의 시간외 근무시간을 적용
○ 시설에서는 출퇴근체크기(지문인식기)를 설치하여 출퇴근 시간복무에 객관성을 확보하여야 한다.

● 관내.관외 출장여비 보조금 집행기준
 ○ 공무원 여비 규정과 공무원보수등의 업무지침, 공무원여비 업무처리기준 준용
 ○ 관내 출장여비 지급 기준
- 관내 출장 시에는 업무용 차량을 사용하여 업무수행, 수당 성격의 출장여비는 보조금으로 지급 제한
- 다만, 공용교통카드를 발급사용하거나, 업무시 사용한 차량에 소요되는 통행료, 주유비, 주차비 등 실비변상적 성격의 경비는 보조금에 지출 가능
 ○ 관외 출장여비 지급기준

- 교통비 : 실비
- 일비, 식비 : 1일당 2만원
- 숙박비 : 1박당 실비

자가용 승용차 이용하여 업무로 여행한 경우의 운임은 위 기준의 철도운임 또는 버스운임으로 한다

▷출장시 업무용 차량을 이용시에는 운임을 지급하지 아니하며, 다만 주차료나 고속도 통행료는 지급할 수 있음

○ 숙박비의 상한액은 숙박지역을 기준으로

-서울특별시 7만원, 광역시 6만원, 그 밖의 지역은 5만원

○ 교통비 및 숙박비의 경우 출장자는 반드시 지출증빙서류를 회계담당자에게 제출

● 근무지내 국내출장

○ 출발지부터 도착지까지의 거리입니다. 아래 공무원여비업무 처리지침에 따르면, 동일시에서는 출장 거리가 12km가 넘더라도 근무지내 출장으로 처리합니다.

○ 근무지내 국내 출장의 의미

-'근무지내 출장'이라 함은 특별시와 광역시를 포함한 동일시와 군 및 도서(제주특별자치도 제외)안에서의 출장 또는 여행거리가 12km 미만인 출장을 말한다.

○ 출장시 그 거리가 12km를 넘더라도 동일한 특별시·광역시·시·군·도서지역 내에서의 출장인 경우 근무지외 출장이 아니고 근무지내 출장임

- 도서의 경우에는 같은 시·군이라 하더라도 '근무지내'로 보지 않음

- 다만, 육로와 교량으로 연결된 같은 시·군의 도서는 근무지내에 해당됨

○ 도보 출장이 가능한 왕복 2km 이내의 근거리 출장에 대해서는 근무지내 출장여비를 지급하지 않아도 되나, 부득이하게 실제 출장비용이 발생한 경우에는 관련 증거서류(영수증 등)를 근거로 실비를 지급할 수 있음

- 증거서류 구비가 어려울 경우에는 출장확인서, 현장사진 등을 근거로 버스, 전철 또는 택시 기본요금을 정액으로 지급할 수 있음

○ 근무지내 국내 출장의 경우 별도 여비를 구분하지 아니하고, 출장여행시간이 4시간미만인 경우 여비 1만원, 4시간이상인 경우 2만원을 지급함, 위 지급액이외 별도 여비는 지급하지 아니함

- 출장시간에는 점심시간은 제외하지 아니함

○ 운전원의 경우 본연의 업무수행으로 여비를 지급하지 아니함

● 가족수당 지급 기준

○ 배우자

○ 본인 및 배우자의 만60세(여자는 만 55세) 이상의 직계존속(계부 및 계모 포함)과 만 60세 미만의 직계존속 중 장애상태가 심한 사람

· 여기서 직계존속은 조부모(외조부모 포함) 및 부모(양부모 포함)을 말한다.

○ 본인 및 배우자의 만 19세 미만의 직계비속과 만 19세 이상의 직계 비속 중 장애상태의 정도가 심한 사람

· 여기서 직계비속은 자(子) 및 손(孫, 외손 포함)을 말한다.

○ 본인 및 배우자의 형제자매 중 장애의 정도가 심한 사람과

본인 및 배우자의 부모가 사망하거나 장애의 정도가 심한 사람인 경우 본인 및 배우자의 만 19세 미만의 형제자매
- 본인 및 배우자의 형제자매 중 장애의 정도가 심한 사람은 만 19세 이상인 경우에도 부양가족에 포함됨
- 장애의 정도가 심한 사람이란 「지방공무원 보수규정」 제10조 제3항의 어느 하나에 해당하는 사람을 말한다.

※ 직계비속 및 형제자매의 연령기준은 2018. 1. 1.부터 만 19세 미만 적용

● 가족수당의 소급 및 변동 사유 발생

○ 당해연도에 대한 미지급 가족수당에 대해서만 소급 지급 가능

○ 다만 보조금이 아닌 후원금과 자부담으로는 과년도에 대한 미지급 가족수당 지급 가능

○ 가족수당은 배우자가 중복 지급 불가

○ 지방공무원보수업무 등 '처리지침' - '가계보전수당' - '가족수당' - '수당지급 및 소멸시기'에 따라 출생, 사망, 결혼, 이혼, 자녀의 연령초과 등 부양가족의 변동이 있는 경우 가족수당은 지급사유가 발생 또는 소멸하는 날이 속하는 달분을 전액 지급합니다.

○ 다만 부양가족의 변동이 아닌 본인의 신분변동(신규채용, 퇴직, 면직 등)의 경우에는 변동일 기준으로 월액을 일할하여 지급함 관련법령 : 지방공무원 보수규정 제21조(보수계산)

◆(핵심정리)

● 가족수당

○ 가족수당의 일할계산

- 가족수당은 부양가족의 변동이 있는 경우(출생, 사망, 결혼, 이혼, 자녀의 연령초과 등) 가족수당은 지급사유가 발생 또는 소멸하는 날이 속하는 달분을 전액 지급합니다

- 다만 부양가족변동이 아닌 본인의 신분변동(신규채용, 퇴직,

면직 등)의 경우에는 변동일 기준으로 월액을 일할계산하여 지급합니다.

지방공무원 보수규정 제21조

　○ **가족수당의 지급대상인 부양가족의 범위**

　- 부양가족을 가진 자와 주민등록표상 세대를 같이하는 자로서 당해 주소 또는 거소에서 현실적으로 생계를 같이 하는 19세 미만의 직계비속 등을 말한다

　- 예외적인　별거의 사유로 취학.요양 또는 주거의 형편이나 근무형편으로 제한하고 있습니다.

● 시설 종사자 장기근속수당

　○ 수당이라 함은 직무여건 및 생활여건 등에 따라 지급되는 부가급여를 말함.

　○ "사회복지이용시설 종사자 보수체계"(안)에 따라 명절휴가비, 가족수당, 시간외수당 등의 수당이외 해당 복지시설의 수행사업과 운영의 특수성을 감안하여 운영법인 및 지방자치단체의 결정에 따라 자체부담 또는 정부보조금으로 별도의 수당규정을 신설하여 지급할 수 있음.

　○ 노인요양원 등의 경우 장기요양급여 제공기준 및 급여비용 산정방법 등에 관한 고시 제11조의 4(장기근속장려금)에 따라 계속근무기간(36개월 이상인자) 1인당 다음과 같이 산정하여 지급한다.

　- 36개월 이상 60개월 미만 : 월 6만원,

　- 60개월 이상 84개월 미만 : 월 8만원

　- 84개월 이상 : 월 10만원 (위 금액에는 4대보험 및 퇴직적립금이 포함되어 있음)

　○ 이외 사회복지시설에서는 법인과 지방자치단체의 결정에 따라 장기근속장려금(수당)을 지급할 수 있으며, 이때 법인(시설)

운영규정에 수당지급 근거를 마련하여야 한다.

출처 : 2019 사회복지법인, 시설 업무가이드(p150)

◆ **직책보조비(질의응답)**

우리부 노인복지정책에 관심을 가지고 국민신문고를 방문하여 주셔서 감사합니다.

귀하께서 문의하신 사회복지시설 재무회계 문의 관련하여 아래와 같이 답변을 드리겠습니다.

○ **직책보조비는 시설직원의 직책수행을 위하여 정기적으로 지급하는 경비입니다.**

- 직책보조비는 지급대상은 시설에서 시설장, 관리책임자 등의 직책이 부여된 직원이 직책수립과정에서 지출한 금액에 대한 실비보전성 경비(인건비에 미포함)입니다.

- 직책보조비를 지급하기 위해서는 시설운영규정 등에 규정하고 있어야 그 근거에 의해 일정금액을 매월 지급하며, 지출증빙서류(영수증 등)의 첨부없이 회계처리하시면 됩니다.

- 다만, 소득세법에서 열거한 비과세소득을 제외한 모든 소득은 과세대상 근로소득으로, 직책보조비도 과세소득이며, 자세한 사항은 관할 세무서에 확인바랍니다.

○ 노인복지법시행규칙 별표4, 별표9의 인력배치기준에 의한 인력에 대해서만 인건비를 지급하여야 합니다.

- 따라서 대표자는 근무시간과 상관없이 급여를 받을 수 없음을 알려드립니다.

○ 우리부는 노인의료복지시설 설치기준, 운영기준, 행정처분기준 등 요양시설 운영기준 정립 및 안내가 가능하며, 민원제기사항에 대한 세부 사항 확인, 적용 및 위반 시 제제조치에 대해서는 해당 시군구청장의 소관사항으로서, 해당 시군구청장이 확인하고 처리하는 것이 타당할 것으로 사료됩니다.

출처 : 보건복지부 인구정책실 노인정책관 요양보험운영과(2018.3.7.)

● **명절휴가비 지급 기준**

○ 지급대상 : 재직 중인 종사자(육아휴직, 병가휴직 등 장기 휴직자 제외)

○ 지급액 : 봉급액의 120%

○ 지급회수 및 지급일(설 및 추석기준일)

봉급액의 60%씩 연 2회, 설과 추석이 속한 달의 보수 지급일(또는 설과 추석의 전15일 이내에 시설장이 정한다)

○ 정규직 종사자 이외 비정규직 종사자도 인건비로 교부된 보조금 예산 범위 내에서 지급가능 (부산시 복지정책과 -3954, 2018.9.19.)

○ 중앙부처및 부산시의 시설별 지침에 명시되지 않은 수당 형태로 현금 지급되는 기타후생비도 보조금으로 지급 불가

(예시; 성탄 축하금,생일 축하금, 격려금, 위로금, 포상금, 인센티브 등 명칭 불문)

출처 : 2019 사회복지법인.시설 업무가이드(p138)

◆ **명절휴가비(명절수당) 지급 기준**

○ 지급대상 : 설날 및 추석날(이하 "지급기준일") 현재 재직 중인 종사자

○ 지급기준일 및 지급액 : 설날및 추석날 현재의 월봉급액의 60%

○ 지급시기 : 보수지급일 또는 지급기준일 전후 15일 이내에 해당 시설장이 정하는 날

○ 지급액 : 지급기준일 현재 기본급의 60%

○ 지급 방법 : 월중 인사발령 시(신규 채용, 퇴직, 승진, 승급 등 각종 임용)는 지급기준일(설날, 추석날)을 기준으로 결정

(예시)

　설날이 2월 3일인 경우

- 2.3 이전의 신규채용 : 지급함
- 2.3 이전의 퇴직 : 지급하지 않음
- 2.3 이후의 신규 채용 : 지급하지 않음
- 2.3 이전 승진 : 승진된 계급·호봉 월봉급액의 기준 지급
- 2.4 이후의 승진 : 승진되기 전의 계급·호봉 월봉급액 기준 지급

(지급하지 않는 경우)
○ 업무상 질병 또는 부상으로 인한 휴직을 제외한 기타의 휴직 및 직위해제, 정직, 강등 등 기간에 지급기준일인 명절이 포함되어 있는 경우에는 지급하지 않음.
○ 육아휴직 중인 경우에는 지급되지 않음. (출산휴가 중인 경우에는 지급대상임)
출처 : 2019년도 사회복지법인, 시설업무가이드(p146)

◆ **사회복지시설 종사자 명절휴가비 일할계산 지급 여부(질의 응답)**

(민원 내용)국민신문고 (1AA-2209-0757763)(2022.9.23.)
사회복지시설 종사자의 경우 명절휴가비를 재직 중인 종사자에게 설과 추석에 각각 봉급액의 60%씩 연2회 지급하게 되어 있습니다.만약 올해 9월2일 입사하여 9월 16일 퇴사자의 경우, 추석(9월10일 현재) 명절휴가비 지급대상자이나,
월중 중간에 퇴사한 경우 명절휴가비를 전액 지급해야 하는지? 아니면 실 근무일수를 산정하여 일할계산하여 지급하는지?
현재 저희 사회복지시설 운영규정이나 취업규칙에는 봉급은 일할계산하게 지급하도록 규정하고 있습니다.
(답변내용)
고용노동부(고용노동부고객상담센터 인터넷상담과)
2AA-2210-0821686(2022-10-26)

상담센터 인터넷상담과 이 경은 주무관(052-702-5178)

1. 안녕하십니까? 고용노동부 고객상담센터입니다. 귀하께서 보건복지부에 신청하신 민원(1AA-2209-0757763)이 저희 고용노동부로 이관됨에 따라 고용노동부 소관사항에 대한 검토결과를 아래와 같이 안내드립니다.

2. 귀하께서 제출하신 민원의 내용은 '사회복지시설 종사자 명절휴가비 일할계산 지급여부'에 관한 것으로 이해됩니다.

3. 귀하의 민원에 대한 검토결과는 다음과 같습니다.

가. '명절휴가비 지급'에 대하여는 근로기준법 등 노동관계법에 별도의 규정을 두고 있지 않으므로 이에 대하여는 개별 사업장 단체협약 및 취업규칙, 근로계약 등에 별도의 규정이 있는 경우 그에 따라야 할 것입니다.

- 여기서, 취업규칙이란 사업장 내 질서의 유지와 효율적인 업무수행, 사업장 내 근로조건의 통일적 적용을 위하여 사용자가 사업장에서의 근로자의 복무규율과 임금 등 당해 사업의 근로자 전체에 적용될 근로조건에 관한 준칙을 규정한 것으로(대법 2001다63599, 2004.2.12.),

- 실무적으로 사규, 인사규정, 운영규정, 복무규정, 임금규정, 보수규정 등으로 불리고 있으나 명칭에 관계없이 사업장의 전 근로자에게 적용되는 근로조건 등을 포함하고 있다면 취업규칙이라고 해석하고 있습니다(근로기준팀-4711, 2006.9.5.).

나. 관련하여, 우리부 행정해석은 취업규칙은 사용자가 기업경영권에 기하여 근로자의 복무규율이나 근로조건의 기준을 획일적·통일적으로 정립하기 위하여 작성한 자체 규범으로서, 그 일차적인 해석권한은 취업규칙을 작성하는 사용자나 당해 사업장의 노사당사자에게 있고 다툼이 있을 경우 법원의 판단을 받게 됨(근로기준과-3203, 2004.06.28.) 이라고 회시한 바 있습니다.

다. 귀 질의와 관련하여,

- 전술한 바와 같이, '명절휴가비 지급'에 대하여는 노동관계법에 별도의 규정을 두고 있지 않으므로 당해 사업장 취업규칙 등으로 정한

바에 따라 판단하여야 할 것으로 사료되며,

- 이와 관련, 노사간 취업규칙 해석 다툼이 있다면 이는 취업규칙 등의 해석 및 적용의 문제이므로 대한법률구조공단<국번없이 132번, 홈페이지(http://www.klac.or.kr)>으로 문의하시어 법률전문가의 자문을 구하실 수 있으며,

- 취업규칙 해석에 이견이 계속된다면 최종적인 판단은 법원 등 권한 있는 해석권자의 의견에 따르는 것이 바람직할 것으로 사료됩니다.

4. 인터넷 상담은 질의한 사실에 한정하여 법령과 행정해석 등을 참조하여 작성하는 것이므로 별도의 법적인 효력을 부여하는 결정이나 판단은 아니며, 위 답변 내용이 질의취지와 다르거나 추가 설명이 필요한 경우에는 고용노동부 고객상담센터 인터넷상담과 이*은 주무관(☎052-702-5178)에게 연락주시면 친절히 안내해 드리도록 하겠습니다. 감사합니다. 끝.

◆ 명절휴가비는 통상임금에 포함되지 아니한다

○ 대법원은 지급당시 재직중이어야 받을 수 있는 수당은 고정성이 없으며

○ 명절휴가비는 통상임금 범위에 제외된다고 판시했다

○ 임금은 고정성을 갖고 있는지는 근로계약이나 단체협약, 취업규칙 등에서 정한 내용에 따라야 하고 명시적 규정이 없으면 임금성격이나 지급실태, 관행 등을 종합적으로 고려하여야 한다.

---

22. 금품청산 (근로기준법 제36조)
● 금품청산 요건과 시기

○ 근로자가 사망, 사직뿐만 아니라 해고, 합의해지, 정년도달 등 근로계약관계가 종료되는 모든 경우임

● 금품청산의무자

○ 원칙적으로 법인대표이사 또는 개인시설의 경우 시설장 또는 대표자, 실질적으로 법인(시설)을 경영해 온 실 경영자임

○ 법인이나 시설이 인수 또는 합병된 경우 : 합병 또는 양도.양수로 이전 시설의 근로관계가 새 법인에 승계된 때에는 미지급 임금 지급의무도 승계됨

● 금품청산의 청구권자

○ 근로자 본인

○ 근로자가 사망한 경우 : 근로자의 재산 상속인

● 금품청산의 범위

○ 임금, 보상금 등 근로관계에서 발생한 일체의 금품

○ 사업장에 손실이 발생한 경우 퇴직후 일방적으로 금품을 지급하지 않거나, 손해액만큼 공제한 후 지급하는 것은 위법으로, 근로자에게 지급할 금품은 14일이내 청산하고, 해당 손해는 별도의 민형사상 절차에 의해 처리하여야 함

● 금품청산을 해야 하는 기한

○ 예외적으로 당사자간에 합의로 지급기일 연장 가능함

○ 금품청산 시기는 임금마감일 또는 월급일이 정해져 있더라도 관계없이 지급사유 발생일로부터 14일이내임

● 미지급임금 및 퇴직금에 대한 지연이자

○ 미지급된 임금 및 지연이자에 대해서는 지연일수에 대한 지연이자(연20%)를 포함하여 지급해야 함

● 수습기간의 근로계약과 임금

○ 수습기간은 시설에서 신규 채용한 근로자가 직무와 관련된

교육훈련을 실시하는 기간임

○ 보통 채용공고에 수습기간이 최대 몇 개월까지 가능한다는 수습기간은 채용기관에서 설장할 수 있음

○ 수습기간의 급여는 최저임금법 제5조와 시행령 제3조에 따라 1년이상의 근로계약을 정하여 근로계약을 체결하고 수습기간에 있는 근로자는 수습을 시작한 날로부터 3개월이내는 최저임금액의 90%를 근로자의 시간급 최저임금액으로 할 수 있다

○ 다만, 단순노무업무로 고용노동부 장관이 정하여 고시한 직종에 해당하는 종사자는 수습기간이라도 최저임금의 100%를 지급해야 한다

○ 근로기준법 제26조에 의해 사용자가 근로자를 해고하려면 적어도 30일 이전에 예고를 하여야 하고, 30일분의 통상임금을 지급해야 한다고 되어 있으나, 근로자의 계속근로 기간이 3개월 미만인 경우에는 해당되지 아니한다

○ 회사가 인사평가를 근거로 근로자에게 채용 거절을 통지한 경우에는 판례나 행정해석은 대체적으로 정당한 이유가 있는 해고로 판단(중노위99부해64. 199.4.8.)

그러나 평가결과 객관적이지 못하고 합리적이지 못하는 경우에는 부당해고로 판단 (서울행법선고 2002.구합7210.2002.8.27.)

23. 법정의무교육

● 복지시설 종사자 법정의무교육

○ 성희롱 예방교육
  - 대상 : 전직원
  - 근거 : 「남녀고용평등과 일·가정 양립 지원에 관한 법률」제13조, 동법 시행령 제3조

- 방법 : 연 1회이상 교육실시(10인 미만 또는 한쪽 성만 근무하는 경우 교육자료 비치를 통해 회람을 하여도 인정)

○ 개인정보보호교육
  - 대상 : 개인정보 취급자 및 접근할 수 있는 직원(사실상 전직원)
  - 근거 : 「개인정보보호법」 제28조
  - 방법 : 연 1회 1시간이상(단, 개인정보 송수신이 이루어지는 곳은 연 2회 이상)

○ 아동학대 신고의무자 교육
  - 대상 : 전 직원
  - 근거 : 「아동복지법」 제26조, 「아동복지법 시행령」 제26조 3항
  - 방법 : 연 1시간이상 (집합교육, 시청각교육, 인터넷강의 등)

○ 직장내 장애인 인식개선교육
  - 대상 : 전 직원
  - 근거 : 「장애인고용촉진 및 직업재활법」 제5조의2
  - 방법 : 연 1회이상(50인이상 사업장 1시간 이상, 50인미만 사업장 1시간 미만 또는 간이교육자료의 배포, 게시 등을 통해 교육인정 가능)

○ 사회복지사 보수교육
  - 대상 : 사회복지법인 및 사회복지시설에 종사하는 사회복지사
  - 근거 : 「사회복지사업법」 「사회복지사업법 시행규칙」 제5조
  - 방법 : 연 8시간 이상

○ 퇴직연금교육
  - 대상 : 퇴직연금제도를 설정한 기관
  - 근거 : 「근로자퇴직급여보장법」 제32조 2항
  - 방법 : 연 1회 이상

○ 인권교육
  - 대상 : 이용자 및 종사자
  - 근거 : 「국가인권위원회법」 제19조
  - 방법 : 연 1회(4시간) 이상
  - 기타 : 법정의무교육은 아니나 사회복지관 평가에 반영되므로 교육권고

○ 긴급지원대상자 신고의무 교육

  - 대상 : 「사회복지사업법」에 따른 사회복지시설의 종사자

  - 근거 : 「긴급복지지원법」 제7조, 「긴급복지지원법」 시행규칙 제2조3

  - 방법 : 연 1회(시간) 이상(집합교육, 인터넷 강의 등)

    ※ 일반적인 사회복지관 법정의무교육은 위와 같으며, 영양사 등 기타 직종에 따른 교육은 해당 직종별로 다를 수 있음.

    ※ 산업안전보건교육의 경우, 사회복지관은 제외 기관임.

    ※ 직장 내 괴롭힘 예방의 경우 취업규칙 내에 '직장 내 괴롭힘의 예방 및 발생시 조치 등에 관한 사항'을 삽입해야 함.

출처 : 한국사회복지관협회

● 보수교육비 보조금으로 지원 가능여부

○ 법정의무교육은 보조금으로 가능하나, 법정의무교육이외 다른 교육은 자부담이 원칙입니다.

○ 직원 교육 세출예산 과목 편성

- 직원 교육 및 연수에 따른 비용(여비 포함)지출은 목적과 성격에 따라 과목을 정하여야 할 것이며,

- 공적인 목적이나 기관을 대표하는 회의참석 등이 경우는 운영비로 편성 및 집행하되

- 포상차원이나 개인역량개발의 경우 인건비/기타후생경비로 편성. 집행하는 것이 바람직함

출처　보건복지부 사회서비자원과-2119호, (2014.04.22.)

● 기관 현장실습 유의사항

○ 실습지도자

- 법적 요건을 모두 갖춘 실습지도자가 반드시 2명이상 상근해야 하며, 등록된 실습지도자만 실습지도가 가능합니다 (1개의 실습기관에만 등록 가능하며 중복등록은 불가함)

- 기관 실습이 실시되는 연도의 전년도에 8시간 이상의 보수교육을 이수해야 합니다

(보수교육이수증이 나온 시점부터 실습지도가 가능함)
 - 실습지도자 1명이 동시에 지도할 수 있는 학생수는 5명이내입니다
 - 사회복지현장실습지도자 자격을 위한 사회복지사업실무경험확인서
사회복지사 자격취득후 복지기관이나 시설 등에 1급은 3년이상, 2급은 5년이상으로 실무경험을 기관 발급으로 충족
 ○ 상근근무
현재 재직하고 있는 건강보험공단 득실 확인서로 확인한다고 함
출처 더나은복지세상
 - 등록된 실습지도자의 인사변동, 실습비 변경, 실습지도자 추가, 소재지 변경, 기관명 변경 등 변경사항 발생시 변경신청을 하고 승인을 받은후 실습지도가 가능합니다
(인사변동 :퇴사, 인사발령, 휴직, 질병 등의 사유로 상근하지 않는 경우)
 ○ 2020년이후 보건복지부장관의 선정을 받은 실습기관인지 확인해주세요.
(현황표는 한국사회복지사협회 홈페이지- 현장실습- 공지사항에서 확인가능합니다)
- 등록된 실습지도자인지 확인해주세요(등록되지 않는 실습지도자가 실습을 진행할 경우 해당 실습이 인정되지 않으며, 자격증 발급도 불가함)
- 기관실습은 실습지도자의 근로시간내에 실시하며, 하루에 이수 가능한 시간은 최소 4시간 이상 최대8시간 이하입니다
- 사회복지현장실습 교과목의 학점이 부여된 후 기관실습(사후실습)을 진행한 경우 자격증 발급이 불가합니다
- 동일 직장내(동일기관)내에서 진행하는 실습은 인정되지 않습

니다 출처 한국사회복지사협회

24. 퇴직 및 해고

● **퇴직원의 제출**(근로기준법 제2조 및 민법 제660조 제2항, 제3항)

○ 직원이 일신상의 사정으로 퇴직하고자 할 때에는 퇴직일로부터 1월 전에 퇴직사유 및 퇴직일을 기재한 퇴직원을 시설장에게 제출하여 한다.

○ 직원이 퇴직원을 제출한 경우 퇴직원에서 정하는 퇴직예정일을 수리일자로 본다. 다만, 퇴직원에 퇴직예정일 표기 없이 제출한 경우 30일이 경과 도래하면 퇴직한 것으로 본다.

○ 시설장의 경우에는 법인 또는 시설에서 다른 규정을 적용할 수 있다.

○ **퇴직 사유**

  - 퇴직원을 제출하고 30일이 경과되었을 때
  - 근로계약기간이 정하여 있을 경우, 그 계약기간이 만료되었을 때
  - 사망하였을 때
  - 정년에 달한 때
  - 휴직 또는 정직기간이 종료후 7일 이내 복직원을 제출하지 아니하고 회사의 출근 촉구에도 불응할 때
  - 휴직사유가 해소되지 않아 휴직기간 종료일로부터 7일 이내 복직이 불가능할 때
  - 형사사건으로 금고이상의 유죄판결을 받았을 때
  - 해고가 결정된 경우

┌───┐
│ **◆ 일용직 + 상용직의 실업급여 수급요건**

안녕하세요.
○ 정규직 근로자의 경우
   직장가입장 취득신고서를 입사때, 퇴사시 상실신고서를 각
   각 신고하지만
○ 일용직 근로자의 경우
   지금 첨부하는 근로내용 확인서를 1회만 하면 취득과 상실
   신고를 동시에 완료하게 됩니다.
○ 대신 몇일 씩 몇개월 근무한다면 매달신고 해야되며 월 8
   일 이상 근무하면 4대보험 정규직으로 신고 하라고 공문
   올것입니다.
○ 일용직의 경우 이 신고에 보면 근무일을 구체적으로 표시해
   야 되며 이 근속기간이 180일이 되면 실업급여 수급 대상도
   되겠죠.
   출처 : (복지법인시설 실무카페)
└───┘

● 해고의 제한

 ○ 해고의 정당성 요건
 - 해고사유의 정당성
 - 해고절차의 정당성
 - 근로자를 해고함에 있어서 취업규칙에서 정해진 해고절차를
준수하였는지 여부
 - 해고사유와 해고시기의 서면 통보
 - 근로자를 해고할 경우에는 해고사유와 해고시기등을 반드시
서면으로 통보해 주어야 한다

25. 징계해고

● 징계해고의 정당한 사유

○ 일반적인 판단기준
사회통념상 고용관계를 계속시킬수 없을 정도로 근로자에게 책임있는 사유가 존재할 것

○ 징계와 징계해고
-징계란 근무규율이나 그 밖의 직장질서 위반행위에 대한 제재로서 그 수위에 따라 경고.감봉.정직.징계해고 등이 있다

○ 취업규칙이나 단체협약에서 정한 징계사유

● 징계절차의 정당성

○ 징계절차상 하자가 있으면 정당한 해고로 인정받을 수 없다
- 변명(소명) 기회 미부여
- 급박한 징계위원회 출석통보
- 재심기회를 부여하지 않은 경우
- 징계위원회 개최 정족수 미달
- 징계사유 관련자가 징계위원에 포함된 경우

● 감봉금액의 제한

○ 징계 감봉의 경우 감봉1회의 액이 평균임금(1일분 임금)의 2분의1, 감봉총액이 1임금지급기의 임금총액의 10분의 1을 초과할 수 없다

○ 감봉금액은 3개월 간의 평균임금을 기준으로 한다

● 해고 사유등의 서면 통지(근로기준법 제27조)

○ 사용자는 근로자를 해고하려면 해고사유와 해고시기를 서면으로 통지하여야 한다

○ 근로자에 대한 해고는 서면으로 통지하여야 효력이 있다

○ 사용자가 해고의 예고를 해고사유와 해고시기를 명시하여 서면으로 한 경우에는 통지를 한 것으로 본다

◆ 퇴직의 구분 및 수리 절차

○ 퇴직에는 정년퇴직, 직권면직, 권고사직, 의원면직이 있다.
○ 정년퇴직: 법인(시설)에서 정하는 정년 나이 도래(종사자의 경우 만60세)를 말하며, 법인(시설)운영규정에 따로 정할 수 있다.
○ 직권면직 : 종사자가 본인의 사정에 의해 근무가 불가능한 경우(근로기준법에 의한 해고절차를 이행하여야 함.)
 - 구체적인 사유를 기재한 문서로 해고예고 통지하여야 한다.
○ 권고사직 : 시설운영에 필요한 정부보조금 지원 등 예산상의 어려움이나 조직개편 및 축소, 시설 운영의 형태 변화가 있을 때(직권면직 절차와 동일한 해고절차 필요)
○ 의원면직 : 시설장을 비롯한 종사자가 본인의 의사에 의하여 사직서를 제출하는 경우
 - 사직서는 퇴직일 이전 30일 전에 제출하여야 하나, 다른 근로계약이나 규정이 있는 경우에는 달리 적용할 수 있다.
 - 사직서에 퇴직예정일이 표기되어 있지 않으면 제출후 30일이 경과하면 자동 수리된 것으로 본다.
 - 사직서에 퇴직예정일이 표기되어 있는 경우에는 퇴직예정일에 수리할 수 있다.
출처 : 복지법인시설 실무카페

◆ 근로자가 무단결근을 하고 연락이 안되는 경우

○ 근로기준법 제23조에 따라 사용자는 근로자에게 정당한 이유 없이 해고를 하지 못하나, 단체협약이나 취업규칙 등에 해고에 관한 규정이 있는 경우 그에 따른 해고는 정당한 이유가 있는 해고입니다.
○ 무단결근에 대한 징계 절차가 있다면 정해진 절차에 따라 징계처분을 할 수 있으며, 별도의 규정이 없는 경우 일정기간을 두고 업무복귀명령이나 출근통지서를 발송하여 출근을 독촉하고 그럼에도 불구하고 무단 결근에 대한 소명이나 출근의사가 없을 경우에는 해고 처분이 가능할 것입니다

● 부당해고의 구제 절차(근로기준법 제28조)

○ 부당해고의 무효

- 사용자가 노동자에게 부당한 해고 등을 하면 그 해고는 무효이기 때문에 부당하게 해고를 당한 노동자와 사용자 사이에 근로관계는 유효하다. 따라서 사용자는 임금을 지급할 의무가 있다.
- 사용자는 무효인 해고를 당한 노동자를 원직에 복직시켜야 할 의무가 있다. 예를 들면 노동위원회의 부당해고 구제명령에도 불구하고 사용자가 원직 복직 의무를 이행하지 않을 때는 이행강제금의 제재가 있고 형사처벌을 받을 수 있다.

○ 부당해고 구제 절차

- 부당해고를 당한 노동자는 부당해고가 있었던 날로부터 3개월 이내에 노동위원회를 통하여 부당해고의 구제를 받을 수 있다. 노동위원회의 구제 절차에 불복하는 당사자는 행정소송을 제기할 수 있으며 최종적인 권리구제는 대법원의 판결로 통해서 이루어진다.
- 부당해고는 법원에서 민사소송을 제기해 해고무효확인소송을 통해서도 구제받을 수 있다.

● 해고와 관련된 유의사항

○ 대법원 판례는 해고 사유 및 양정의 정당성에 대한 구체적인 판단 기준으로서 해고는 사회 통념상 고용관계를 계속할 수 없을 정도로 근로자에게 책임 있는 사유가 있는 경우에 하여져야 그 정당성이 인정되는 것이고,

○ 사회 통념상 당해 근로자와의 고용관계를 계속할 수 없을 정도인지 여부는 당해 사용자의 사업의 목적과 성격, 사업장의 여건, 당해 근로자의 지위 및 담당 직무의 내용, 비위행위

의 동기와 경위, 과거의 근무태도 등 여러가지 사정을 종합
적으로 판단하여야 한다고 판시하고 있다.

○ 근거 : 대법원2003.5.27. 2001두8926 등

26. 직장내 괴롭힘 금지 및 성희롱 예방

● 직장 내 괴롭힘의 금지 (근로기준법 제76조의2)

○ 사용자나 근로자는 직장에서의 지위 또는 관계 등의 우위를
이용하여 업무상 적정범위를 넘어 다른 근로자에게 신체적.정신
적 고통을 주거나 근무환경을 악화시키는 행위를 해서는 아니
된다

● 직장 내 괴롭힘 발생시 조치

○ 누구든지 직장 내 괴롭힘 발생 사실을 알게 된 경우 그 사
실을 사용자에게 신고할 수 있다

○ 사용자는 신고를 접수하거나 인지한 경우 지체없이 당사자
등을 대상으로 개관적인 조사를 실시하고

○ 사용자는 필요한 적절한 조치를 하여야 한다

● 직장 내 성희롱 (남녀고용평등법 제2조제2호)

○ 직장내 성희롱이란 사업주. 상급자 또는 근로자가가 직장내
의 지위를 이용하거나

업무와 관련하여 다른 근로자에게 성적언동 등으로 성적 굴욕
감 또는 혐오감을 느끼게 하거나 성적언동 또는 그 밖의 요구
등에 따르지 아니하였다는 이유로 고용에서 불이익을 주는 것을
말합니다

○ **직장내 성희롱 판단 기준**

- 피해자의 주관적인 사정을 고려하되, 사회통념상 합리적인
대응으로 판단

○ 사업주는 연1회이상 직장내 성희롱예방교육을 실시하여야 한다

● 성희롱 발생시 조치

　○ 성희롱 사실여부 조사

　- 사업주는 성희롱 신고를 받거나 직장내 성희롱 발생 사실을 알게 된 경우에는 지체없이 그 사실을 조사하여야 한다

　○ 성희롱 피해자에 대한 조치

　- 사업주는 성희롱 피해근로자를 보호하기 위해 신속히 필요한 조치를 하여야 한다

　- 사업주는 성희롱 행위자에 대하여 성희롱등 정도와 지속성 등을 감안하여 적절한 징계조치를 하여야 한다

　- 사업주는 성희롱 피해자근로자에 대한 불리한 처우를 금지한다

27. 취업규칙

● 취업규칙의 작성 (근로기준법 제93조)

　○ 취업규칙의 작성. 신고

　- 상시 10명이상의 근로자를 사용하는 사용자는 근로기준법에서 정하는 내용을 작성하여 관할고용노동관청에 신고하여야 한다

　- 취업규칙을 근로자에게 불리하게 변경하는 경우 근로자의 동의를 받아야 한다

　- 취업규칙에서 정한 기준에 미달하는 근로조건을 정한 근로계약은 그 부분에 대하여는 무효로 한다

◆ 취업규칙의 적용(근로기준법 제93조)(질의응답)

　○ 안녕하십니까? 고용노동부 고객상담센터 인터넷상담과입니다. 귀하께

서 고용노동부 홈페이지를 이용하여 주신 데 대하여 감사드립니다.

○ 귀하께서는 '취업규칙의 적용'에 대해 질의한 것으로 판단되며, 답변은 아래와 같습니다.

가. 근로기준법 제93조에 따라 상시 10명 이상의 근로자를 사용하는 사용자는 다음 각 호의 사항에 관한 취업규칙을 작성하여 고용노동부장관에 신고하여야 하며 이를 변경하는 경우에도 또한 같습니다.

1. 업무의 시작과 종료 시각, 휴게시간, 휴일, 휴가 및 교대 근로에 관한 사항

2. 임금의 결정·계산·지급 방법, 임금의 산정기간·지급시기 및 승급(昇給)에 관한 사항

3. 가족수당의 계산·지급 방법에 관한 사항

4. 퇴직에 관한 사항

5. 「근로자퇴직급여 보장법」 제4조에 따라 설정된 퇴직급여, 상여 및 최저임금에 관한 사항

6. 근로자의 식비, 작업 용품 등의 부담에 관한 사항

7. 근로자를 위한 교육시설에 관한 사항

8. 출산전후휴가·육아휴직 등 근로자의 모성 보호 및 일·가정 양립 지원에 관한 사항

9. 안전과 보건에 관한 사항

9의2. 근로자의 성별·연령 또는 신체적 조건 등의 특성에 따른 사업장 환경의 개선에 관한 사항

10. 업무상과 업무 외의 재해부조(災害扶助)에 관한 사항

11. 표창과 제재에 관한 사항

12. 그 밖에 해당 사업 또는 사업장의 근로자 전체에 적용될 사항

나. 귀 질의에 대하여

○ 우리부 행정해석은 취업규칙은 일반 직원에게 적용한다고 규정하고 있는 반면, 계약인력 관리지침은 기한을 정하여 한시적으로 고용된 인력에 적용된다고 규정하고 있으므로 무기계약직 근로자의 근로조건에 관해서는 원칙적으로 취업규칙이 적용될 것임(근로개선정책과

-5758, 2014.10.20.).

따라서 무기계약직 근로자의 근로조건에 관해서는 원칙적으로 취업 규칙이 적용될 것입니다.

○ 위 답변 내용이 질의 취지와 다르거나 추가적인 문의사항이 있으신 경우에는 귀하께서 고용노동부 고객상담센터(☎1350)에 문의하여 주시면 정성껏 답변 드리겠습니다. 감사합니다. 끝. 관련법령 : 근로기준법 제93조(취업규칙의 작성·신고)

작성부서 : 고용노동부 고용노동부고객상담센터 인터넷상담과 | 1350

※ **취업규칙 표준안 : 고용노동부 홈페이지(다운로드) 참조**

28. 퇴직급여제도 (근로자퇴직급여보장법)

● 목 적

○ 근로자 퇴직급여제도의 설정 및 운영에 필요한 사항을 정함으로써 근로의 안정적인 노후생활 보장에 이바지함을 목적으로 한다.

● 퇴직금의 적립과 적립 기준

○ 이사장(시설장)은 종사자의 퇴직금 지급 사유 발생을 대비하여 근로자퇴직급여보장법에 따라 퇴직금을 퇴직연금으로 적립하여야 한다.

다만, 법 시행 이전에 적립하고 있는 퇴직금은 퇴직적립금으로 운용할 수 있다.

- 현재 대부분 시설에서는 인건비 상승에 따른 퇴직금 적립액수의 인상에 대비하기 위하여 퇴직연금으로 적립하고 있다.

○ 퇴직금 적립 기준은 매년도 말 인건비(보수와 제수당을 합한다)의 총액 대비 1/12이상을 적립하고 결산 시 정산하여 과부족이 없도록 하여야 한다. 과부족 시에는 다음 연도 추경에 반

영하여야 한다.

- 지급률은 근속연수 1년에 대하여 1개월의 평균임금(퇴직 전 3개월간 월 평균임금 산정)을 지급하는 지급률로 한다.

- 퇴직금의 산정은 고용노동부 홈페이지에 메뉴를 활용하면 편리하다.

○ 퇴직금은 퇴직자가 청구한 날로부터 14일 이내 지급하여야 한다. 다만 계속근로기간이 1년미만의 경우 지급하지 아니한다.

○ 퇴직금의 중간정산 사유는 법에서 정하는 사유이외는 금지된다.

● 퇴직연금의 가입

○ 모든 퇴직연금의 가입에는 해당 사업장의 퇴직연금규약이 존재하여야 한다.

○ 퇴직연금규약에는 대부분 가입자의 선택권이 규정되어 있다.

- 최초 은행을 통해 퇴직연금 가입하였던 절차에서 퇴직연금제 도입의 근로자 동의서를 받아 정비된 규약을 말한다.

- DB형은 사업장이 가입자이며, DC형은 근로자가 퇴직연금 가입자이다.

○ 퇴직연금규약은 근로자퇴직급여보장법 시행규칙에 따라 노동조합의 동의나 근로자 과반수 이상의 동의를 받아 관할 지방노동청에 신고(변경 포함)하여야 한다

● 퇴직금 등의 계산 방법

○ 퇴직자의 퇴직금 계산은 고용노동부의 사이트 "퇴직금 계산기"를 활용하여 입력하면 된다.

※ 퇴직자 마지막 "월급" 지급 시 챙겨야 하는 사항으로

○ 4대보험 정산액 발생

○ 중도퇴사자 연말정산 소득세(지방소득세 포함) 정산액
  발생하며, 그 정산액은 + 일 수도, - 일 수도 있습니다.

○ 퇴직금이 있다면, 위 급여에서 뗀 것과 별도로 퇴직금에 대한
  퇴직소득세(퇴직소득 지방소득세 포함)가 발생합니다.
  일정액 이상이라면 퇴직소득세가 나오므로 퇴직금 실제
  수령액은 퇴직소득세를 뺀 금액입니다.

○ **"4대보험 정산액"**과 **"소득세 연말정산"**으로 인해 월 급여
  실제 수령액은 전월과 다를 수 있습니다.

※ 회사에서 퇴직하는 근로자에게 퇴직금을 지급할 시에는

○ 세금을 계산하여, 소득세와 지방소득세를 원천징수(공제)한 후
  나머지 금액을 지급하게 되겠습니다. 출처 : 복지법인시설
  실무카페

● 1년미만 종사자의 퇴직금 정리

○ 1년미만 종사자의 경우 퇴직금 지급 대상은 아닙니다.
  적립된 퇴직적립금을 과년도분과 당해연도분으로 우선
  구분하시고
○ 과년도분은 주무관청에 협의하여 지정계좌에 반납하시면
  되고
○ 당해연도분은 시설회계의 퇴직적립금 계정에 여입하고
  연말결산에 보조금 반납시 함께 반납하시면 됩니다. 기타
  자세한 사항은 주무관청의 담당자와 협의하시는게 좋을
  듯합니다.
  출처 : 복지법인시설 실무카페

● 퇴직금 중간 정산의 제한(근로자퇴직급여보장법 시행령 제3조)
- 퇴직금 중간 정산 가능한 경우

○ 무주택자인 근로자가 본인 명의 주택을 구입하는 경우

○ 6개월이상 요양을 필요로하는 경우 의료비가 근로자 본인 연간 임금총액의 1천분의 125 초과하여 부담하는 경우

○ 근로자가 파산 또는 개인회생절차 개시 결정을 받은 경우

● 퇴직금 계산시 평균임금 또는 통상임금 계산

○ 근로계약서에 평균임금을 기재하여도 법이 상위법이기 때문에 근로기준법이 우선합니다

○ 따라서 통상임금이 더 높다면 통상임금으로 계산하여 청구하면 됩니다

● 퇴사자 업무 매뉴얼

구분	내용	비고
사직서(퇴직원) 수령	● 사직서(퇴직원) 제출 접수	- 퇴직예정일 30일전 - 본인 퇴직 희망일 가능
4대보험 상실 신고	● 건강보험(퇴직정산)	-건강보험료는 퇴직일이 속하는 날까지 납부
	● 고용보험(실업급여)	-사실확인증명서 -자발적퇴직은 실업급여 대상이 되지 아니함
	● 국민연금	-보험료는 퇴사일이 속하는 달까지 연금보험료 납부
원천징수영수증 발급	● 다음 근무지에 제출할 원천징수영수증 발급	-비취업자는 기본 인적공제 정산
각종 증명서 발급	● 퇴직후 경력증명서	-퇴직증명서 발급
퇴사자 보고	● 희망이음으로 시구군에 보고	-매월 말일까지

사무인계인수	● 사무인계인수서 작성	-법인 인계인수 감사 회계담당자는 회계분야

◆ **법인대표이사 겸 시설장에 대한 퇴직급여 적립관련**
보건복지부 유권해석

○ 사회복지법인 대표자 겸 시설장은 근로가가 아닌 사용자에 해당한다고 볼 수 있으므로 「근로기준법」 및 「근로자퇴직급여 보장법」에 다른 퇴직금 지급대상(근로자)에 해당하지 않음. (보건복지부 장애인권익지원과-3710, 2018. 7. 11.)

○ 사용자는 근로자퇴직급여 보장법에 따라 퇴직하는 근로자에게 계속근로기간 1년에 대하여 30일분 이상의 평균임금을 퇴직금으로 지급할 수 있는 제도를 설정하여야 하므로 장애인직업 재활시설 설치 · 운영자는 종사자의 퇴직금을 지급하여야 함. 그러나 법인 대표이사 겸 장애인직업재활시설의 장인 경우에는 근로자의 지위를 인정할 수 없어 퇴직금을 지급할 수 없음. (보건복지부 장애인자립기반과-3761, 2017. 5. 17.)

○ 최종적인 판단은 관련 법률 소관부처인 고용노동부에 문의하여 판단받는 것이 적절하나, 판단 결과 법인 대표이사 겸 장애인직업재활시설의 장이 퇴직연금 가입 의무대상이 아닌 것(「근로기준법」상 근로자가 아닌 경우)으로 확인될 경우에는 근로자를 그 적용대상으로 하는 「근로자 퇴직급여 보장법」의 제 규정을 적용받지 못함 – 마찬가지로 퇴직연금 가입 의무대상이라면 당연히 해당 분류를 근거로 법인의 비지정후원금 사용이 가능할 것으로 보이나, 그렇지 않다고 확인될 경우(「근로자퇴직급여 보장법」상 근로자가 아닌 경우)에는 법인의 비지정후원금으로 지급하기에는 적절하지 않을 것으로 사료됨.
(보건복지부 장애인자립기반과-437, 2018. 1. 16.)

● **중도퇴사자 연말 (중간)정산**

중도퇴사자(퇴직자) 연말정산하는 법
지난해 중도퇴사자나 입사자의 경우, 연말정산을 어떻게 해야

할지?

○ 중간에 퇴사할 경우(퇴직자 포함), 원칙적으로 퇴사하는 달에 마지막 급여를 받으면서, 1월부터 퇴사하는 달까지의 연말정산 마무리한 후, 퇴사하게 되어 있음(이때도 ˝연말정산´이란 용어를 씀)

○ 따라서 중간에 퇴사할 때에도 실제 연말정산과 똑같이 연말정산 양식을 작성하고, 전년도 1월부터 퇴사 전 까지의 지출이나 납입내역중 총 공제 받을 수 있는 항목들의 영수증 등의 증빙서류를 챙겨 함께 제출해야 하며, 공제 받는 금액 만큼 세금 부담이 줄어들게 된다

○ 다만 문제가 있는데, 중도퇴사나 퇴직하는 시기에는 국세청 간소화 서비스에서 전년도 1월부터 퇴사 전까지의 공제항목별 내역을 제공하지 않기 때문에, 본인이 직접 공제항목별 영수증 등을 챙겨야 함

○ 중도퇴사자가 회사에 근무하는 기간의 공제항목별 지출납입내역은 다음해 1월15일이 되어야 간소화서비스에서 조회되어 공제자료 제출에 어려움을 겪을 수 밖에 없음

○ 물론 관련 기관 방문이나 온라인을 통해 일부 항목은 공제자료를 모을 수있지만, 연말정산의 여러가지 항목을 일일이 챙겨서, 연말정산을 재대로 마친후, 퇴사하는 것은 불가능함

- 때문에 중간에 퇴사하면서, 연말정산할 땐 직장인이면 누구나 자동 계산되어 적용되는 기본적인 공제항목(본인 인적공제, 표준세약 공제 등) 정도만 약식으로 공제하고 나오는 경우가 많아, 놓치는 항목들이 있음

① 중도퇴사자가 같은해, 다른 직장에 재취업한 경우, 즉 이직한 경우 ②중도퇴사후 같은 해에 재취업하지 않고, 해를 넘긴 경우(퇴직자도 해당됨)로 구분

● 중도퇴사후 같은 해에 재취업한 경우

○ 현재 다니는 직장에서 연말정산을 하게 되므로, 이전 직장에서 근로소득원천징수영수증을 발급받아 현재 직장에 제출하면 됨

● 중도퇴사후 취업하지 않고 해를 넘긴 경우

○ 전년도 중도퇴사하면서 간이 연말정산을 받았으면, 같은 해 다시 취업하지 않는 경우, 퇴사할 때 누락된 공제항목에 대해 다음해 5월 종합소득세 신고기간에 공제 가능한 항목의 영수증 등의 증빙서류를 챙겨서 환급신청할 수 있음 (환급은 7월경 가능함)

- 환급신청 역시 주소지 관할 세무서 또는 홈택스에 온라인으로 할 수 있으며, 전년도 원천징수 영수증과 추가로 공제받을 수있는 항목들의 공제자료를 준비하면 됨(홈택스-세금신고-종합소득세- 정기신고 작성)

- 다만, 원천징수 영수증의 결정세액란에 금액이"0"원이면 다음해 5월종합소득세 신고를 할 필요가 없음

- 특히 중도 퇴사자나 퇴직자, 신입사원 등은 지난해 직장에 다니지 않던 기간이 있어, 지난해 받은 총 급여액이 기준 금액 이하가 되어, 결정세액이 없을 가능성이 있으므로

○ 총 급여액이 일정기준 이하이면 결정세액이 없음

● 중도 퇴사자, 일반 근로자 모두 해당되는 내용

○ 만약, 지난해 1년간 받은 총 급여액이 정해진 금액 이하인 경우, 연말정산시, 직장인 누구나 알아서 적용되는 근로소득공제, 본인에 대한 인적공제, 표준세액공제 등의 기본적인 공제 혜택만 적용받아도 결정세액이 "0"원이 됨

◆ 결정세액이 없다는 것은, 지난 해 받은 소득에 대해, 실제 납부해야 할 세금이 없다는 말.

○ 만약 결정세액이 없다면, 연말정산을 굳이 할 필요가 없으며, 매달 급여에서 원천징수 됐던 세금을 전부 돌려받을 수도 있음.

- 현재 1인 가구는 연간 총 급여액1,408만원이하, 2인 가족은 연간 총 급여액 1,623만원이하, 3인 가족은연 2,499만원이하, 4인 가족은 연3,084만원이하이면, 결정세액이 없음 (다만, 본인을 포함한 부양가족수에 따라 기준금액이 달라짐)

- 중도 퇴사자, 입사자, 퇴직자는 공백기간 지출은 공제받지 못함(과다공제에 유의)

- 연말정산은 직장에 다니는 근로기간에 본인과 부양가족을 위해 지출이나 납입한 경우만 인정됨

- 연금계좌 불입액과 기부금은 공백기간에 상관없이 공제 가능함

1 3 사회복지시설 종사자 호봉의 획정 및 승급 등 (참조사항)

※ 본 기준은 시설에 지원되는 보조금의 집행을 안내하는 규정이므로 본 기준을 근거로 「근로기준법」상 근로조건의 저하 등 타 법령을 위반할 수 없음.

● 호봉의 획정 원칙

○ 원칙적으로 근무 년수 1년에 대해 1호봉을 인정함.

○ 호봉은 현 시설 근무경력에 본 지침에서 인정하는 경력을 합산하여 결정

```
┌─────────────────────────────────────────────────────┐
│              ◆ 용어의 정의                            │
│ ·보수 : 봉급과 기타 각종 수당을 합산한 금액           │
│ ·봉급 : 직무의 난이도 및 책임의 정도와 재직기간 등에 따라 직위 │
│ 별·호봉별로 지급되는 기본급여                          │
│ ·수당 : 직무특성 및 생활여건 등에 따라 지급되는 부가급여 │
│ ·승급 : 일정한 재직기간의 경과에 의해 현재의 호봉보다 높은 호봉 │
│ 을 부여하는 것                                         │
│ ·보수의 일할계산 : 그 달의 보수를 그 달의 일수로 나누어 계산하 │
│ 는 것                                                 │
└─────────────────────────────────────────────────────┘
```

● 경력인정 범위

가. 경력환산율표에 의한 경력인정 범위

구분	환산율	인정대상경력
1. 사회복 지시설 경력	100%	가. 사회복지시설에 근무한 경력 → 법령, 또는 지침이 신설 또는 개정되어 신규로 사회복지시설로 규정되는 경우, 법령에 규정된 다음 연도의 1월 1일부터 근무경력을 인정함. 예) 아동공동생활가정의 경우 2004년 1월 29일에 「아동복지법」이 개정되어 사회복지 시설로 규정되었으므로, 예산반영이 가능한 2005년 1월 1일부터 근무경력을 인정함. * 사회복지시설 : 동 지침(5쪽~6쪽)에서 사회복지시설의 종류로 열거한 시설을 의미 → 사회복지시설 설치 근거 법령 또는 개별 시설 지침에 따른 고유사업 수행 및 인적기준을 충족시키기 위해서 채용된 자에 한하며, 정규직 여부와 무관하게 동일한 경력으로 인정 나. 조건부신고시설의 경우 2002년 이후 조건부시설로 신고한 시설에서 종사자로 근무한 경력(단, '05. 7 31까지의 근무 경력만 인정) → 해당 시설장 및 시·군·구청장의 근무확인서 필

		요
		* 조건부신고시설 : 미신고시설 양성화 정책에 따라 '02~'05.7.31까지 법정신고시설 전환을 조건으로 행정처분 등을 유예한 시설로 시·군·구에 조건부신고시설로 등록후 유예기간 내에 요건충족을 통해 신고시설로 전환한 시설
		다. 사회복지시설 종사자 대체인력으로 근무한 경력
		* 보건복지부 사회복지시설 종사자 대체인력사업 운영을 위해 사업 위탁기관에 채용되어 사회복지시설에 파견되어 근무한 경력
		→ '18.1.1.부터 근무경력으로 인정하되, 경력합산은 '19.1.1.부터 적용
2.유사경력	80%	가.
		① 사회복지사업법 및 법 제2조제1호에 열거된 사회복지사업 관련 법률에 따른 사회복지 관련 국가 자격(면허)증을 소지하고 법령 등에 정해진 해당 자격의 업무를 수행한 경력
		* 요양보호사, 정신보건전문요원, 사회복지사, 언어재활사, 장애인재활상담사 등
		② 물리(작업)치료사, 간호(조무)사, 영양사, 조리사로서 관련 자격(면허)증을 소지하고 동종 직종에 근무한 경력
		* 동종 직종 : 이전 근무지에서 종사했던 직종과 현 사회복지시설에서의 근무 직종이 동일성을 유지하는 경우가 이에 해당(예 : 보건소 간호사 근무 → 노인의료복지시설 간호사 근무)
		※ (공통) 경력증명서에 해당 직종(사회복지사 등)으로 채용되어 근무하였음을 증명 할 수 있어야 함
		※ (공통) 종전 근무경력은 인정하되, 경력합산은 '20.1.1.부터 적용
		나. 특수학교교사 자격증 취득 후 「장애인 등에 대한 특수교육법」 제2조10호의 규정에 의한

구분	환산율	인정대상경력
		특수교육기관(특수학교) 및 동법 제2조제11호에 의한 특수교육대상자의 통합교육을 실시하기 위하여 일반학교에 설치된 특수학급에 근무한 경력

다. 공무원으로서 「사회복지사업법」 제2조의 규정에 의한 사회복지사업 관련 부서에 근무한 경력(사회복지전담공무원 근무경력 등)

라. 「아동복지법」 제48조에 의한 가정위탁지원센터에서 동법 시행령 제48조에 의한 직원의 자격으로 채용되어 근무한 경력(사회복지시설로 인정되기 전의 근무경력)

※ ㉣는 종전 근무경력을 인정하되, 경력합산은 '07.1.1부터 적용

마. 간호(조무)사, 정신보건전문요원, 사회복지사, 응급구조사 자격(면허)증을 소지하고 보건복지부 보건복지상담센터(보건복지콜센터)에 근무한 경력

※ ㉤는 종전 근무경력을 인정하되, 경력합산은 '07.1.1부터 적용

바. 「아동복지법」 제45조에 의한 아동보호전문기관에서 동법시행령 제43조에 의한 직원의 자격으로 채용되어 근무한 경력(사회복지시설로 인정되기 전의 근무경력)

※ ㉥는 종전 근무경력을 인정하되, 경력합산은 '09.1.1부터 적용

사. 「아동·청소년의 성보호에 관한 법률」 제47조에 의한 아동·청소년 성교육 전문기관에서 직원의 자격으로 채용되어 근무한 경력

※ ㉦는 종전 근무경력을 인정하되, 경력합산은 '15.1.1부터 적용

아. 「청소년복지 지원법」 제31조에 의한 청소

구분	환산율	인정대상경력
		년쉼터, 청소년자립지원관, 청소년치료재활센터에서 직원의 자격으로 채용되어 근무한 경력(사회복지시설로 인정되기 전의 근무경력) ※ ㉒는 종전 근무경력을 인정하되, 경력합산은 '15.1.1부터 적용 자.「아동복지법」제37조에 따라 지방자치단체가 취약계층 아동에 대해서 지원하는 통합서비스(드림스타트) 민간전문인력(직원)으로 채용되어 근무한 경력 ※ ㉓는 종전 근무경력을 인정하되, 경력합산은 '15.1.1부터 적용 차.「사회복지사업법」제33조에 의한 사회복지협의회에서 직원의 자격으로 채용되어 근무한 경력 카.「사회복지사업법」제46조에 의한 한국사회복지사협회에서 직원의 자격으로 채용되어 근무한 경력 타.「식품기부활성화에 관한 법률」제3조에 따른 기부식품제공사업장에서 사회복지사 자격증을 소지하고 근무한 경력 ※ ㉝는 종전 근무경력을 인정하되, 경력합산은 '15.1.1부터 적용 파.「자원봉사활동기본법」제19조에 따른 자원봉사센터에서 사회복지사 자격증을 소지하고 근무한 경력 ※ ㉞는 종전 근무경력을 인정하되, 경력합산은 '15.1.1부터 적용 하. 시·군·구에 설치된 통합사례관리 전담기구에 사회복지통합서비스전문요원(통합사례관리사)으로 채용되어 통합사례관리업무를 수행한 경력

구분	환산율	인정대상경력
		※ ㉭는 종전 근무경력을 인정하되, 경력합산은 '15.1.1부터 적용 거. 「사회보장급여의 이용·제공 및 수급권자 발굴에 관한 법률」 제41조에 따른 지역사회 보장협의체에서 사회복지사 자격증을 소지하고 직원(상근간사 등)근무한 경력 ※ ㉮는 종전 근무경력을 인정하되, 경력합산은 '15.1.1부터 적용 너. 「민법」 제32조에 따라 보건복지부장관의 허가를 받아 설립된 법인으로서 「사회복지사업법」 제2조의 사회복지사업을 수행하는 사단·재단법인에서 직원으로 상근한 경력 ※ ㉯는 종전 근무경력을 인정하되, 경력합산은 '15.1.1부터 적용 더. 「사회복지사 등의 처우 및 지위향상을 위한 법률」 제4조에 따른 한국사회복지공제회에서 사회복지사 자격증을 소지하고 근무한 경력 ※ ㉰는 종전 근무경력을 인정하되, 경력합산은 '15.1.1부터 적용 러. 「장애인활동 지원에 관한 법률」 제20조에 따른 활동지원기관에서 전담인력으로 채용되어 근무한 경력 ※ ㉱는 종전 근무경력을 인정하되, 경력합산은 '15.1.1부터 적용 머. 「청소년복지 지원법」 제29조에 따른 청소년상담복지센터에서 직원의 자격으로 채용되어 근무한 경력 ※ ㉲는 종전 근무경력을 인정하되, 경력합산은 '15.1.1부터 적용 버. 「사회복지사업법」 제16조에 따라 설립된

구분	환산율	인정대상경력

사회복지법인에서 직원의 자격으로 채용되어 근무한 경력

※ ㉣는 종전 근무경력을 인정하되, 경력합산은 '16.1.1부터 적용

서. 「국민기초생활 보장법」 제5조의10에 따라 설치된 광역자활센터에 직원의 자격으로 채용되어 근무한 경력

※ ㉤는 종전 근무경력을 인정하되, 경력합산은 '16.1.1부터 적용

어. 「정신건강증진 및 정신질환자 복지서비스 지원에 관한 법률」 제17조에 따른 정신건강 전문요원(정신보건전문요원) 자격증을 소지하고, 같은 법 제15조에 의한 정신건강복지센터(정신보건센터, 정신건강증진센터)에서 근무한 경력

※ ㉥는 종전 근무경력을 인정하되, 경력합산은 '17.1.1부터 적용

저. 「노인복지법」 제23조의제1항제2호에 따라 설치된 노인일자리지원기관에서 직원의 자격으로 채용되어 근무한 경력(사회복지시설로 인정되기 전의 근무경력)

※ ㉦는 종전 근무경력을 인정하되, 경력합산은 '18.1.1부터 적용

처. 「장애인복지법」 제59조의11에 따라 설치된 장애인권익옹호기관에서 직원의 자격으로 채용되어 근무한 경력

※ ㉧는 종전 근무경력을 인정하되, 경력합산은 '19.1.1부터 적용

커. 「장애인복지법」 제59조의13에 따라 설치된 피해장애인쉼터에서 직원의 자격으로 채용되어 근무한 경력(사회복지시설로 인정되기 전

구분	환산율	인정대상경력

　의 근무경력)

　※ ㉠는 종전 근무경력을 인정하되, 경력합산은 '19.1.1부터 적용

터. 「입양특례법」 제20조에 따라 허가된 입양기관에서 직원의 자격으로 채용되어 근무한 경력

　※ ㉠는 종전 근무경력을 인정하되, 경력합산은 '19.1.1부터 적용

퍼. 「북한이탈주민법」 제15조의2에 따라 지정된 지역적응센터에서 사회복지사 자격을 보유하고 전담인력으로 근무한 경력

　※ ㉠는 종전 근무경력을 인정하되, 경력합산은 '19.1.1부터 적용

허. 「노인복지법」 제27조의2에 따른 사업을 수행하는 "독거노인·중증장애인응급안전알림서비스 사업안내" 지침 상 사업수행기관(지역센터)에서 거점응급안전관리요원 또는 응급관리요원으로 채용되었던 자로, 수행기관이 발행한 경력증명서상 직무가 '거점응급관리요원 또는 응급관리요원'으로 명시된 근무경력

　※ ㉠는 종전 근무경력을 인정하되, 경력합산은 '19.1.1부터 적용

고. 「노인복지법」 제27조의2에 따라 아래와 같이 취약 독거노인에 대해 지원하는 돌봄 사업에 채용되어 근무한 경력

구분	환산율	인정대상경력

연도	사업명	직종
2007	독거노인 생활지도사 파견사업	서비스관리지ㅣ 독거노인생활지ㅣ
2008	독거노인 생활관리사 파견사업	서비스관리지ㅣ 독거노인생활관ㅣ
2009~2011	노인돌봄기본 서비스사업	노인돌봄서비스관 노인돌보미
2012	독거노인돌봄 기본서비스사업	독거노인돌봄서비 리자, 독거노인돌
2013	노인돌봄기본 서비스사업	노인돌봄서비스관 노인돌보미
2014~2019	노인돌봄기본 서비스사업	서비스관리지ㅣ 독거노인생활관ㅣ
2020~	노인돌봄기본 서비스사업	전담사회복지ㅅ 생활지원사

※ ㉠는 종전 근무경력을 인정하되, 경력합산은 '19.1.1부터 적용

노. 「건강가정기본법」 제35조에 따라 설치된 건강가정지원센터에서 직원의 자격으로 채용되어 근무한 경력(사회복지시설로 인정되기 전의 근무경력)

※ ㉡는 종전 근무경력을 인정하되, 경력합산은 '20.1.1부터 적용

도. 「발달장애인 권리보장 및 지원에 관한 법률」 제33조에 따라 설치된 중앙발달장애인지원센터 및 지역발달장애인지원센터에서 직원으로 채용되어 근무한 경력

※ ㉢는 종전 근무경력을 인정하되, 경력합산은 '20.1.1부터 적용

로. 「발달장애인 권리보장 및 지원에 관한 법률」 제29조에 따른 사업을 수행하는 "발달장애인 주간활동서비스 사업안내" 및 "청소년

구분	환산율	인정대상경력
		발달장애학생 방과후 활동서비스 사업안내" 지침 상 제공기관에서 관리책임자, 전담 관리인력, 제공인력으로 채용되어 근무한 경력 　※ ㉣는 종전 근무경력을 인정하되, 경력합산은 '20.1.1부터 적용 모. 「아이돌봄지원법」 제11조제1항에 따라 지정된 서비스제공기관에서 전담인력 또는 지원인력으로 채용되어 근무한 경력 　※ ㉤는 종전 근무경력을 인정하되, 경력합산은 '20.1.1부터 적용 보. 「국가보훈기본법」 제19조2항 및 「국가유공자 등 예우 및 지원에 관한 법률」 제63조의3 등에 다른 보훈재가복지서비스를 수행하기 위해 국가보훈처 및 그 소속기관에서 보훈섬김이 및 보훈복지사로 채용되어 근무한 경력 　※ ㉥는 종전 근무경력을 인정하되, 경력합산은 '20.1.1부터 적용 소. 「고등교육법」 제2조에 따른 학교에서 교수 또는 강사의 자격으로 채용되어 사회복지학 전공교과목과 사회복지관련 교과목을 전담하여 강의한 경력 　※ ㉦는 종전 근무경력을 인정하되, 경력합산은 '20.1.1부터 적용 조. 「성폭력방지법」 제18조에 따라 설치된 성폭력피해자통합지원센터(해바라기센터_에서 직원의 자격으로 채용되어 근무한 경력 　※ 종전 근무경력은 인정화되, 경력합산은 22.1.1.부터 적용 초. 「아동복지법」제13조 및 동법 시행규칙 제4조에 따라 「아동복지법」제15조에 따른 아

구분	환산율	인정대상경력
		동보호서비스 업무를 수행하기 위하여 아동 보호전담요원으로서 채용되어 근무한 경력 ※ 종전 근무경력을 인정하되, 경력합산은 22.1.1부터 적용
코		「장애인복지법」제54조에 따라 설치된 장애인자립생활지원센터에서 직원의 자격으로 채용되어 근무한 근무한 경력 ※ 종전 근무한 경력은 인정하되, 경력합산은 22.1.1.부터 적용
토		「한국보건복지개발원법」제6조에 다른 업무를 수행하기 위하여 한국보건복지개발원에 직원의 자격으로 채용되어 근무한 경력 ※ 종전 근무경력을 인정하되, 경력합산은 22.1.1부터 적용
포		「장애인복지법」 제29조의2에 따른 업무를 수행하기 위해 한국장애인개발원에 직원의 자격으로 채용되어 근무한 경력 ※ 종전 근무경력을 인정하되, 경력합산은 22.1.1부터 적용

"종전 근무경력은 인정하되, 경력합산은 '△△.1.1.부터 적용"의 의미
- 이 지침에 최초로 수록되기 전인 '△△년 1월 1일 이전 근무했던 해당 경력도 포함하여 호봉을 새롭게 산정할 수 있음.
  다만, 이 경력을 포함하여 새롭게 산정되는 호봉은 '△△년 1월 1일 이후에 최초로 지급되는 급여부터 반영(소급적용은 되지 않음.)

나. 군 복무 관련 경력인정 범위
1) 산정원칙 및 대상경력

군 복무경력은 다음 각 목[가)~마)]의 어느 하나에 해당하는 사람이 병적증명서상 실제 복무한 경력을 인정하되, 그 경력이 3년이 넘을 경우에는 3년까지만 인정

「병역법 시행규칙」 별지 제5호서식에 따른 병역증명서를 원칙으로 하되, 주민등록표 초본 또는 각군본부 등에서 발급한 군경력증명서도 가능

종전의 지침에 따라 해군(상륙병과는 제외) 또는 공군에서 의무복무를 한 경우로서 3년 1개월에서 3년 6개월까지의 기간 내에서 이미 인정받아 호봉이 계산된 사람은 그 경력을 그대로 인정

가) 「제대군인지원에 관한 법률」 제2조제1호 및 제16조제1항에 따른 제대군인
1. 「병역법」 또는 「군인사법」에 따라 군 복무를 마치고 전역(轉役)한 사람
2. 「병역법」 제72조제2항에 따라 병역의무기간을 마치고 퇴역(退役)한 장교·준사관 및 부사관
3. 「병역법」 제72조제2항에 따라 병역의무기간을 마치고 면역(免役)된 병
4. 「군인사법」 제41조에 따라 퇴역(退役)한 장교·준사관 및 부사관
5. 「병역법」 제23조에 따라 소집해제된 상근예비역
6. 「병역법」 제26조제1항제1호 및 제2호에 따라 국가기관·지방자치단체·공공단체 및 사회복지시설의 공익목적에 필요한 사회복지, 보건·의료, 교육·문화, 환경·안전 등 사회서비스 업무의 지원업무 및 국가기관·지방자치단체·공공단체의 공익목적에 필요한 행정업무 등의 지원업무에 복무하고 소집해제된 사회복무요원
나) 「병역법」 제25조에 따라 전환복무를 한 사람

전환복무자
1. 「의무소방대설치법」 제3조제2항에 따른 의무소방원
2. 「의무경찰대 설치 및 운영에 관한 법률」 제3조에 따른 의무경찰
3. 종전 「전투경찰대설치법」 제3조제2항 및 제3항에 따른 전투경찰
4. 종전 「교정시설경비교도대설치법」 제3조에 따른 경비교도

다) 종전 「병역법」(2013.6.4., 법률 제11849호로 개정되기 전의 것)에 따라 ①국가기관 · 지방자치단체 · 공공단체 및 사회복지시설의 공익목적에 필요한 사회복지, 보건 · 의료, 교육 · 문화, 환경 · 안전 등 사회서비스업무의 지원업무, ②국가기관 · 지방자치단체 · 공공단체의 공익목적에 필요한 행정업무 등의 지원업무에 복무하고 소집해제된 공익근무요원

라) 종전 「병역법」(1993.12.31., 법률 제4685호로 전부개정되기 전의 것)에 따라 소집되어 복무하다 소집해제된 방위병

마) 종전 「병역법」(법률 제444호, 1957. 8. 15) 제62조 및 같은 법 시행령(대통령령 제1452호, 1959. 2. 18) 제107조에 따라 예편된 학도의용군

학도의용군 경력 적용방법
• 학도의용군의 군복무 경력기간은 병적증명서상 기간과 무관하게 8개월 인정   : 학도의용군은 병적증명서상에 실역복무기간의 입대일과 전역일이 동일하므로 해당 병적증명서와 무관하게 8개월을 인정함(「공무원보수 등의 업무지침」 준용)

2) 산정예외

예술체육요원 · 산업기능요원 · 전문연구요원, 승선근무예비역,
   무관후보생
경력은 군복무경력으로 인정하지 아니함(「공무원보수 등의
   업무지침」 준용).

● 별도 경력인정 관련

"2. 경력인정 범위"에서 서술한 경력 이 외에 사회복지관련 법인
   및 단체, 기타 사회복지사업에서의 근무경력 및 군 복무경력은
   시설담당과 및 지방자치단체에서 소관사업별 특성 및 지자체
   예산사정 등을 감안하여 별도의 지침으로 규정할 수 있음.

● 경력기간의 계산

가. 인정대상 경력기간의 계산

• 인정하는 경력이 중복된 경우에는 그 중 유리한 경력 하나만
  인정
• 기간계산에 있어 임용일은 산입하고 퇴직일은 제외함.
    ※ 단, 근무종료일이 법령 또는 계약에 의해 미리 정하여진
      군복무기간의 퇴직(전역)일 또는 계약직의 계약기간 만료
      일은 근무경력에 산입함.
• 시간제 근로자 등 통상적인 근무시간과 다르게 근로계약을 체

결한 자에 대해서는 정상근무시간을 기준으로 실제 근무시간에 비례하도록 계산함.

시간제근무기간	×	시간제근무를 하는 종사자의 주당 근무시간 / 40시간(정상근무시간)

- 경력기간은 년·월·일까지 계산하되, 민법상 역(曆)에 의한 방법에 의해 계산함(「민법」 제160조 참조)(12월을 1년으로, 30일을 1월로 계산함).

▷ 「민법」 제160조(曆에 의한 계산)
① 기간을 週, 月 또는 年으로 정한 때에는 曆에 의하여 계산한다.
② 週, 月 또는 年의 처음으로부터 기간을 기산하지 아니한 때에는 최후의 週, 月 또는 年에서 그 기산일에 해당하는 날의 전일로 기간이 만료한다.
③ 月 또는 年으로 정한 경우에 최종의 月에 해당일이 없는 때에는 그 月의 말일로 기간이 만료한다.

▷ 「민법」 제160조(曆에 의한 계산)
① 기간을 週, 月 또는 年으로 정한 때에는 曆에 의하여 계산한다.
② 週, 月 또는 年의 처음으로부터 기간을 기산하지 아니한 때에는 최후의 週, 月
는 年에서 그 기산일에 해당하는 날의 전일로 기간이 만료한다.
③ 月 또는 年으로 정한 경우에 최종의 月에 해당일이 없는 때에는 그 月의 말일로 기간이 만료한다.

나. 경력환산율을 적용한 경력기간 계산방법

(예시) 03년 1월 5일에 사회복지시설에 임용된 종사자가 '04년 3월 9일에 퇴직하였을 경우

　△ 임용일 산입(2003년 1월 5일), 퇴직일 제외(2004년 3월 9일)
　△ 기산일 전일에 해당하는 날로 만료 시 1월로 계산하되(예 : 1.5~2.4) 기산일 전일에 해당하는 일자가 없는 경우에는 그달의 말일까지를 1월로 계산(예 : 1.31~2.28)
　△ 2월의 경우, 실제일수가 28일이나 월력에 의해 1월로 계산
　△ 상기 계산방법에 의해 경력을 계산하면 근무경력은 1년 2월 4일임.
　　→ '03.1.5 ~ '04.1.4 : 1년
　　→ '04.1.5 ~ '04.3.4 : 2년
　　→ '04.3.5 ~ '04.3.8 : 4일

- 환산율 적용후의 경력기간은 연·월·일 단위까지 산출
- 환산율이 10할(100%)인 경우에는 경력기간을 그대로 인정하고, 환산율이 10할미만인 경우에는 연·월·일 단위로 각각 환산율을 적용하되, 소수점 이하는 절사

● **경력의 증명 및 전력조회**

가. 경력의 증명

- 경력의 증명은 권한 있는 자(시설장, 시·군·구청장 등)가 발행한 경력증명서에 의함.

　※ 경력을 증명할 수 있는 서류가 없거나 불충분한 경우에는 재직기간을 객관적으로 증명할 수 있는 내부증빙자료(임용장, 승진발령기록 등) 또는 외부증빙자료(국민건강보험공단 자료, 금융기관 보수입금내역, 세무서 근로소득납세증명 등), 희망이음을 통해 경력인정

나. 전력조회

- 전력조회는 종사자를 채용한 기관에서 경력증명서 등을 발급한 기관을 대상으로 하는 것이 원칙이나, 종사자가 원하지

(예시) '93년 11월 15일에서 '96년 1월 1일까지 의료기관에 근무한 간호사의 근무경력
  △ 의료법에 의한 의료기관에 근무한 간호사 근무경력 : 80% 인정
  △ 경력인정 : 1년 8월 13일
    → '93.11.15 ~ '95.11.14 : 2년×0.8=1.6년=1년 7.2월=1년 7월 6일(30일×0.2)
    → '95.11.15 ~ '95.12.14 : 1월×0.8=0.8월=24일(30일×0.8)
    → '95.12.15 ~ '95.12.31 : 17일×0.8=13.6일=13일(소수점 이하 절사)

않는 경우에는 보조금을 지급하는 소관 지자체에서 대신하여 전력조회 실시할 수 있음.
  • 전력조회 시 정상적 근로계약 여부, 담당업무, 경력기간 등 경력인정과 관련된 사항을 확인
 - 공무원 경력과 군경력은 경력증명서 내용이 불확실하거나 복무기간 등에 의문이 있을 경우 해당관청에 조회실시
 - 사회복지시설 근무경력과 기타유사경력(8할 인정경력)은 보조금 지급과 관련된 것이므로 반드시 실시하되, 임용일로부터 3월 이내에 완료토록 함.

● 호봉의 획정과 승급 방법

가. 초임봉의 획정

  1) 대상 : 시설에 신규 채용되는 종사자
  2) 시기 : 신규채용일
  3) 절차 및 방법

경력환산율표의 적용	경력기간 계산	초임호봉 획정
• 경력의 증명 및 조회 (경력인정 여부 결정)	• 기간 계산	• 초임호봉표 적용

- 초임호봉은 1호봉으로 하되, 추가적으로 인정되는 경력이 있는 경우 환산된 근무경력 1년을 1호봉씩으로 하여 초임호봉을 획정함.
- 초임호봉의 획정에 반영되지 아니한 1년 미만의 잔여기간이 있는 때에는 그 기간을 다음 승급기간에 산입함.

나. 호봉의 재획정

1) 대상 : 시설에 재직중인 종사자가 다음 각 호에 해당하는 경우에는 호봉을 재획정함.
- 새로운 경력을 합산하여야 할 사유가 발생한 경우
- 해당 종사자에게 적용되는 호봉 획정의 방법이 변경되는 경우

2) 시기
- 법령이나 지침의 개정에 의해 재획정하는 경우는 그 법령이 지침에 의함.
- 재획정하고자 하는 날 현재로 휴직·정직 중인 경우는 복직일에 재획정함.
- 기타 다른 사유로 재획정하는 경우는 재획정 사유가 발생할 날이 속하는 달의 다음 달 1일에 재획정함.

3) 방법
- 호봉을 재획정하는 때에는 초임호봉 획정의 방법에 의함.
- 호봉 재획정에 반영되지 아니한 잔여기간은 그 기간을 다음 승급기간에 산입
- 최고호봉은 31호봉을 초과할 수 없음(원장·관장은 30호봉을 초과할 수 없음).

다. 승급

1) 대상 : 시설에 재직중인 직원이 다음에 모두 해당하는 경우 호봉을 승급함.

- 정기승급일이 되어야 함.
  - 정기승급일 현재 승급제한기간 중에 해당되지 않아야 함.
  - 호봉의 승급에 필요한 기간(승급기간)이 1년을 경과하여야 함.
2) 정기승급일 : 호봉 승급은 매달 1일자로 승급 시행
3) 승급의 제한
  - 다음에 해당하는 자는 해당 기간동안 승급시킬 수 없음.
  · 징계처분, 직위해제 또는 휴직(「남여고용평등과 일·가정 양립지원에 한 법률」 상의 육아휴직과 업무상 질병으로 인한 휴직은 제외) 중에 있는 자
  · 징계처분이 종료된 날로부터 다음의 기간이 경과되지 아니한 자
    (정직 : 18월, 감봉 : 12월, 견책 : 6월)
4) **방법** : 승급기간 1년에 대해 1호봉씩 승급시키며, 잔여승급기간은 다 승급 기간 반영

● 경과조치
 - 2004년 1월 1일 이전에 종전의 지침에 의해 근무경력을 인정받고 있던 자에 대해서는 종전의 인정받던 근무경력을 계속 적용함.
※ 단, 2004년 1월 1일 이후 신규채용자에 대해서는 본 지침상 기준을 적용

● 기타 참고사항
가. 시설종사자가 지역간 또는 시설간 이직하는 경우에도 호봉산정 등에서 불이익을 받지 않도록 공통적으로 적용되는 경력은 인정될 수 있도록 관심요망
나. 본 지침상 근무경력은 종사자 호봉산정을 위한 것으로 다

른 법령에 규정되어 있는 "근무(종사)한 경력"에 해당하
지 않음.

※ 개별법령 상 "근무(종사)한 경력"은 해당 시설 담당부서에 문
의할 것

◆(예시)

아동복지법령상 종사자 자격기준으로 "아동복지와 관련된 사회복지
사업에 3년 이상 종사한 경력"의 해석은 본 지침이 아닌 보건복지
부 아동복지과 지침 또는 유권해석에 의함.

1 4 노사협의회 설치

(근로자 참여 및 협력증진에 관한 법률)

● 목적

○ 근로자와 사용자가 참여와 협력을 통하여 근로자의 복지증진과
기업의 건전한 발전을 도모하기 위하여 구성하는 협의 기구임

● 노사협의회 설치

○ 설치 의무사업장

- 상시 근로자 30명이상의 근로기준법상 근로자를 사용하는 사업
장 또는 사업장

○ 사업장마다 근로조건의 결정권을 있는 본사에 설치할 수도 있
고 각 사업장 단위로도 설치하는 것도 가능함

● 노사협의회 설치 절차

○ 1단계(설치공고)

○ 2단계(설치 준비위원회 구성)

○ 3단계(노사협의회 위원의위촉 또는 선출)

- 근로자위원과 사용자 위원 각 3명이상 10명이하로 동수로 구성 됨
○ 4단계 (노사협의회 규정 제정)
○ 5단계(고용노동부 신고)

15 사회복지시설

1. 사회복지시설의 신고

● 사회복지시설의 법률상 정의(사회복지사업법 제2조)

○ 사회복지시설이란 사회복지사업법 제2조에 따른 "사회복지사업"을 할 목적으로 설치된 시설을 의미함.

○ 사회복지사업법은 사회복지사업에 관한 기본법으로 "노인복지법", "아동복지법", "장애인복지법" 등 개별법령에 별도의 규정이 있을 경우에는 해당 법령이 우선 적용

● 사회복지시설의 신고제(사회복지사업법 제34조)

○ 국가 또는 지방자치단체 이외의 자가 시설을 설치, 운영하고자 하는 때에는 시장, 군수, 구청장에게 신고하여야 한다.

○ 개별법령에 허가 및 지정 등을 요구하는 경우 개별 법령이 우선 적용됨.

○ 노유자시설

가. 아동 관련 시설(어린이집, 아동복지시설, 그 밖에 이와 비슷한 것으로서 단독주택, 공동주택 및 제1종 근린생활시설에 해당하지 아니하는 것을 말한다.)

나. 노인복지시설(단독주택과 공동주택에 해당하지 아니하는 것을 말한다.)

다. 그 밖에 다른 용도로 분류되지 아니한 사회복지시설 및 근로복지시설

○ 시설 운영(영업허가 등)과 관련하여 주무관청에서 건축물대장 제출을 요구하면 용도변경이 필요합니다. 더불어, 정부보조금 등을 지급받기 위해서는 해당시설로 용도변경이 필요한 것으로 알고 있습니다. 출처 : 네이버지식in

● **사회복지시설 신고의 법적 성질**(사회복지사업법 제34조)

○ 시, 군.구청장은 "정당한 이유"없이 사회복지시설의 설치를 지연시키거나 제한하는 조치를 하여서는 아니된다(사회복지사업법 제6조)

○ 사회복지사업법상 신고제도는 자족적 공법행위인 "행정절차법" 제40조의 신고보다는 정당한 이유가 있을 경우 사회복지시설의 설치를 지연 또는 제한할 수 있는 완화된 허가제게 가깝다고 할 수 있음(수리를 요하는 신고)

○ 단, 정당한 이유없이 신고접수를 거불할 경우 "사회복지사업법" 제6조에 위배되며, 신고거부 자체가 행정소송의 대상이 되므로 신중을 기할 것

출처 : 2024 사회복지시설 관리안내(보건복지부, p10)

● **신고증 및 사업자등록증(또는 고유번호증) 발급**
  (사회복지시설관리안내, 보건복지부)

○ 사회복지시설을 설치, 운영하거나 국공립 사회복지시설을 위탁받아 운영할 경우 부가가치세법, 법인세법 등 관련 법령에 따라 각 시설별로 별도의 고유번호증 또는 사업자등록증을 발급받도록 할 것

○ 법인이 설치, 운영(수탁 포함)하는 시설의 경우 "법인명(단체명)"에 법인명칭을 기재하거나 법인명칭과 시설명칭을 병기하

는 형태 등으로 고유번호증(사업자등록증)발급을 세무관서에 신청할 수 있음(권고사항).

○ 고유번호증 또는 사업자등록증 신청 및 발급 절차에 대해서는 국세청(126) 또는 관할 세무서에 문의바람.

● 사회복지시설의 법인격 보유 여부

- 사회복지시설이 채권,채무, 부동산 소유,공사계약, 소송 등에 권리의무주체가 될 수 있는지 여부

○ 사회복지시설은 그 자체로 법인격을 갖고 있지 못하므로 법인격을 요하는 권리 의무의 주체가 될 수 없음

○ 사회복지법인.시설 재무회계규칙상 시설회계 세출예산 과목구분에 기재된 자산취득비 등은 개인도 사회복지시설 설치의 주체가 될 수 있기에 명시되어 있는 것임

출처 보건복지부 사회서비스자원과-5862, (2014.10.15.)

● 사회복지생활시설과 이용시설의 구분

저는 사회복지현장에서 근무하고 있는 사회복지사입니다. 생활시설과 이용시설에 대한 차이점을 알려달라고 하셨네요. 답변을 드리자면.

이용시설은 기관이 이용하는 시간을 정해놓고 그 시간대에만 이용하는 것을 이용기관이라고 합니다.

예를들어 종합사회복지관, 노인복지관, 장애인복지관은 보통 09:00~18:00 기준으로 일반직장인처럼 똑같습니다. 다시 말씀드리자면 이용자가 거주지에서 기관을 이용하고 난후에 집으로 다시 돌아가는 경우라고 할 수 있겠습니다.

생활시설은 24시간을 운영하면서 그 기관에서 먹고, 자고 등의 생활를 하는것을 생활시설이라고 합니다.

예를 들면 요양원, 보육원 등 이런 시설에서 그냥 집처럼 생활하는 것을 말씀드릴수가 있겠습니다.

이런 차이점을 말씀하시는것으로 판단이 되어 말씀 드렸구요.
사업을 하는 것 등을 이야기를 하신다면 1:1질문이라든지 메일, 쪽지를 보내주시면 자세한 내용을 말씀드리도록 하겠습니다.
감사합니다.   출처 : 네이버 지식in

● 사회복지시설의 통합.설치 운영 등에 따른 시설 및 인력 기준(사회복지사업법시행규칙 제22조)

○ 하나의 시설에 둘 이상의 사회복지사업을 통합 수행하는 경우

- 시설 및 설비기준 : 시설 거주자 또는 이용자의 불편을 초래하지 않는 범위 내에서 상호 중복되는 시설.설비를 공동으로 사용할 수 있다
- 인력기준 : 사업에 지장이 없는 범위 내에서 인력을 겸직하여 운영할 수 있다
- 국가나 지자체이외자 자는 통합하여 설치운영하고자 하는 경우에는 각각의 시설이나 사업에 관하여 해당 관계 법령에 따라 신고하거나 허가 등을 받아야 함

2. 사회복지시설의 안전관리

● 보험가입의무(사회복지사업법 제34조의3)

○ 사회복지시설은 화재 및 안전사고로 인한 손해배상책임의 이행을 위해 손해보험사의 책임보험에 가입하거나 한국사회복지공제회의 책임공제에 가입하여야 한다.

- 화재로 인한 손해배상책임
- 화재외의 안전 사고에 의한 손해배상책임
- 보험가입의무를 위반 시 300만원 이하의 과태료 부과 대상
- 보험으로 인한 1인당 배상액은 1억원 이상 되도록 권고

○ 보험은 가능한 소멸식 상품을 가입토록 관리하고 불가피하게
해당 시설이 적립식 상품 가입한 경우 만기환급금 수령 후 반
드시 시설운영비로 세입 처리되어야 함.
- 보험 재원이 보조금인 경우에는 교부기관에 반납 조치하여야
함.

● **시설자체 안전 점검**(사회복지사업법 제34조의4)

○ 시설장은 매 반기 시설에 대해 정기안전점검을 실시하고 그 결
과를 시장·군수·구청장에게 제출해야 함.

○ 시설장은 필요시 수시 안전점검을 실시하여야 한다.

○ 시설장은 수시로 시설 안전 점검을 위해 소방예방 및 소방시
설, 전기, 가스, 승강기 등 시설물 안전 점검 분야 등의 해당
공인기관에 안전점검을 받아야 한다.

○ 점검결과 문제점이 도출되는 경우에는 즉시 시정조치하고 법인과
주무관청에 보고하여야 한다.

○ 시설 안전점검을 수행하지 않을 경우 300만원 이하 과태료를
부과함.

● **안전관리 인력 확보**(사회복지시설관리, 보건복지부)

○ 안전관리책임관 지정
- 사회복지시설은 시설장을 안전관리책임관으로 지정함, 시설
장 책임하에 안전관리 및 점검을 철저히 실시

○ 소방안전관리자 선임
- 소방안전관리자를 선임하여야 하는 사회복지시설의 관계인
(소유자, 점유자, 관리자등) 화재예방법 제37조제1항 및 같은
법 시행규칙 제36조제1항에 따라 그 장소에 근무하거나 거주
하는 사람 등에게 연1회이상 소방안전관리 교육을 실시하여
야 한다

- 아동.노인.장애인.정신질환자 거주시설은 개별사업지침에 따라 연2회이상 훈련을 실시
○ 사회복지시설은 소방시설법 시행령(별표1)에 다라 스프링클러, 간이스프링클럽 설비, 물분무 등 소화 설비 또는 옥내소화전 설비, 자동화재탐지 설비 등을 설치해야 함

● **중대재해 예방**

- **중대재해처벌법**

○ 중대재해처벌법 등에 관한 법률(2022.1.27.일 시행)
○ 주요 내용 : 사업주 및 경영책임자 등이 사업장의 안전, 보건 확보 의무를 위반하여 중대(산업)재해가 발생한 경우 처벌
○ 중대산업재해(산업재해가 아니면 중대산업재해가 될 수 없음)
  - 사망자가 1명 이상 발생
  - 동일한 사고로 6개월이상 치료가 필요한 부상자가 2명이상 발생, 동일한 유해요인의 직업성 질병자가 1년이내 3명이상 발생
○ 적용범위 : 상시근로자 5인 이상 사업 또는 사업장(50인 미만 사업장은 2024년부터 시행), 공중이용시설
○ 적용대상
  책임주체 : 법인 또는 기관의 책임자 대표이사 등 사업을 대표하고 총괄하는 권한과 책임이 있는 사람
  보호대상자 : 종사자
○ 의무사항 : 책임주체는 사업장의 종사자 및 국민의 안전을 보호하고 방지 관계 법령에서 정하는 재해예방에 필요한 안전보건관리체계 구축 및 그 이행, 조치
○ 적용 방법 : 해당 법률에서 연면적의 기준을 용도별 시설의 합

의 의미이며, 용도별 합계는 건축법에 따라 해당 용도에 쓰이는 바닥면적을 산정한다.

이용 면적과 공동이용면적을 합하여 5천제곱미터 이상이면, 중대재해처벌법 대상이 된다. 중대재해처벌법 시행령(별표3)

● 시설의 안전관리

1) 보험가입 의무

○ 사회복지시설은 화재 및 안전사고로 인한 손해배상책임의 이행을 위해 책임보험 또는 책임공제에 가입하여야 한다(사회복지사업법 제34조의3).

○ 보험이나 공제의 배상 한도액 적어도 1억원 이상으로 하여야 한다.

○ 미가입시에는 300만원 이하의 과태료 처분을 받음.

○ 보험은 가능한 한 소멸식 상품을 가입토록 관리하고 불가피하게 해당 시설이 적립식 상품으로 가입한 경우하면 만기환급금 수령 후 반드시 시설운영비로 세입처리되어야 함

- 다만 자금원천이 보조금인 경우에는 보조금의 정산 잔액이에 해당하므로 반납대상임

2) 시설의 안전점검 실시

○ 시설장은 매반기 시설에 대해 정기 안전점검을 실시하고 그 결과를 시장·군수·구청장에게 제출하여야 한다.

○ 시설장은 필요시 수시 안전점검을 실시하여야 한다.

3) 안전관리 인력 확보(소방시설법 제20조제2항 및 시행령 제22조)

○ 사회복지시설은 시설장을 안전관리책임관으로 지정

○ 소방안전관리자 선임하여야 한다.

4) 안전관리 교육 훈련

○ 사회복지시설의 소방안전관리자는 시설의 관계인(소유자, 점유

자, 관리자 등)은 화재예방, 소방시설 설치 · 유지 및 안전관리에 관하여 연 1회 이상 필요한 교육을 실시하여야 함.

출처 : 2019 사회복지시설관리 안내(p107)

● 감염증 유행 대비 사회복지시설 대응지침

○ 목적
- 국내 코로나 바이러스감염증-19를 비롯한 사회복지시설의 예방 및 관리대응 절차와 조치사항을 마련하여 피해를 최소화하고자 함.

○ 감염증 관리체계 및 유관기관 협조체계 구성
- 시설 관리자와 유관기관(시 도, 시·군·구 보건소 및 의료기관)간 비상 연락체계 유지 및 상황 발생시 즉시 대응
- 사회복지시설 내 "감염증 증상 신고 접수 담당자"를 지정하여 시설 이용자, 종사자, 기타 방문객 등 증상자의신고 접수
- 시설 종사자 대상 감염증 질병정보 및 감염예방 수칙, 행동요령 교육

○ 감염예방을 위한 관리 철저
- 해외 다녀온 이용자 및 종사자(동거가족 포함)에 대해서는 입국 후 14일간 한시적 업무 배제 또는 이용(등원) 중단
- 업무 배제된 자는 되도록 14일 간 타인과의 접촉 및 거주지 밖 외출을 자제하고, 발열 및 호흡기 증상이 나타나는지 스스로 관찰
- 시설 내 외국에서 입국한 종사자 등이 있는 경우 선제적 예방을 위해 2주간 한시적 업무배제(유급휴가 처리)
- 발열, 기침 등의 증상이 있는 경우 관련 업무배제하고 필요시 진단검사 실시
- 시설 이용자, 시설 종사자 및 기타 방문객 대상 위생수칙 교육, 홍보

- 시설 이용자, 종사자 등을 대상으로 감염증 예방 수칙, 손 씻기, 기침예절 등 감염병 예방 교육 실시
- 손 씻기, 기침 예절 등 신종 바이러스 감염증 예방을 위한 위생수칙 등 각종 홍보물을 시설 내 주요장소에 부착
○ 감염 예방을 위한 위생관리
- 시설 내 화장실 등에 개수대, 손 세척제와 휴지 등을 충분히 비치
- 시설 내 마스크, 체온계 등 감염예방을 위한 필수물품을 충분히 비치
- 의심환자 발생시, 의심환자 대기 가능한 격리 공간을 시설 내 확보
○ 의심환자 발견 시 조치사항
- 시설 내 의심환자 발견 시 관할 보건소에 즉시 신고
- 보건소에서의 조치가 있기 전까지, 의심환자에 대해서는 마스크를 씌우고, 확보된 격리공간에서 대기하도록 함.
- 의심환자의 보건소 이송 이후에도 알코올, 락스 등의 소독제를 이용하여 환자가 머물렀던 격리 장소를 청소
- 입소자. 종사자에 대한 모니터링
- 시설 입소 출입 시 방역 관리 강화
- 감염관리를 위한 전담직원 지정 배치
○ 시설 내 감염 예방을 위한 추가 조치
- 시설 입소자의 면회, 외출, 외박 자제 요청 등
- 가족 등에게 안내하여 면회, 외박, 외출 자제요청
- 이용자, 자원봉사자 등에 대한 시설 출입 시 개인위생에 철저를 기하고, 발열 또는 호흡기 증상 확인, 마스크 착용 및 손 소독 실시토록 안내
- 행사장 및 교육 내 체온계 등 비치, 참석자 마스크 착용,

내부 손소득제 비치, 예방행동수칙 부착

출처 : 코로나바이러스 감염증-19 유행대비 사회복지시설
대응지침(보건복지부.2020)

3. 시설운영 및 문서관리

● 시설운영위원회(사회복지사업법 제36조)

○ 시설운영위원회 설치, 목적
  - 사회복지시설 운영의 민주성. 투명성. 제고 및 생활자 권익향
    상 등을 위함.
○ 시설운영위원회 설치 대상
  - 모든 사회복지시설이 대상임.
  - 생활자수 20인 미만인 시설의 경우, 3개소당 1개 원칙으로
    하되. 해당 시군구에 1개소만 있을 경우 해당 시설에 1개운
    영
  - 생활자수 20인이상 시설의 경우, 1개소당 1개 운영위원회 운
    영하되, 위원수는 시설 생활자수를 고려하여 시장.군수.구청장
    이 결정
○ 시설운영위원회 구성
  - 위원회는 위원장 1인을 포함하여 5인 이상 15인 이하의 위
    원으로 구성하고법 제36조 제2항 각 호중 같은 호에 해당 분
    야 위원이 2명을 초과할 수 없음.
○ 운영위원은 시설장이 아닌 시장, 군수, 구청장이 임명 또는 위
    촉한다.
  - 시설의 장
  - 시설 거주자(이용자)의 보호자 대표
  - 시설 종사자의 대표

- 해당 시, 군, 구 소속의 사회복지업무를 담당하는 공무원
- 후원자 대표 또는 지역주민(가급적 시설 소재지에 가까운 주민을 말한다.)
- 공익단체에서 추천하는 사람
- 그 밖의 시설의 운영 또는 사회복지에 관하여 전문적인 지식과 경험이 풍부한 사람

○ 위원의 임기
- 위원장은 호선, 위원 임기는 3년이내 연임 가능(연임에 대한 결정은 시장, 군수, 구청장 권한임.)
- 보궐위원의 임기는 전임자의 잔임 기간으로 함.

○ 심의 사항
- 시설운영계획의 수립, 평가에 관한 사항
- 사회복지프로그램의 개발, 평가에 관한 사항
- 시설 종사자의 근무환경 개선에 관한 사항
- 시설 거주자의 생활환경 개선 및 고충 처리 등에 관한 사항
- 시설과 지역사회와의 협력에 관한 사항
- 그 밖의 시설장이 운영위원회 회의에 부치는 사항

○ 시설운영위원회 운영
- 정기회의 : 분기별 1회 이상 개최
- 수시회의 : 시설운영위원회 운영규정에서 규정한 회의개최 요건에 해당할 경우

○ 회의 공개
- 위원회 회의는 공개를 원칙으로 하되, 개인정보보호 등 불가피한 사유 시 위원장이 비공개로 결정할 수 있음.

○ 시설운영위원회 보고사항
- 시설의 회계 및 예산. 결산에 관한 사항
- 후원금 조성 및 집행에 관한 사항

- 그 밖의 시설운영과 관련된 사건, 사고에 관한 사항
○ 서면심의나 서면에 의한 회의는 불가, 대리 참석 불가

◆(사례)

● 법인대표이사가 산하 기관 운영위원회 위원으로 들어갈 수 있는지?

○ 사회복지시설관리안내(보건복지부.p27)에 따르면 설치.운영자인 법인의 임원 등 특수관계가 명확한 자(시설장 제외)는 위원으로 임명.위촉하지 않도록 할 것

◆(질의응답)

○ 코로나19 상황 관련 사회복지시설 운영위원회 서면심의(보고) 가능여부 문의

1. 안녕하십니까? 귀하께서 국민신문고를 통해 신청하신 민원(1AA-2002-0587762)에 대한 검토 결과를 다음과 같이 알려 드립니다.

2. 귀하께서 질의하신 내용은 다음의 사항으로 이해됩니다.

3. 귀하께서 질의하신 사항에 대하여 다음과 같이 답변 드립니다.

- 최근 코로나19의 지역사회 확산 및 위기경보단계 격상에 따라 대면접촉 최소화를 통한 감염 예방 및 확산 방지가 필요한 상황으로,

- 우리 과에서는 대면접촉을 통한 감염차단 및 사회복지시설의 정상적인 운영 유지를 위해 사회복지법인, 시설의 결산보고 서류 제출, 시설운영위원회 심의와 관련한 조치사항을 한시적으로 시행하도록 안내(사회서비스자원과-1064(2020.2.26.)호)한 바 있습니다.

- 코로나19 확산방지를 위해 한시적으로 결산서 제출 관련 시설운영위원회 보고 및 법정처리기한이 있는 시설운영위원회의 심의사항에 한하여 서면으로 갈음하되, 코로나19 안정기(관할 지자체에서 별도 안내 예정) 이후에는 「2020 사회복지시설 관리안내」에 따라 서면심의나 서면에 의한 회의는 불가함을 안내드리니 시설운영위원회 개최와 관련하여 참고하시기 바랍니다.

* 상세 내용은 사회서비스자원과-1064(2020.2.26.)호 참고

4. 추가적인 질의사항이 있으시면 보건복지상담센터(국번없이 129) 또는 사회서비스자원과(OOO, OOO-OOO-OOOO)로 문의하여 주시면 답변하여 드리겠습니다. 감사합니다.

담당부서

보건복지부 사회복지정책실 사회서비스정책관 사회서비스자원과

관련법령 <u>사회복지사업법</u> /

◆ 광역지방자치단체에서 설치한 사회복지시설의 운영위원회 회 위원 위촉 권한(질의응답)

○ 사회복지사업법 제36조제2항에서는 운영위원회 위원은 다음 각 호의 어느하나에 해당하는 사람중에서 관할 시장.군수.구청장이 임명하거나 위촉한다"라고 규정하고 있으므로 시장을 위촉권자로 볼수 없음 -보건복지부 사회서비스자원과-4134, 2018.07.12.

● 시설 회계 폐지 시 재무회계 정리 요령

○ 사회복지사업법 제38조3항 2호, 3호에 대한 잔액 및 이를 근거로 조성된 재산은 국가로 반환해야 합니다.

○ 모법인에 반환되는 것은 그 이외의 재산으로, 법인 명의의 재산이되, 법인이 출연한 재산으로 한정할 수 있습니다. 이때는 전입이라기보다는 사업 폐지에 의한 출연재산의 회수 정도로 볼 수 있겠네요.

○ 수익사업을 제외한다면 결국 재원은 보조금, 후원금, 자부담으로 나눌 수 있는데, 보조금 후원금의 잔액 및 그로서 조성된 재산은 반환, 자부담으로 수입된 잔액 및 재산은 모법인 귀속 이렇게 하면 모든 재산이 나눠지겠지요?

○ 물론, 사업 초기에 법인이 부담하여 조성한 기본재산 같은 것들도 자부담으로 봐야 하니 모법인으로 귀속될 것인데, 만약

그 조성에 보조금 및 후원금이 포함되어 있다면 이 부분에 대해서는 지자체와 협의를 하셔야 할 것으로 보입니다.

◆**사회복지시설폐쇄시잔여재산처분(질의응답)**

○ 사회복지시설 폐쇄시 후원금으로 취득한 재산의 반환대상 및 시·군·구청장이 제시받은 반환 조치계획서에 대한 시장·승인권한 ☞ 현행 「사회복지사업법 시행규칙」 제26조 제1항 제2호의3은 시설폐쇄시 보조금·후원금의 사용 결과 보고서와 이를 재원으로 조성한 잔여재산 반환조치계획서를 시·군·구청장에게 제출하도록 규정하고 있음. 또한 같은 규칙 제26조 제2항에 따르면 폐지 신고를 받은 경우에는 시설 거주자의 권익을 보호하기 위하여 제2호의3의 계획에 따른 조치가 적절하게 이루어지는지를 확인하여야 하며 필요한 경우 관계 서류의 제출을 요구할 수 있도록 규정하고 있음 사회복지시설이 받은 후원금은 기부될 때 시설에 귀속되므로 시설이 폐쇄되었다면 잔여 후원금 은 주무관청에 회수되어야 할 것임. 잔여재산 반환조치계획서는 승인대상은 아니나 계획서가 부실하거나 근거가 부족한 경우 관계 서류를 요구하는 등의 필요한 지도감독은 가능할 것으로 판단됨 (계획서가 이행되지 않을 경우 형사처벌의 대상이 될 수 있음) (보건복지부 사회서비스자원과-3708, 2014. 7. 8.)

○**사회복지법인(청산법인)의폐쇄예정장애인복지시설잔여재산처리**

「사회복지사업법」 제27조 제1항에 따른 잔여재산은 "해산한 법인의 남은 재산"으로서 해당 사회복지 법인이 해산 중 청산절차인 채권·채무관계를 모두 완료하고 남은 재산을 의미함. 그런데, 「장애인복지법」 제60조제3항에 따른 잔여재산은 시설의 폐쇄를 원인으로 하여, 기왕에 지급한 보조금이나 후원금 으로 조성된 재산 중의 남은 재산을 의미하는 것으로서 해산한 사회복지법인의 잔여재산과는 전혀 다른 개 념임. 사회복지법인이 해산을 이유로 시설을 폐쇄하였다면, 그 시설 폐쇄와 관련하여 발생하는 각종 채권· 채무관계를 해소하는 것도 청산의 과정이며, 「장애인복지법」 제60조제3항에 따른 시장·군수·

구청장 의 회수조치도 이런한 청산의 과정에 포함된다고 할 것임. 따라서, 해당 사회복지법인의 청산 후 잔여재산은 「장애인복지법」 제60조제3항에 다른 회수 조치를 포함한 모든 청산이 완료된 후에 남은 재산이라고 할 것임. 위와 같은 사항을 고려하면 청산 과정 중에 있는 법인에 대해 우선 해당 시·군·구가 「장애인복지법」 제60조제3항에 따라 관련 재산을 회수하여야 할 것임. 이러한 회수를 포함한 모든 청산 절차가 종료되고 남은 재산이 있다면 이는 국가 또는 지방자치단체 등 법인 정관에서 정하고 있는 주체에게 그 소유권이 귀속된다고 할 것임. (보건복지부 사회서비스자원과-1301, 2017. 2. 21.)
출처 2020 부산시 사회복지법인.시설 업무가이드(p262)

● **사회복지시설관련 문서 보존기간**

- **공공기록물관리법 제26조 및 사회복지사업법에 따른 기록물 (문서) 보존기간 분류입니다.**

○ 문서의 보존기간의 기준은 사회복지사업법과 기록물관련 법령 및 법인운영규정에 따라 영구, 30년, 10년, 5년, 3년, 1년 등 7종으로 구분하며 설정한다.

○ 제1항의 각 기준에 해당하지 않는 문서는 그 성격에 따라 시설의 장이 정한다.

○ 시설의 장은 보존기간이 영구, 10년이상인 중요문서의 목록을 매년 법인에 제출해야 한다. (서류의 보존기간)

  - 「사회복지사업법」에는 보존기간에 대한 별도의 규정 없으며 비치하여야 할 서류 목록만을 규정하고 있음.

    → 다만 정관, 허가증, 신고증 등은 영구히 보존

    ※ 「사회복지사업법」 상 법 제37조를 위반하여 시설에 갖추어야 할 서류를 두지 않은 경우 과태료 50만원의 부과 대상임.

● 타 법에 의한 서류의 보존기간

○ 「상속세 및 증여세법」에 의한 규정(제51조)

- 공익법인은 장부와 중요한 증명서류는 해당 공익법인의 소득세 과세기간 또는 법인세 사업연도의 종료일로부터 10년간 보존하여야 함.

- 위 조항에 의한 장부는 출연받은 재산의 보유 및 운용상태와 수익사업의 수입 및 지출 내용의 변동을 계산서와 영수증 등에 의하여 빠짐없이 보관해야 함.

  ※ 사회복지법인은 「상속세 및 증여세법」에 의한 공익법인 등의 범위에 포함됨.

      ☞ 「사회복지사업법」의 규정에 의한 사회복지법인이 운영하는 사업(상증령 제12조 3호)

○ 「보조금 관리에 관한 법률」에 의한 규정

- 간접보조사업자(보조금을 지급받는 사회복지시설)는 간접보조사업의 수행과 관련하여 「감사원법」 제25조에 따른 계산서, 증거서류 및 계산서 또는 증거서류의 내용을 설명하기 위하여 필요한 서류를 5년간 보관하여야 함(시행령 제10조의2).

- 위 서류를 보존하지 아니한 경우에는 벌칙(1천만 원 이하 벌금) 대상임(제42조).

- 「근로기준법」상 근로계약 관련 서류는 관련 기준일로부터 3년간

● 통장 관리 (10년 이상 보관)

○ 사회복지법인의 대표이사와 시설의 장은 금융기관 또는 체신관서의 계좌입금을 통하여 후원금, 보조금 등을 받은 때에는 법인 명의의 후원금 전용계좌나 시설의 명칭이 부기된 시설장

명의의 계좌를 사용

○ 법인 또는 시설의 회계담당자는 해당 기관 명의로 개설된 계좌 중 사용하지 않는 계좌는 해지하여 자금 원천에 맞게 조치

 ※ 인계인수과정에서 누락한 계좌 또는 장기간 사용하지 않는 통장에 예금 잔액이 있음에도 방치한 사례가 지속적으로 지도감독과정에서 발견

 ※ 거래은행에서 해당 기관 명의로 발급받은 전체 통장 리스트 발급을 요청하여 현재 사용중이지 않은 계좌에 대하여 정리

○ 자금원천에 따라 구분하여 통장을 개설하였음에도 자금 운용과정에서 보조금, 후원금, 자부담 등을 혼용하여 사용하지 않도록 할 것.

○ 일부 주무관청에서 특별한 사유 없이 매년 계좌를 신규로 개설하여 사용하도록 지도 감독하고 있으나, 과도한 시설의 행정력 낭비를 초래하므로 지양할 것.

○ 보조금의 경우 보조금 발생 이자의 반납 등의 사유로, 후원금의 경우 재무회계규칙에 따른 후원금전용계좌의 의무 사용 목적으로 별도로 관리하여야 함.

○ 해당 법인 또는 시설의 수행사업, 자금원천 등의 기준에 따라 자유롭게 계좌 개설이 가능하나, 가급적 개설 계좌를 최소화하여 간결하게 재무·회계 업무 수행

○ 운영 법인, 법인·시설 명칭 또는 대표이사·시설장 등이 변경된 경우에도 예금주를 변경하지 않거나, 법인 명칭과 시설 명칭이 동일함에도 통장을 혼용하여 사용하거나, 법인 명의로 개설한 통장을 법인과 시설에서 사용함에도 명확한 구분 없이 사용하는 등 부정확하게 통장을 사용하는 사례가 없도록 유의

○ 회계에 반영되지 않는 통장은 사회보험료 및 소득세 원천 징수

액 일시 보관 통장 등 최소한의 용도로만 제한하여 개설하여 사용할 것.

○ **중대재해처벌법 등에 관한 법률(2022.1.27.일 시행)**

○ 주요 내용 : 사업주 및 경영책임자 등이 사업장의 안전, 보건 확보 의무를 위반하여 중대(산업)재해가 발생한 경우 처벌

○ 중대산업재해(산업재해가 아니면 중대산업재해가 될 수 없음)

  – 사망자가 1명 이상 발생

  – 동일한 사고로 6개월이상 치료가 필요한 부상자가 2명이상 발생

  – 동일한 유해요인의 직업성 질병자가 1년이내 3명이상 발생

○ 적용범위 : 상시근로자 5인 이상 사업 또는 사업장(50인 미만 사업장은 2024년부터 시행), 공중이용시설

○ 적용대상

  책임주체 : 법인 또는 기관의 책임자 대표이사 등 사업을 대표하고 총괄하는 권한과 책임이 있는 사람

  보호대상자 : 종사자

 ○ 의무사항 : 책임주체는 사업장의 종사자 및 국민의 안전을 보호하고 방지 관계 법령에서 정하는 재해예방에 필요한 안전보건관리체계 구축 및 그 이행, 조치

 ○ 적용 방법 : 해당 법률에서 연면적의 기준을 용도별 시설의 합의 의미이며, 용도별 합계는 건축법에 따라 해당 용도에 쓰이는 바닥면적을 산정한다.

  이용 면적과 공동이용면적을 합하여 5천제곱미터 이상이면, 중대재해처벌법 대상이 된다. 중대재해처벌법 시행령(별표3)

◆ **회계관련 문서의 소멸시효 적용과 보존 방법**

1) 지방재정법 제82조에는 금전채권과 채무의 소멸시효는 다른

법령에 특별한 규정이 있는 경우를 제외하고는 5년간 행사하지 아니하면 소멸시효가 완성된다. 또한 금전의 지급을 목적으로하는 지방자치단체에 대한 권리도 같다.

2) 형법 제355조 및 제356조에 의하면 업무상 횡령과 배임의 경우 10년이하의 징역 또는 3천만원이하의 벌금에 처한다

3) 형사소송법 제249조 내지 제252조에는 장기 10년 이상의 징역 또는 금고에 해당하는 범죄의 공소시효는 10년이라고 되어 있음.

4) 보조금을 지원받는 사회복지시설에서의 회계 서류(회계장부. 통장 등)는형법 및 형사소송법을 준용하여최소한10년이상은 보관해야 함

5) 보조금의 채권.채무에 대한 소멸시효는다른 법령에 특별한 규정이 있는 경우를 제외하고는 5년간 행사 하지 않으면 소멸시효가 완성됨.(소멸시효 중단. 정지의 경우는 제외함)

형법

제40장 횡령과 배임의 죄

제355조(횡령, 배임)①타인의 재물을 보관하는 자가 그 재물을 횡령하거나 그 반환을 거부한 때에는 5년 이하의 징역 또는 1천500만원 이하의 벌금에 처한다.

② 타인의 사무를 처리하는 자가 그 임무에 위배하는 행위로써 재산상의 이익을 취득하거나 제삼자로 하여금 이를 취득하게 하여 본인에게 손해를 가한 때에도 전항의 형과 같다.

제356조(업무상의 횡령과 배임)업무상의 임무에 위배하여 제355조의 죄를 범한 자는 10년 이하의 징역 또는 3천만원 이하의 벌금에 처한다.

형사소송법

제249조(공소시효의 기간)①공소시효는 다음 기간의 경과로 완

성한다.

1. 사형에 해당하는 범죄에는 25년
2. 무기징역 또는 무기금고에 해당하는 범죄에는 15년
3. 장기 10년 이상의 징역 또는 금고에 해당하는 범죄에는 10년
4. 장기 10년 미만의 징역 또는 금고에 해당하는 범죄에는 7년
5. 장기 5년 미만의 징역 또는 금고, 장기10년 이상의 자격정지 또는 벌금에 해당하는 범죄에는 5년
6. 장기 5년 이상의 자격정지에 해당하는 범죄에는 3년
7. 장기 5년 미만의 자격정지, 구류, 과료 또는 몰수에 해당하는 범죄에는 1년

② 공소가 제기된 범죄는 판결의 확정이 없이 공소를 제기한 때로부터 25년을 경과하면 공소시효가 완성한 것으로 간주한다.

제250조(2개 이상의 형과 시효기간)2개 이상의 형을 병과하거나 2개 이상의 형에서 그 1개를 과할 범죄에는 중한 형에 의하여 전조의 규정을 적용한다.

제251조(형의 가중, 감경과 시효기간) 「형법」에 의하여 형을 가중 또는 감경한 경우에는 가중 또는 감경하지 아니한 형에 의하여 제249조의 규정을 적용한다.

제252조(시효의 기산점)①시효는 범죄행위의 종료한 때로부터 진행한다.

② 공범에는 최종행위의 종료한 때로부터 전공범에 대한 시효기간을 기산한다.

제253조(시효의 정지와 효력)①시효는 공소의 제기로 진행이 정지되고 공소기각 또는 관할위반의 재판이 확정된 때로부터 진행한다.

② 공범의 1인에 대한 전항의 시효정지는 다른 공범자에게 대하여 효력이 미치고 당해 사건의 재판이 확정된 때로부터 진행

한다.

③ 법인이 형사처분을 면할 목적으로 국외에 있는 경우 그 기간 동안 공소시효는 정지된다.

● **문서의 폐기**

○ 문서의 폐기는 비밀문서 기타 특별한 경우를 제외하고는 사회복지사업법 및 기록물 관련 법령에 따 폐기 하되, 파쇄하는 방법에 의한다. 이때 문서 담당자가 입회하여야 한다

○ 시설장은 보존기간이 경과한 문서의 목록을 작성하여, 시설장이 최종 검토하여 폐기결정하며, 검토결과 다른 이견이 없으면 즉시 폐기하고 문서보존대장에 적색글씨로 폐기일자를 기재한다

○ 문서의 보존기간의 기준은 사뢰복지사업법과 기록물관련 법령 및 법인(시설)운영에 따라 영구, 30년, 10년,5년,3년, 1년으로 구분한다

○ 다만 재무회계관련 거래은행 통장은 적어도 10년이상 보관하여야 한다

● **사회복지시설 개인정보보호(개인정보 보호법 제15조)**

- 개인정보 공개

○ 법인이나 시설에서는 정보주체의 동의를 받은 경우

○ 법률에 특별한 규정이 있는 경우

○ 공공기관이 법령 등에서 정하는 소관 업무를 수행을 위하여 불가피한 경우

○ 정보주체와의 계약의 체결 및 이행을 위하여 불가피한 경우

※ 주민등록번호 및 민감정보의 처리 제한, 고유식별번호는 비공개 대상임

◆**사회복지시설 개인정보보호는 필수지요.**

○ 사회복지시설은 그 특성상 일반적인 개인정보 뿐 아니라 개인의 민감한 사정에 대한 여러 정보도 취급하는 기관입니다.

○ 따라서 개인정보보호법 등 관계 법률에 따라서 개인정보관리를 실시하여야 하고, 일선의 사회복지시설들 역시 그렇게 업무를 처리하고 있습니다.　　　　　　　출처 : 네이버지식in

● **사회복지시설정보시스템(사회복지사업법 제6조의2)**

○ 기초자치단체와 해당 지역 사회복지법인(시설) 간 공문 등의 업무의 전자화를 위하여 구축한 "사회복지통합전산망"을 말한다.

○ 주요 기능으로는

　－ 통합회계관리 : 회계, 예산, 세무, 인사, 급여, 자산 등 관리

　－ 통합고객관리 : 후원자, 후원금 관리

　－ 시설유형별 사회복지서비스 이력관리

○ 정형업무보고 : 온라인보고로 해당 사이트에 접속하여 로그인 하신 후 업무시작-공문작성 페이지로 들어가 보시면 좌측에 보조금 신청에 관련된 사항으로 시설수급자 생계급여, 운영비. 입소자, 종사자, 후원금, 예·결산 등 보고와 관련된 사항들로 나뉘어져 있습니다.

○ 이런 분류에 해당하지 않는 업무상 공문은 모두 비정형으로 보내시면 됩니다. 즉 분류상 해당이 되지 않는 업무일 뿐 정해진 틀이 없는 자유형식이란 뜻은 아닙니다. 비정형을 선택하시고 공문 작성을 시작하시면 정해진 틀이 나오되 안에 기록하는 내용에 대해서는 정해진 틀이 없이 보통 기관에서 사용하시는 공문 보내는 양식대로 작성하시면 됩니다. 출처 : 네이버지식in

● 문서의 성립과 효력발생

○ 문서는 특별한 규정이 있는 경우를 제외하고는 전결권자의 결재가 있음으로써 성립하며

○ 수신자에게 도달함으로써 효력을 발생한다.

○ 다만, 전자결재의 경우 특별한 규정이 있는 경우를 제외하고는 수신자의 컴퓨터파일에 등록된 때에 그 효력을 발생한다.

○ 유의사항 : 중요문서는 반드시 등기로 발송하여야 다음에 수신자의 도달에 대한 증거자료가 된다.

출처 : 복지법인시설 실무카페

● 희망이음(차세대 사회보장정보시스템 구축)

○ 기본방향

- 현행 사회보장정보시스템을 최신 정보통신기술, 국민. 사용자 요구 반영을 위해 전면 재구축

- 희망이음은 사업별로 별도 운영하고 있던 정보시스템을 통합.지원

- 사회서비스 정보관리체계를 희망이음으로 일원화(아동, 노인, 장애인, 보건, 자활) 사회서비스 제공기관의 업무를 효과적으로 지원

○ 법적 근거 : 사회보장급여법 제4조제4항, 제24조의2제1항, 제27조

○ 사업기간 및 대상 : 2020년부터 2022년 12월까지 (사회보장급여법 제24조의2)

- 국가, 지자체, 민간 설립운영 기관, 법인, 단체, 시설 기관 등으로 명시

○ 개편범위

- 사회보장정보시스템(국가, 지자체), 사회서비스정보시스템

(사회서비스 제공기관), 복지로(국민용)
- 사회서비스정보시스템 구축운영, 이용, 표준화, 업무의 전자
화 및 사회서비스 전자서비스이용권 관리체계 구축
○ 주요 기능
- 기관행정업무지원 : 기관의 재무, 회계 인사 및 급여관리를
위한 ERP, 기관 내 전자문서, 각종 시·군·구 보고와 후원
관리, 종사자 경력, 교육내역 등 이력관리
- 사회서비스 제공관리 : 사업 및 프로그램 관리, 신청지원 기
관별 맞춤서식 사용, 대상자와 서비스(프로그램)간 제공 이력
관리
- 민간정보공유 및 협업플랫폼 : 지역 사회내 공공과 민간의
복지자원 공유, 복지대상자 정보 공유, 사례관리 등
○ 세부기능
- 기관에 따라 단식/복식부기 적용, 부가세, 법인세 등 세무업
무지원
- 온라인 채용공고부터 전자근로계약서까지 원스톱 채용 관리,
교육관리,
- 시·군·구 보고대상 정형보고 18종/31종으로 확대(입소자,
보조금, 예결산, 후원금 결과보고, 휴폐업보고, 운영위원회
보고
○ 개편내용
- 사회보장정보시스템(행복이음) / 공무원용
- 사회서비스정보시스템(희망이음) / 사회서비스제공기관
- 복지로 / 국민용
● 사회복지시설 CCTV 설치 근거
○ 개인정보보호법 제25조(영상정보처리기기의 설치·운영 제

한)

① 누구든지 다음 각 호의 경우를 제외하고는 공개된 장소에 영상정보처리기기를 설치·운영하여서는 아니 된다.

1. 법령에서 구체적으로 허용하고 있는 경우
2. 범죄의 예방 및 수사를 위하여 필요한 경우
3. 시설안전 및 화재 예방을 위하여 필요한 경우
4. 교통단속을 위하여 필요한 경우
5. 교통정보의 수집·분석 및 제공을 위하여 필요한 경우

② 누구든지 불특정 다수가 이용하는 목욕실, 화장실, 발한실(發汗室), 탈의실 등 개인의 사생활을 현저히 침해할 우려가 있는 장소의 내부를 볼 수 있도록 영상정보처리기기를 설치·운영하여서는 아니 된다. 다만, 교도소, 정신보건 시설 등 법령에 근거하여 사람을 구금하거나 보호하는 시설로서 대통령령으로 정하는 시설에 대하여는 그러하지 아니하다.

○ 개인정보보호법 제15조(개인정보의 수집·이용)

① 개인정보처리자는 다음 각 호의 어느 하나에 해당하는 경우에는 개인정보를 수집할 수 있으며 그 수집 목적의 범위에서 이용할 수 있다.

1. 정보주체의 동의를 받은 경우
2. 법률에 특별한 규정이 있거나 법령상 의무를 준수하기 위하여 불가피한 경우
3. 공공기관이 법령 등에서 정하는 소관 업무의 수행을 위하여 불가피한 경우
4. 정보주체와의 계약의 체결 및 이행을 위하여 불가피하게 필

요한 경우

5. 정보주체 또는 그 법정대리인이 의사표시를 할 수 없는 상태에 있거나 주소불명 등으로 사전 동의를 받을 수 없는 경우로서 명백히 정보주체 또는 제3자의 급박한 생명, 신체, 재산의 이익을 위하여 필요하다고 인정되는 경우

6. 개인정보처리자의 정당한 이익을 달성하기 위하여 필요한 경우로서 명백하게 정보주체의 권리보다 우선하는 경우. 이 경우 개인정보처리자의 정당한 이익과 상당한 관련이 있고 합리적인 범위를 초과하지 아니하는 경우에 한한다.

② 개인정보처리자는 제1항제1호에 따른 동의를 받을 때에는 다음 각 호의 사항을 정보주체에게 알려야 한다. 다음 각 호의 어느 하나의 사항을 변경하는 경우에도 이를 알리고 동의를 받아야 한다.

1. 개인정보의 수집 · 이용 목적

2. 수집하려는 개인정보의 항목

3. 개인정보의 보유 및 이용 기간

4. 동의를 거부할 권리가 있다는 사실 및 동의 거부에 따른 불이익이 있는 경우에는 그 불이익의 내용

③ 개인정보처리자는 당초 수집 목적과 합리적으로 관련된 범위에서 정보주체에게 불이익이 발생하는지 여부, 암호화 등 안전성 확보에 필요한 조치를 하였는지 여부 등을 고려하여 대통령령으로 정하는 바에 따라 정보주체의 동의 없이 개인정보를 이용할 수 있다. <신설 2020. 2. 4.>

영상정보처리기기 가이드라인 (2015.1.12, 행정자치부)

○ 특정인에 한하여 출입할 수 있는 사무실 등 비공개된 장소에 영상정보처리기기를 설치하는 경우에 촬영범위에 포함된 모든 정보주체의 동의를 받아야 합니다.

따라서, 정신요양시설에 근무하는 직원에게 동의를 받지 않고 설치한 영상정보처리기기를 통한 영상정보는 개인정보보호법 제15조가 적용됩니다.

4. 사회복지법인.시설 지도감독(법인관리p.78,시설관리p54)

● 감사 및 지도감독

- 시.도지사 또는 시.군.구청장
○ 사회복지법인
- 최소 매 3년마다 1회
- 특별지도점검 : 진정, 투서, 언론보도 등 사건.사고 발생시
○ 사회복지시설
- 연 1회이상
- 수시 지도점검 : 필요시

● 시설에 대한 행정처분 사전고지(사회복지사업법 시행규칙 별표4)

○ 행정처분 통보 및 행정절차법(시설관리p42)
- 법 제40조에 따른 행정처분의 대상이 되는 위반행위의 처분명령(시설개선, 사업정지, 시설장 교체, 시설폐쇄)은 해당 시설의 설치.운영자를 그 처분당사자로 하여 행정절차법에 따라 통보하여야 함

- 다만, 법 제36에 따른 시설운영위원회 관련 사항은 설치의무자인 시설장에게, 제51조에 따른 의무미이행의 경우는 해당 미이행자에게도 함께 통보하여야 함

● **행정처분 기준과 사후관리**

○ 행정처분 일반기준

- 최근 3년간 같은 위반행위로 행정처분을 받은 경우 적용한다

(개별기준 제9호의 위반행위 ; 성폭력범죄의 처벌등의 경우 5년간)

○ 시설에 대한 행정처분

- 행정처분시, 행정절차법에 따라 처분사전통지, 의견 청취, 처분이유제시, 불복절차의 고지, 청문등 법령을 반드시 준수해야 함

- 시설에 대한 행정처분은 차수에 따라 개선명령, 시설장 교체, 시설폐쇄의 과정을 거치므로 사후관리가 필요함

- 구.군에서는 사회복지시설 신고관리대장 뒷면에 행정처분 이력을 기록하여 사후관리

○ 법 제40조에 따른 행정처분 사항 등록 및 조치(시설관리 p49)

- 주무관청은 행정처분을 하는 경우 그 이력을 행복이음에 등록하여야 함

- 개인에 대한 과태료는 그 개인이 자기 소유의 금전에서 납부하고, 사회복지법인에 대한 과태료는 법인의 법인회계에서 납부하여야 함

● 사회복지사 자격취소등 행정처분(시행규칙 별표1의3)

○ 사회복지사의 자격취소 등에 관한 일반기준

- 위반행위가 둘 이상인 경우로서 그레 해당하는 기준이 각각 다른 경우에는 그 중 무거운 처분기준에 따름

- 위반행위의 횟수에 따른 행정처분의 처분기준은 최근 3년간 같은 위반행위로 행정처분을 받은 경우에 적용한다

○ 사회복지사의 자격취소 등에 관한 개별기준

- 시행규칙 별표1의3

○ 자격취소등 진행 절차

- 사회복지법인의 대표이사 또는 사회복지시설의장은 사회복지사의 자격정지 또는 자격취소에 상당하는 사건이 발생한 경우 주무관청에 보고하여야 함

- 시군구에서는 발생한 사건에 대하여 시도지사에게 통보하여야 함

- 시도지사는 해당 내용에 대하여 사회복지사업법 시행규칙 제4조의 3(별표1의3)에 해당 여부에 대하여 검토한 후 한국사회복자사협회에 자격증 보유에 대한 조회후 행정처분 권한기관인 보건복지부에 행정처분 요청

⑯ 법인 관리

1. 사회복지법인

● 정의

○ 사회복지사업법 제2조의 사회복지사업을 행할 목적으로 설립

된 법인을 말함.

○ 사회복지법인이 수행할 수 있는 목적사업은 "사회복지사업"에 한정되므로 사회복지사업 이외의 사업을 수행할 수 없음을 유의해야 함.

● **법인의 능력(민법 제35조)**

○ 법인의 권리능력(민법 제34조)

- 법인의 권리능력은 법률의 규정과 정관이 정한 범위 내에서 권리.의무 주체가 된다

○ 법인의 행위능력

- 법인의 대표기관의 행위, 행위능력의 범위, 대표권의 남용, 대표행위 행식

● **법인의 불법행위 능력(민법 제35조제1항)**

○ 불법행위 요건 ; 대표기관의 행위일 것, 직무에 관한 행위, 대표권의 남용의 경위는 학설은 견해가 다름

○ 불법행위의 일반요건 ; 대표기관의 고의 또는 과실이 있을 것. 가해행위가 위법할 것, 가해와 손해 사이에 인과관계가 있을 것

○ 불법행위 효과

- 법인의 책임 : 법인의 불법행위가 성립하는 경우에는 법인은 피해자에 대하여 손해배상책임을 부담한다(민법 제35조제1항)

- 기관 개인의 책임 ; 법인의 불법행위가 성립하는 경우 가해행위를 한 대표기관은 법인과 경합하여 손해배상책임을 진다

○ **양벌규정(사회복지사업법 제56조)**

- 법인의 대표자나 법인 또는 개인의 대리인. 사용자, 그 밖의 종업원이 업무에 관하여 법 제53조, 제54조 및 제55조의 위반행위를 하면 그 행위자를 벌하는 외에 그 법인 또는 개인에게도 해당 조문의 벌금형을 과한다

● **법인의 구상권**(민법 제65조,제61조)

○ 법인이 피해자에게 배상하면 법인은 기관 개인에 대하여 구상
권을 행사할 수 있다

● **법인의 불법행위가 성립하지 않는 경우**(민법 제75조)

○ 원칙적으로 행위를 한 대표기관만이 민법 제75조에 의한 손해
배상책임을 진다

● **사회복지법인이 수행할 수 있는 사업의 범위**(사회복지사업
법 제2조)

○ 사회복지법인은 사회복지사업법 제2조 제1호 각 목의 법률에
따른 사업을 수행하기 위해 설립된 법인이므로

○ 사회복지사업법 제2조 제1호 각 목의 법률에 따른 사업과 이
와 관련된 사업을 그 정관에 목적사업으로 명시한 경우에 한
해, 해당 사업을 수행할 수 있는 권리 능력이 있음.

○ 다만 사회복지사업법 제28조에 따른 수익사업과 사회복지사업
법이 아닌 기타 법률에서 사회복지법인이 수행할 수 있다고
명시한 경우

(예시) 건강가정기본법 시행규칙 제6조에 따른 건강가정지원센터
의 위탁운영 등에는 민법 제34조에서 규정하고 있는 바와 같
이 법률에 규정을 좇아 수행할 수 있는 사업이라고 할 수 있
으므로 해당 사업을 정관에 명시하여 주무관청의 인가를 받으면
그 사업을 수행할 수 있음. 출처 : 사회복지법인 관리안내
(p3.)

2. 법인의 설립허가신청(사회복지사업법 제16조)

○ 신청 법인의 목적사업으로 사회복지사업법에서 정하는 주된 목
적사업을 주관하는 주무관청 및 주무부서에 설립허가를 신청

토록 할 것.

○ 목적사업이 2 이상 시·도의 소관에 속할 경우 정관변경 절차를 거쳐 정관상 분사무소 조항을 두어야 할 것이며, 주무관청은 분사무소를 설치하고자 하는 시·도지사와 반드시 협의하여야 함.

○ 등기사항 중 "자산의 총액"은 법인이 보유하고 있는 정관상 기본재산은 물론 기타 부동산, 동산 및 채권 등을 포함하여 채무 등을 공제한 순 재산액을 의미함.

○ 법인 설립허가는 시도지사 권한으로 법인 설립허가시 조건이 부여된 경우 조건을 준수하여야 한다(22. 사회복지법인관리 안내. 보건복지부.p17)

● 기본재산의 기준

○ 설립당시 기본재산을 완비해야 하며 불확실한 미래소득(후원금, 기부금 등)은 기본재산으로 인정하지 아니함.

○ 시설 종류별 설치기준에 적합한 시설(건축물)과 부지를 갖추거나 갖출 수 있는 목적사업용 기본재산 및 시설운영을 위한 보통재산을 갖추어야 함.

○ 시설 운영 예정 부지 명의는 법인 명의로 보유할 것.

○ 최소 3년간 시설을 안정적으로 운영할 재원 조달 능력이 있을 것.

○ 법인사무국의 전용공간 보유와 1명 이상의 근로자를 둘 것.

○ 기본재산의 종류는 부동산, 동산, 등 다양한 형태가 가능하며, 채권의 경우 법령에서 인정하는 기관에서 실시한 신용평가등급 A-이상 되어야 함.

● 법인 기본재산에 대한 정관변경인가와 재산 취득보고

○ 현행 사회복지사업법 제17조제2항에 따른 정관변경인가 의무와 같은 법 제24조에 규정된 재산취득보고의무는 별개의 조항으로 각각의 의무를 규정하고 있다는 점

○ 정관변경의 인가의 경우 기본재산만 해당되는 반면, 재산취득보고의 경우에는 보통재산까지 포함하는 등 각각 그 규율하는 대상이 상이하다는 점

○ 하나의 의무를 이행함으로 인해 다른 의무가 면제된다거나 갈음한다는 명시적인 규정이 없다는 점

○ 재산취득보고 의무 불이행시 같은 법 제58조의 규정에 따라 과태료가 부과된다는 점 등을 고려할 때

○ 각각 별개의 의무로서 둘 다 준수하여야 하며, 주무관청으로부터 기본재산의 취득으로 인한 정관변경인가를 받았다고 하여 다음 해의 재산취득보고의무가 면제되지는 않을 것임

◆ (판례)기본재산을 감소하는 경우는 물론 이를 증가시키는 경우에도 반드시 그 정관의 기재사항에 변경을 초래한다 할 것이므로 이 두가지 경우에는 모두 정관변경이라 할것이고, 이러한 변경에는 주무관청의 인가를 받아야만 그 효력을 발생한다(대법원 67다568 판결 1969.07.22. 선고. 대법원 78다 판결 1978.07.25. 선고)

● **기본재산의 재평가**

○ 단순한 공시지가의 변동이나 이자율 변동이 있다고 하여 기본재산을 재평가하여 정관의 기본재산 및 법인등기부상 자산총액을 변경할 필요는 없음.

○ 기본재산 평가는 법인정관상 재산표시와 평가액이 일치하여야 함

○ 공익법인의 모든 재산의 평가는 취득당시의 시가에 의하나, 기능보강사업 등의 사유로 재평가를 실시한 기본재산은 정관

상 기본재산목록 가액을 변경하고 등기부상 자산총액을 변경
해야 함
출처 : 복지법인시설실무가이드

◆ 사회복지법인 소유 재산의 재산세 과세 대상여부

○ 안녕하십니까? 귀하께서 국민신문고를 통해 신청하신
민원(1AA-2009-0256746)에 대한 검토 결과를 다음과 같이
알려드립니다.

○ 귀하의 민원내용은 "사회복지법인 소유 재산의 재산세 과
세 대상여부"에 관한 것으로 판단됩니다.

○ 지방세특례제한법 제22조(사회복지법인등에 대한감면)제2
항에 따른 사회복지법인이 사회복지사업에 직접 사용하는
부동산의 경우 100% 감면대상이 맞습니다. 하지만 100%
감면 대상이라도 최소납부세제에 해당된 경우 재산세가 과
세될 수도 있습니다.

○ 최소납부세제란 지방세특례제한법상 재산세 면제대상에
해당하더라도 면제세액이 50만원을 초과하는 경우 전체 면
제세액의 15%를 납부해야 하는 제도입니다. 최소납부세제
는 면제대상 중 납세능력이 있는 일부에 한해 최소한의 세
부담을 부과함으로써, 감면혜택을 받지 못하고 있는 일반
납세자와의 조세형평을 제고하여 헌법상 납세의무를 성실
히 구현하고자 하는 것을 목적으로 하고 있습니다.

○ 2015년에 도입되어 2020년 전체 51개 대상에 적용되고
있으며 법 개정으로 새마을운동조직, 사회복지법인 등은
2020년 처음으로 최소납부세제 대상이 되었으며, 면제세액
이 50만원을 초과하는 경우 전체 면제세액의 15%가 재산
세로 부과가 됩니다.

○ 기타 문의사항이 있으시면 세무1과
재산세팀(☎042-288-2835,2830)으로 연락주시면 안내해

드리겠습니다. 끝.
담당부서 / 대전광역시 서구 자치행정국 세무1과
관련법령 / 지방세특례제한법 / 제177조의2(지방세 감면 특례
의 제한)

● 후원 부동산의 기본재산 분류

- 사회복지법인이 후원자로부터 현금이 아닌 부동산을 후원받았을
  때에는 사회복지사업법 시행규칙에 따라 법인의 모든 부동산
  은 기본재산임.
  - 매각 목적으로 부동산을 후원받았다 하더라도 우선 기본재산에
    편입하여 정관 변경하고 매각 후 다시 처분 허가를 받아 정
    관을 재차 변경해야 할 것임(보건복지부 사회서비스자원과
    -768. 2014.2.14.).

◆ 사회복지법인이 후원자로부터 부동산을 후원받은
경우(질의응답)

- 사회복지사업법시행규칙에 따라 법인의 모든 부동산은 기본재산임.
- 매각조건으로 부동산을 후원받았다 하더라도 우선 기본재산에 편
  입하여 정관변경하고 매각 후 다시 처분허가를 받아 정관을 재차
  변경해야 할 것임. 출처 : 보건복지부 사회서비스자원과-768,
  (2014.2.14)

● 중요재산의 부기 등기(지방보조금법 제22조 및 보조금
법 제35조의2)

○ 지방보조금법 제22조 및 보조금법 제35조의2에 따라 중요재
  산 중 부동산에 대한 소유권 등기를 할 때 부기등기를 하여야
  함.
  - 해당 부동산은 보조금을 교부받아 취득하였거나, 그 효용가
    치가 증가한 재산이라는 사항

- 부기 등기는 소유권보존등기, 소유권이전등기 또는 토지, 건물 표시 변경등기와 동시에 하여야 함.

3. 기본재산의 처분(사회복지사업법 제23조)

● 기본재산 처분허가 신청

○ 처분 허가 대상이 되는 행위
  - 매도, 증여, 교환, 임대, 담보제공, 용도변경
  - 도시계획 등으로 법인기본재산 유형이 변경되는 경우에도 일반적인 기본재산 처분 허가를 받아야 함.
○ 기본재산 처분으로 발생된 현금 등은 정관변경 후 기본재산으로 편입하고 법인의 목적을 수행하기 위하여 사용할 경우, 주무관청의 허가를 받아야 함.
○ 기본재산처분허가가 필요한 임대계약 사례
  - 종전의 임차인이 아닌 다른 임차인에데 다시 임대하는 경우
  - 임대료 또는 임대기간을 종전 임대계약과는 다르게 정하여 종전의 임차인에게 다시 임대하는 경우 등(법제처 해석례 17-0694, 2018.2.14. 민원인)

◆ 기본재산 처분허가의 예외

○ 기본재산에 관한 임대계약을 기존 계약조건과 동일한 조건으로 갱신하는 경우에는 기본재산처분허가 사유에 해당하지 않음(사회복지사업법 제23조 단서 및 시행규칙 제14조)
  - 여기서 "기존 계약과 동일한 조건으로 갱신하는 경우"란 다른 조건의 변동없이 단순히 임대계약의 기간을 갱신하는 경우를 말함

◆ 보조금으로 취득한 기본재산의 처분시 중앙관서의 승인(판례)

○ 사회복지법인의 기본재산이 국가의 보조금에 의해 취득하거나 효용이 증가된 중요재산에 해당하는 경우,

○ 기본재산을 담보에 제공하기 위해 (구) 사회복지사업법 제23조 제3항에 규정된 보건복지부장관의 허가뿐만 아니라

○ (구) 보조금의 예산 및 관리에 관한 법률 제35조에 규정된 중앙관서장의 승인을 받아야 한다.

출처 : 대법원 2015다223350, 2015.10.29

● 기본재산의 용도변경

○ 기본재산이 현금성 자산인 경우 예금자보호법에 따라 반드시 주무관청에 허가를 받아야 함.

○ 출연재산을 3년 이내에 직접 공익목적에 사용하지 아니한 경우 해당 재산가액에 대한 증여세 과세대상이 됨.

● 기본재산의 임대

○ 임대보증금 관리

- 임대보증금은 기본재산에 대한 사용권을 반환받기 위하여 임대 종료 시 반환해야 하는 부채임.

- 임대보증금을 일반운영비 등으로 사용할 경우 기본재산의 총액이 감소하는 효과가 발생하므로 주의가 필요함.

○ 임대에 대한 허가

- 기본재산의 임대는 시·도지사 허가 사항임. 기존 계약조건과 동일한 조건 등으로 갱신하는 임대계약은 제외됨.

- 목적사업용 기본재산은 수익창출을 위한 임대행위를 할 수 없음.

○ 임차보증금은 부동산을 임차하고 임대인에게 지급한 것으로 계약종료 시 돌려받아야 할 채권에 해당되며 전세권설정 등 채권보전 절차가 필요함.

● 법인기본재산의 수익사업용 기본재산으로 변경

○ 사회복지법인은 비영리 공익법인으로서 원칙적으로 영리목적의 수익사업은 행할 수 없고, 예외적으로 법인의 목적사업의 원활한 수행을 위해 부수적으로 수익사업을 행할 수 있음

○ 이에 법인의 목적사업용 기본재산을 법인의 목적사업에 직접 사용되거나 직접 사용될 계획이 있는지 여부와 총 기본재산에서 차지하는 비중, 목적사업용 기본재산을 수익사업용 재산으로 처분 시 법인 목적사업 수행가능여부, 해당 기본재산 처분의 의도, 처분후 수익금의 사용용도, 현재 법인의 재정여건 등에 대해 종합적이고 엄격한 심사를 수행한 후 신중하게 허가여부를 결정하여야 할 것임

○ 또한 기본재산의 변경에 따른 이사회 소집의 적법성 확인(이사에 대한 소집 통보 여부, 정관상 절차 준수여부 등)과 이사회 회의록을 검토하여 동 사항이 이사들간 충분히 논의되었는지 여부와 참석이사 전원의 인감 날인 등 절차적 타당성도 아울러 검토하여야 할 것임.

출처 2023년 사회복지법인 관리 안내(보건복지부, p253)

◆ **공익법인의 임대사업과 관련한 부가가치세법상 관련 내용**

○ 사업자는 사업장마다 사업자등록이 필요함(부가가치세법제8조)

○ 비영리법인이 그 고유목적의 사업을 위하여 일시적으로 공급하거나 실비 또는 무상으로 제공하는 재화 및 용역의 경우 부가가치세 면제

○ 다만 계속적으로 운영관리하는 수익사업과 관련하여 소유부동산의 임대 및 관리산업에 대하여는 과세대상임. (국세청 부통칙12-37-2)

※ 사업자등록의무 및 과세대상유무는 소관 세무서에 문의

◆**법인의 기본재산 처분 허가신청권자**

○ 사회복지법인 기본재산 처분과 관련하여 법인 관할 행정기관의

사전 허가없는 처분은 무효인지

○ 사회복지법인의 기본재산은 법원 경매의 경매처분이 있다 할
지라도 관할 행정관청의 허가 없이는 원인무효행위행위이며,

○ 행정관청이 이를 허가하는 경우에는 기본재산의 잠식으로
인하여 법인의 목적사업 달성이 불가능하게 되며 법인
해산의 사유가 되며, 기본재산 잠식을 이유로 관련 이사의
해임을 명할 수도 있음.

　　　　出處 : 사회복지법인관리안내.p227

4. 차입금(사회복지사업법 제23조제3항, 시행규칙 제15조)

● 허가대상 장기차입금

○ 장기차입을 하고자 하는 금액을 포함하여 장기차입금의 총액이
기본재산 총액에서 차입 당시의 부채총액을 공제한 금액의
100분의 5에 상당하는 금액 이상을 차입하고자 하는 경우 시.
도지사의 허가 대상임.

○ 1년 이내 단기차입금의 만기를 연장하여 1년 이상 차입하는
경우도 연장 시점부터 장기차입금으로 간주하여 허가를 받아
야 함.

○ 차입으로 발생되는 기본재산의 담보제공은 차입 허가와는 별개
의 기본재산 담보제공 허가가 필요함.

○ 수익사업 운영을 위한 장기차입 허가는 원칙적으로 금지

◆ (유권해석) 법인의 기본재산에 대한 제한물권 설정이 없는
차입 등 기본재산과 관련 없는 차입의 경우에는 시. 도지사의
허가가 필요한 사안이 아니라고 할 것임
(보건복지부 사회서비스자원과-1238.2019.2.27.).

● **일시차입금**(공익법인법시행령 제18조제2항)

○ 법인이나 수익사업을 운영하기 위한 일시적인 운영자금 부족을 위해서는 일시차입금을 운용할 수 있다.

○ 일시차입금 한도액은 "예산총칙"에 표기하여 이사회 의결을 받아야 되며, 반드시 당해연도 내에 상환하여야 한다. 만약 미상환 시에는 장기차입금으로 전환하여 주무관청의 허가를 받아야 한다.

○ 공익법인이 당해연도의 예산으로 상환할 단기차입을 행한 경우에는 예산수지를 명확히 하여 당해 연도 내에 반드시 상환할 수 있도록 하여야 함(공익법인법 시행령 제18조제2항).

◆ **법인 차입 시 고려사항**

○ 법인의 차입에는 단기차입과 장기차입으로 구분되며,

○ 단기차입은 이사회 의결을 득하고 당해연도에 상환을 해야 함.

○ 장기차입은 1년 이상 차입을 말하며, 이사회 의결 및 주무관청에 허가를 득하여야 하며, 법인 자산의 5/100를 초과할 수 없다.

○ 1년 이내 단기차입금의 만기를 연장하여 1년이상 차입하는 경우에도 연장 시점부터 장기차입금으로 간주하여 허가를 받아야 함. (법인관리 p53) (업무가이드p30)

○ 공설법 시행령 제18조 제2항에는 공익법인이 당해연도의 예산으로 상환할 단기차입금을 행한 경우에는 예산 수지를 명확히 하여 당해연도 내에 반드시 상환할 수 있도록 하여야 함. (업무가이드p30)

○ 대표이사 등과의 차입거래 시 적용 이자율은 자금원천이 대표이사의 여유 자금인 경우 1금융권의 평균 정기예금

이자율 이하로 또는 자금 원천이 대표이사가 타 금융기관으로부터 차입한 경우에는 해당 차입이자율 이하로 적용하는 것이 타당(이보다 높은 이자율을 적용 시에는 법인 자금의 근거없는 외부 유출이 될 수 있음.)

○ 허가대상 차입금 판단시 기본재산과의 관계는 "보건복지부령이 정하는 금액이상"을 선정하는데 있어 그 기준이 되는 금액에 불과하며 기본재산의 담보 유무와 관계없이 어떤 형태든 1년이상 장기차입하려는 경우에는 모두 허가 대상임. (보건복지부 사회서비스자원과-768. 2014.2.14.)

출처 : 복지법인시설 실무카페

5. 등기(민법 제49조 및 민법 제50조, 민법 제52조)
● 법인 설립 등기

○ 법인에 대한 일반 법률인 민법상 제49조에 따라 법인설립 허가일로부터 3주 내에 주된 사무소 소재지에 설립등기를 하여야 함.
 - 목적, 명칭, 사무소, 설립 허가의 연월일, 존립 시기나 해산 이유를 정한 때에는 그 시기 또는 사유
 - 자산의 총액, 출자의 방법을 정한 때에는 그 방법, 이사의 성명, 주소
 - 이사의 대표권을 제한한 때에는 그 제한
○ 위 등기사항 중 변경이 있는 경우 3주간 내에 변경등기를 하여야 하며, 이를 위반시에는 민법 제97조에 따라 500만원 이하의 과태료 부과
○ 법인 설립 등기의 보고 등

- 등기만료 7일 이내 등기부 등본 1부를 첨부하여 시, 도지사에게 제출하여야 한다.

◆ **사회복지법인 수익사업을 법인등기등본의 목적란에 기록할 수 있는지 여부**

○ 사회복지법인 수익사업은 부수적. 수단적 사업으로 법인의 본래 목적을 달성
하기 위한 사업이 아니므로, 이를 등기사항중 "목적" 란에 기록할 수 없음

(상업등기선례 제2-139호, 2014.01.27.)

● 법인의 변경등기사항

○ 이사의 성명과 주소는 3주간이내에 등기하여야 함

○ 결원 이사는 2개월이내에 보충하고 등기하여야 함

- 감사와 임시이사는 등기제외

○ 법인이 분사무소를 설치한 때에는 주사무소 소재지에서는 3주간 내에 분사무소 설치 등기하고, 그 분사무소 소재지에서는 같은 기간내에 민법 제49조에 따른 사항을 등기하고 다른 분사무소 소재지에서는 같은 기간내에 분사무소를 설치 등기하여야 함

○ 법인 등기부상 기본재산목록 가액 변경이 있는 경우 등기부상 자산의 총액을 해야 함. 위 등기사항중 변경이 있는 때에는 3주간내에 변경등기를 하여야 함

○ 법인의 수익사업은 법인 등기부등본의 목적란에 기록하는 것은 타당하지 아니함

● 국가기관이나 지자체에서 발행한 문서의 공증 여부

○ 국가기관이나 지자체에서 발행한 문서는 공증인법 제2조 제2호에 의해 인증 대상이 아니다.

◆ 법인의 등기사항

○ 법인에 대한 일반 법률인 민법 제49조에 따라 법인 설립일로부터 3주간 내에 주된 사무소 소재지에 설립 등기를 하여야 함.

○ 분사무소의 설치 등기 : 주사무소 소재지에서는 3주간 내에 분사무소를 설치한 것을 등기하고 그 분사무소 소재지에서는 동 기간 내에 민법제49조에 따른 사항을 등기하고 다른 분사무소 소재지에서는 동 기간 내에 분사무소를 설치한 것을 등기하여야 함.

○ 등기사항 중 변경이 있는 때에는 3주간 내에 변경등기를 하여야 하며, 이를 위반한 경우 5백만원 이하의 과태료를 부과   출처 : 2019 부산시 사회복지법인. 시설 업무가이드(p32)

◆ (주의) 분사무소의 지위

○ 분사무소는 사업수행의 장소일뿐 별도의 법인격이 있는 것은 아님

- 분사무소에서 처리하는 사무도 해당 사회복지법인의 명의로 진행하여야 함

◆ 사회복지법인이 다른 시.도로 주사무소를 이전 가능 여부

 (2023 사회복지법인관리안내.p55)

○ 법 제17조 제2항에 따라 관할 주무관청의 정관변경 인가 시 주사무소 이전 가능함.

○ 단, 법인의 주사무소가 다른 시·도로 이전될 시에는 이전하고자 하는 시·도와 반드시 협의 후 주사무소 변경을 위한 정관변경의 인가여부를 결정할 것.
출처 : 2019 사회복지법인 관리 안내(p231)

6. 목적사업의 수행

○ 정관상 목적사업의 명시

- 정관상 목적, 수익사업은 세부적이고 구체적으로 규정

　　(예시) 노인복지법 제000조의 노인의료복지시설 중 요양원 운영

7. 정관의 내용 및 변경(사회복지사업법 제17조)

● 정관의 내용

○ 정관의 내용은 "사회복지사업법"과 "공익법인의 설립운영에 관한 법률" 등 법령에 위배하여 작성하면 아니됨.

○ 이사 정수는 7인 이상으로 하고 시행령 제9조에 의한 특별한 관계에 있는 자는 이사 현원의 1/5을 초과할 수 없음.

○ 설립자는 법인의 정관을 정하여 이를 서면에 기재하고 기명, 인감날인 하여야 함.

○ 정관의 붙임 자료 중 기본재산의 목록 및 가액은 법령으로 정해진 정관 기재사항으로 목적사업용, 수익사업용으로 구분하여 사용용도를 명확히 알 수 있도록 관리

● 정관의 변경

○ **정관의 내용과 변경은 이사회 의결과 주무관청(시.도지사)의 허가 대상임**

○ 정관 변경의 승인권자

　- 법인의 설립 목적, 주된 사무소의 소재지, 목적사업의 변경 : 시장

　- 기타 변경사항 : 구청장

　- 수익사업 허가는 정관변경인가 형식으로 신청, 승인

○ 정관 변경시 임원의 명단은 설립시 작성되어야 하며, 이는 설립시 임원명단으로 작성되어야 출연자와의 관계 확인이 가능하며, 현행 임원 명단은 등기부등본으로 확인 가능함

● 정관변경 시 유의사항

○ 상근임직원의 정원과 보수에 관한 규정을 명시해야 함

○ 정관의 내용에 사회복지사업법 및 공익법인법과 민법에 위배되면 아니됨

○ 목적사업의 수행

- 정관상 목적사업과 수익사업은 구체적으로 명시하여야 함

. (예시) 노인복지법 제00조의 노인의료복지시설중 요양원 운영
출처 2021 복지법인시설실무가이드(p299)

● 정관변경의 인가신청(사회복지사업법 제17조. 규칙제8조)

법인이 정관을 변경하고자 하는 때에는

○ 정관변경인가신청(붙임17)에 아래와 서류를 첨부하여 시.도지사(시.군.구)에 제출한 후 정관변경인가를 받아야 함

- 정관변경을 결의한 이사회 회의록 사본 1부

- 정관변경안 1부

- 사업변경계획서, 예산서 및 재산의 소유를 증명할 수 있는 서류(사업의 변동이 있는 경우에 한함) 각 1부

- 재산의 평가조서 및 재산수익조서(사업의 변동이 있는 경우에 한함) 각 1부

● 검토사항

○ 정관 중 공고 및 그 방법에 관한 사항을 변경하고자 하는 경우에는 시.도지사의 인가를 받지 않아도 됨(시행규칙 제9조)

○ 정관변경으로 사업의 변경이 있을 때에는 확실한 재원조달 방법이 있는지(선 재원확보, 후 정관변경인가)

○ 사업변경시 변경된 사업이 설립자의 법인설립의도, 정관상 목적 비영리복지사업에 부합하는지를 검토

○ 정관변경 이사회 회의록의 날인은 반드시 인감일 필요는 없

으며, 기명란에 자필 서명후 일반 날인 또는 기명란에 시명 후 날인 부분에 자필 서명도 가능

출처 2023 사회복지법인관리안내(보건복지부.p58)

┌───┐
│ **◆ 정관변경과 관련 유의사항**
│
│ ○ 상근 임직원의 정원(공익법인법 제5조 제9항 및 시행령
│   제14조)과 보수에 관한 사항은 별도 규정을 제정할 수 있
│   는 근거를 정관에 명시하고 그 규정은 주무관청에 보고하
│   여야 함.
│ ○ 주무관청은 세입세출예산계획 등을 통해 상근임직원의 정
│   원과 보수 수준을 확인함.
└───┘

8. 수익사업(사회복지사업법 제28조)

● 수익금의 사용

○ 사회복지법인은 목적사업의 경비에 충당목적으로 법인의 설립
   목적 수행에 지장이 없는 범위에서 수익사업 수행 가능
○ 수익사업의 수익금은 법인 또는 법인이 설치한 사회복지시설의
   운영 외에 목적에 사용할 수 없음.
○ 수익사업회계는 법인의 다른 회계와 구분하여야 함.
○ (대법원 판례) 고유목적사업에 쓰인 부가금, 수익사업 손금 산
   입 안된다
   - 급여사업에 지출, 수익사업 소득 아니다
○ 수익사업에서 발생한 수익금은 고유목적사업에 전입시키면 사
   용 가능함.
   - 급여,전기 및 판매관리비 등

● 수익사업의 승인

○ 법인은 수익사업을 할 경우 정관으로 정하는 바에 따라 사업

마다 주무관청의 승인을 받아야 함.

● 수익사업의 승인 신청

○ 사업계획서, 추정 손익계산서 및 부속명세서, 사업에 종사할 임원 명부, 당해 사업에 행정관청의 허가를 요하는 경우 허가받은 사실을 증명하는 서류

◆ 사회복지법인의 임대수익사업에 대한 법인세 부과여부 (질의응답)

귀하께서 국민신문고를 통해 국세청업무와 관련하여 신청하신 민원(1AA-2208-0283375)에 대해 안내드립니다

귀하의 민원내용은

1. 사회복지사업법에 의하여 설립된 사회복지법인에서 임대수입이 발생하는 경우 해당 수입을 법인의 운영비(인건비와 부대경비)로 사용하는 경우 고유목적 사업에 사용한 것으로 볼 수 있는지에 대한 내용과

2. 비영리법인의 임대수입이 법인세 과세대상인지에 대한 질의 내용으로 이해되며 검토한 내용은 아래와 같습니다. 해당 질의의 답변은

   - 고유목적사업은 해당 비영리법인의 법령 또는 정관에 따른 설립목적을 직접 수행하는 사업으로서 해당 법인의 수익사업에서 발생한 소득을 법령 또는 정관에 따라 운영비로 사용한 것은 고유목적사업에 사용한 것으로 볼 수 있는 것이며,
   - 법인세법 제4조 제3항에 따라 비영리 내국법인의 각 사업연도의 소득은 임대수입도 포함되는 것으로 법인세 납세의무가 있는 것이니 아래 관련 법령 참고하여 주시기 바랍니다. 감사합니다

관련법령 : 법인세법 제4조 제1항 및제3항, 법인세법 제29조 제1항, 법인세법시행령 제56조 제3항, 제5항, 제6항, 조세특례제한법
        제74조 제1항

근거 : 국세청 국세상담센터
   인터넷방문상담2팀, 2AA-2208-032877(2022.8.10.)

유*완(064-708-6168)

9. 법인의 임원(사회복지사업법 제18조)

● 법인 이사

○ 이사의 의의
- 이사는 법인을 대표하고 법인의 업무를 집행하는 필수기관임 (민법 제58.제59조)
- 이사의 정수는 대표이사를 포함하여 7인이상이고 임기는 3년(연임 가능, 사회복지사업법 제18조)

○ 이사의 직무
- 이사는 선량한 관리자의 주의로 충실하게 그 직무를 행해야 하며, 이사가 직무를 소홀히 한 때에는 법인에 대하여 연대하여 손해배상의 책임 있음(민법제61조.제65조)
- 법인의 대표(대외적인 권한) : 이사는 법인의 사무에 대하여 각자 법인을 대표하므로(민법 제59조) 이사의 행위는 대외적으로 법인의 행위로서 인정됨(대표하는 사무에 제한이 없음)
- 법인과 이사의 이익이 상반되는 사항에 관하여는 이사는 대표권한이 없으며, 이 경우 이해관계인 또는 검사의 청구에 의하여 법원이 선임하는 특별대리인이 법인을 대표(민법 제64조)
- 이사는 법인의 모든 내부적 사무를 집행할 권한이 있으며, 정관에 다른 규정이 없으면 법인의 사무집행은 이사의 과반수로써 결정함(민법 제58조)
출처 2022년 사회복지법인 관리안내(보건복지부, p29)

● 이사의 구성

○ 이사 정수는 7인 이상 구성토록 하고 정관상 이사 정수는 확정적으로 기재
○ 시행령 제9조에 의한 특별한 관계에 있는 자는 이사 현원의

1/5을 초과할 수 없음.

● 법인 임원 정수 및 구성

○ 사회복지사업법에 따르면, 사회복지법인의 임원으로는 이사
   7명 이상 15명 이하로 구성하도록 하고 그 이사의 정수는
   법인 정관에 근거를 두어야 하며, 감사는 2명으로 되어 있다.
○ 이사 정원의 3분의1 이상은 주무관청에서 추천하는 외부추
   천 이사를 두어야 한다.
○ 이사회의 구성에 있어서 대통령령으로 정하는 특별한 관계
   (설립자 기준)에 있는 사람이 이사 현원의 5분의 1을 초과할
   수 없다.
○ 감사는 2명으로 1명은 법률 또는 회계에 지식이 있는 (변
   호사, 법무사, 회계사, 세무사 등)를 두어야 한다.
○ 직전 3회계연도 세입평균 결산액이 30억원 이상인 경우,
   외부추천 감사 1인을 공인회계사로 두어야 한다.
○ 이사의 임기는 3년으로 연임할 수 있으며, 감사는 2년으로
   연임할 수 있다.
○ 법인 임원은 임기제이기 때문에 임기만료로 자격이 상실됩
   니다. 만약 연임하는 경우에는 필요한 구비서류를 갖추어 새
   로운 선임절차를 이행하여야 합니다

● 이사의 선임 방법과 절차

○ 외부추천이사의 경우 법인은 추천이사 선임사유 발생한 날
   로부터 15일 이내 법인의 주사무소가 소재하는 지역의 시·
   도 사회보장위원회 또는 지역사회보장협의체중 한 기관에
   이사 추천을 요청하는 것을 원칙으로 한다.
○ 추천이사의 선임은 법인에서 그 배수로 추천받은 자 중에서
   법인의 이사로 선임한다. 이때 추천이사가 결격사유에 해당
   할 경우 또는 취임승락을 하지 아니하는 경우는 추천 재요
   청하여야 한다.

○ 추천이사 선임절차는 다른 이사 선임절차와 동일(취임승락서, 이력서, 특수관계부존재각서 등을 받고) 이사회 의결을 통해 선임한다.

○ 결원이사는 2개월 이내 보충하여야 하며, 기간내 추천할 수 있도록 조치하여야 한다.

○ 추천이사 선임 이후에는 시·도지사에게 "법인임원임면보고"를 하여야 하고, 보고 시 아래 첨부서류를 제출하여야 한다.

① 선임을 결의한 이사회 회의록 사본 1부
② 임원의 취임승락서
③ 이력서
④ 추천기관으로부터 받은 추천서
⑤ 특수관계부존재 각서
⑥ 결격사유부존재 각서

● **임원의 보충**(사회복지사업법 제22조의3)

○ 임원중 결원이 생긴 때에는 2월이내 이를 보충하여야 한다

○ 임시이사가 법령위반 사유로 해임된 경우 이사로 선임할 수 없다

● **특별한 관계에 있는 자의 범위**(사회복지사업법 시행령 제9조)

○ 특별한 관계에 대한 판단기준은 대표이사를 포함한 출연자 또는 각 이사를 기준으로 판단함

○ 출연자

○ 출연자 또는 이사와 다음의 관계에 있는 자

○ 6촌 이내의 혈족(세법은 4촌이내 개정), 4촌 이내의 인척, 배우자 등

● **공익법인의 특수관계인 이사수 1/5 초과와 임직원**

의무위반시 세법상 가산세 부과대상

◆ 임기 만료된 임원(이사.감사) 선임

○ 사회복지법인 임원의 임기는 사회복지사업법에 법정되어 있기 때문에 법률에서 정한 임기가 만료되면

○ 임원으로서의 지위도 당연히 상실되므로, 임원의 임기 만료 전에 해당 임원의 후임을 선임하면 됨

○ 부득이한 사유로 인해서 임원의 임기가 만료된 경우, 임기만료된 이사를제외하고 합법적인 이사회의 구성이 가능하면, 즉시 이사회에서 후임자를 선임하면 되나

○ 임기 만료된 이사로 인하여 이사 정수가 7명 미만이거나, 외부추천이사 비율 등이 불부합하는 경우 임시이사의 선임을 통해 이사회를 정상화 시키면 가능함

○ 공익법인의 이사중 특수관계인이 이사 현원의 1/5을 초과하는 경우

○ 상증법 제48조 제8항에 의해 출연자 또는 그의 특수관계인이 공익법인 등의 임직원이 되는 경우

 - 해당 임직원에게 지급되는 직, 간접경비의 상당액 전액은 가산세(증여세)를 부과하도록 규정하고 있는 것은

 - 공익목적사업에 사용되어야 할 금액이 출연자 또는 그외 특수관계인 인건비 등 경비로 사용되는 것을 방지하기 위함이다.

 근거 : 대법원 2017.4.20. 선고2011두21447, 판결

○ 상증법 제78조 제6항에는 세무서장 등은 제48조 제8항의 규정에 이사수 초과나 임직원 위반 제재규정으로 당해 법령은 상증법에서 공익법인은 세법상 의무위반시 제재시 부과제척기간은 10년으로 적용한다고 판단했다. 근거 : 조세심판례, 조심 2019서1465, (2019.12.26.)

◆ 사회복지법인 대표자(특수관계인)과 법인간 부동산 임대차계약(질의응답)

2023-03-13

국민신문고(2AA-2303-0150522)(2023.03.08)

처리결과

(답변내용)

안녕하십니까. 귀하께서 [국민신문고이관민원]를 통해 신청하신 상담민원(접수번호 167509)에 대한 검토 결과를 다음과 같이 알려드립니다.

귀하의 민원 내용은 "사회복지법인 대표자와 법인 간의 임대차계약"에 대한 것으로 판단됩니다.

귀하의 질의사항에 대해 검토한 의견은 다음과 같습니다.

사회복지법인은 법인격을 가진 별개의 주체이며 사회복지법인과 법인 대표이사 개인 간의 계약에 대해서는 사회복지사업법 상 별도의 규정이 없습니다.

다만, 사회복지법인과 법인 대표이사 간의 거래에서

1) 임차료를 임의로 산정하여 법인 자금의 근거없는 외부 유출이 이루어지거나,

2) 법인세법 제52조의 부당행위계산의 부인이 적용되어 세금이 추징될 수 있는 등

타 법에 저촉될 가능성이 있으므로 세무법인, 법무법인 등에 추가 상담을 받아보시기 바랍니다.

귀하의 질문에 만족스러운 답변이 되었기를 바라며, 추가 설명이 필요한 경우 부산광역시 복지정책과 문** 주무관(☎888-3162)에게 연락주시면 성심껏 안내해 드리겠습니다. 감사합니다.

  ○ 검토법령

- 법인세법 제52조 및 시행령 제88조(부당행위 계산의 부인), 제89조(시가의 범위등), 제90조(특수관계인간 거래명세서의 제출)

- 상증법

● **임원의 결격사유(사회복지사업법 제19조)**

  ○ 다음 각 호의 어느 하나에 해당하는 사람은 임원이 될 수 없

다.
1. 미성년자
  1의2. 피성년후견인 또는 피한정후견인
  1의3. 파산선고를 받고 복권되지 아니한 사람
  1의4. 법원의 판결에 따라 자격이 상실되거나 정지된 사람
  1의5. 금고 이상의 실형을 선고받고 그 집행이 끝나거나(집행이 끝난 것으로 보는 경우를 포함한다) 집행이 면제된 날부터 3년이 지나지 아니한 사람
  1의6. 금고 이상의 형의 집행유예를 선고받고 그 유예기간 중에 있는 사람
  1의7. 제1호의5 및 제1호의6에도 불구하고 사회복지사업 또는 그 직무와 관련하여 「아동복지법」 제71조, 「보조금 관리에 관한 법률」 제40조부터 제42조까지 또는 「형법」 제28장·제40장(제360조는 제외한다)의 죄를 범하거나 이 법을 위반하여 다음 각 목의 어느 하나에 해당하는 사람

○ 사회복지사업법 위반으로 100만원 이상의 벌금형을 선고받고 그 형이 확정된 후 5년이 지나지 아니한 사람

    가. 형의 집행유예를 선고받고 그 형이 확정된 후 7년이 지나지 아니한 사람
    나. 징역형을 선고받고 그 집행이 끝나거나(집행이 끝난 것으로 보는 경우를 포함한다) 집행이 면제된 날부터 7년이 지나지 아니한 사람

  1의8. 제1호의5부터 제1호의7까지의 규정에도 불구하고 「성폭력범죄의 처벌 등에 관한 특례법」 제2조의 성폭력범죄 또는 「아동·청소년의 성보호에 관한 법률」 제2조 제2호의 아동·청소년대상 성범죄를 저지른 사람으로서 형 또는 치료감호

를 선고받고 확정된 후 그 형 또는 치료감호의 전부 또는 일부의 집행이 끝나거나(집행이 끝난 것으로 보는 경우를 포함한다) 집행이 유예·면제된 날부터 10년이 지나지 아니한 사람

2. 제22조에 따른 해임명령에 따라 해임된 날부터 5년이 지나지 아니한 사람

  2의2. 제26조에 따라 설립허가가 취소된 사회복지법인의 임원이었던 사람(그 허가의 취소사유 발생에 관하여 직접적인 또는 이에 상응하는 책임이 있는 자로서 대통령령으로 정하는 사람으로 한정한다)으로서 그 설립허가가 취소된 날부터 5년이 지나지 아니한 사람

  2의3. 제40조에 따라 시설의 장에서 해임된 사람으로서 해임된 날부터 5년이 지나지 아니한 사람

  2의4. 제40조에 따라 폐쇄명령을 받고 3년이 지나지 아니한 사람

3. 사회복지분야의 6급 이상 공무원으로 재직하다 퇴직한 지 3년이 경과하지 아니한 사람 중에서 퇴직 전 5년 동안 소속하였던 기초자치단체가 관할하는 법인의 임원되고자 하는 사람

◆ **사회복지사업법 위반 벌금 100만원이상이면 임원 결격사유 해당(질의응답)**

보건복지부 (보건복지부 사회복지정책실 사회서비스정책관 사회서비스자원과)

처리기관 접수번호

2AA-2308-0535854

접수일시

2023-08-14 10:20:26

(답변내용)

1. 보건복지정책에 관심을 가져주셔서 감사드리며, 귀하께서 신청하신 민원에 대한 검토 결과를 다음과 같이 알려 드립니다.

2. 귀하께서 질의하신 내용은 다음의 사항으로 이해되며, 다음과 같이

답변드립니다.

○「사회복지사업법」 제23조제3항을 위반하여 같은 법 제53조제1호에 의해 법인임원이 100만원이상의 벌금형을 받은 경우 사회복지법인의 임원의 결격사유(동법 제19조)에 해당하는지

3.「사회복지사업법」제19조제1항1호의7에서는 사회복지사업 또는 그 직무와 관련하여 아동복지법, 보조금법, 지방재정법, 영유아보육법, 장애아동복지지원법 또는 형법 제28장. 제40장의 죄를 범하거나 이 법을 위반하여 100만원 이상의 벌금형을 선고받고 그 형이 확정된 후 5년이 지나지 아니한 사람은 법인의 임원이 될 수 없다고 규정하고 있습니다.

4. 이에 따라, 사회복지사업법을 위반하여 100만원 이상의 벌금형을 받은 경우, 위의 결격사유의 적용을 받을 것으로 사료됩니다.

5. 이것으로 귀하의 질의에 대한 답변을 마치며, 추가적인 질의사항이 있으시면 보건복지상담센터(국번없이 129) 또는 사회서비스자원과 (044-202-3256)로 문의하여 주시면 친절히 답변하여 드리겠습니다. 감사합니다. 끝.

● 법인의 불법행위 능력(민법 제35조)

 - 법인은 이사 기타 대표자가 그 직무에 관하여 타인에게 가한 손해를 배상할 책임이 있다. 이사 기타 대표자는 이로 인하여 자기의 손해배상 책임을 면하지 못한다

 - 법인의 목적 범위외의 행위로 인하여 타인엑 손해를 가한 때에는 그 사항의 의결에 찬성하거나 그 의결을 집행한 사원, 이사 및 기타 대표자가 연대하여 배상하여야 한다

● 외부 추천이사(사회복지사업법 제18조 제8항)

 ○ 이사 중 1/3(소수점 이하는 버림) 이상은 외부 추천이사로 하되, 법인 소재지 관할 지역사회보장협의체에서 3배수 추천한 사람 중에서 선임

 ○ 이사 정수에 따른 외부 추천이사의 수

이사 정수	외부추천이사 수
7 ～ 8명	2명
9 ～ 11명	3명
12 ～ 14명	4명
15 ～ 17명	5명
18 ～ 20명	6명

● 법인의 추천 요청(사회복지사업법시행령 제8조의2)

○ 법인은 추천 이사 선임 사유가 발생한 날로부터 15일 이내에 법인의 주사무소가 소재하는 지역의 지역사회보장협의체에 이사 추천을 요청하는 것을 원칙으로 함.

○ 선임 사유란 전임 이사의 임기 만료, 전임 이사의 사임, 전임 이사의 해임, 이사 증원에 따른 신규 선임 등 법인이 외부 추천 이사를 선임해야 하는 모든 경우를 의미

○ 법인이 이사 추천을 요청할 때에는 서면(공문)으로 하되, 공문에는 법인명, 주요 사업, 선임대상 이사 수 등을 반드시 명기하고 법인의 설립 취지, 목적사업의 내용, 이사가 갖추어야 할 사항 등 추천에 참고할 수 있는 자료를 첨부해야 함.

◆ 법인의 외부 추천이사

1) 법인은 추천 이사 선임 사유가 발생한 날로부터 15일 이내에 법인의 주사무소가 소재하는 지역의 시.도사회보장위원회 또는 지역사회보장협의체 중 한 기관에 이사 추천을 요청하는 것이 원칙으로 함.

　○ 선임 사유가 예측할 수 있는 경우(전임 이사의 임기만료)

에는 원활한 추천을 위해 임기만료 3개월 전부터 추천을 요청할 수 있도록 함(영 제8조의2 제1항 단서).

○ 어느 기관에 추천을 요청할 것인지는 법인이 자체적으로 결정할 사항이나, 법인의 주무관청에 요청하는게 바람직 함.

○ 법인이 이사 추천을 요청할 때에는 서면(공문)으로 하되, 공문에는 법인명, 주요 사업, 선임 대상 이사 수 등을 반드시 명기하고 법인의 설립취지, 목적 사업의 내용, 이사가 갖추어야 할 사항 등 추천에 참고할 수 있는 자료를 첨부하도록 하여야 함.

○ 법인이 추천하는 단계에서 이사회 의결을 거쳐 요청할 것인지는 법인의 정관에서 자율적으로 정하도록 함.

2) 추천 이사 선임

○ 법인은 그 배수로 추천받은 자 중에서 법인의 이사로 선임

○ 추천받은 이사가 사회복지사업법 제19조의 결격사유에 해당하거나, 취임승낙을 하지 않은 경우 등 선임이 불가능한 경우에 한하여 추천 재요청을 허용하되, 이 경우에는 추천기관과 협의

○ 추천 이사의 선임 절차는 다른 이사 선임 절차와 동일 (취임 승낙서, 이력서, 특수관계부존재각서) 등을 받고 이사회 의결을 통해 선임.

○ 법 제20조에 따라 결원이사는 2개월 이내에 보충하여야 하므로, 기간 내 추천 이사를 선임할 수 있도록 조치

3) 추천 이사를 선임한 후에는 시.도지사에게 법인 임원 임면 보고를 해야 함.

(선임관련 이사회 회의록 사본, 임원의 취임 승낙서, 이력서, 특수관계부존재각서, 추천서)

○ 추천이사의 임기 만료 : 임기가 만료된 외부 추천이사가 연임하기 위해서는 반드시 최초 선임 시와 동일한 추천 절차를 거쳐야 함.

출처 : 2019 사회복지법인 관리 안내(p22)

● 외부추천 이사의 선임 및 절차

○ 추천받은 이사가 법 제19조의 결격사유에 해당하거나, 취임 승낙 하지 않는 경우 등 선임이 불가능한 경우 한 하여 추천 재요청을 허용하되, 이 경우에는 추천기관 협의하여야 함.

○ 법 제20조에 따라 결원이사는 2개월 이내에 보충하여야 하므로, 기간 내 추천 이사를 선임할 수 있도록 조치

○ 임기가 만료된 외부 추천 이사가 외부 추천 이사로 연임하기 위해서는 반드시 최초 선임 시와 동일한 추천 절차를 거쳐야 함.

○ 이사의 현원이 7명 미만의 경우
  - 이사회 개최 불가(임시이사 선임해야 함.)

○ 외부추천이사 임기만료 이전에 이사회를 소집하여 연임절차를 이행하시고, 임원임면보고후 3주이내 등기하시면 됨

- 연임인 경우 임기만료와 선임을 이사회에 별도 안건으로 하여 동시에 의결하시면 되고, 회의록에는 임기만료와 새로운 임기를 구분하여 표기하면 가능함

○ 이사 연임시 임기만료 3개월 전부터 필요 절차에 따라 연임 준비하시고, 나중에 임기만료 전 이사회 개최후 회의록에는 정확한 임기를 기록해두면 됨

● 이사의 임기 만료 도래

○ 법인 이사는 임기 만료된 이사는 이사로서의 자격이 없습니다. (감사도 포함)
  예외적인 사항(임기 만료 도래한 이사 역할)은 이사회 구성이 불가하여 법인 업무가 마비될 정도의 부득이 한 경우에 해당하며

○ 빠른 시일 내 추천 절차를 이행하여 선임하시는 게 가장 좋은

해답이며 궐위, 사임, 해임 등로 인하여 이사의 정원이 7명 미만인 경우에는 공익법인법 제18조 제1항을 위반하는 이사회가 되므로 이사회 개최나 의결의 효력이 없음. (임시이사를 통해 정관상 정수를 충족시킨 후 개최)

○ 그리고 이사회는 정관에 재적이사 과반수 이상이면 제출된 심의 안건을 의결을 할 수 있슴을 참고바랍니다.

● 법인 이사의 사임행위는?

○ 이사의 사임행위는 상대방이 있는 단독행위이므로, 그 의사표시가 상대방에게 도달함과 동시에 그 효력이 발생한다

○ 본 건 대표이사의 사임계가 해당 사회복지법인에 전달되었다면, 그 즉시 효력이 발생하여 대표이사로서의 지위를 상실한다고 할 것이며, 따라서 그 이후의 이사회 소집 당시에는 대표이사가 아니라고 할 것임

근거 : 대법원 2008.09.25, 2007다17109 판결

● 사회복지법인 대표이사 변경등기시 필요한 구비서류

1) 법인변경등기신청서 ▶ 인터넷 등기소(서식) (대표이사 변경 명확히 기재하여야 함)
2) 사임서, (개인)인감증명서
3) 취임승락서
4) 주민등록초본(전 주소)
5) 정관 사본(원본대조필) ▶ 법인인감날인, 간인
6) (법인)인감신고서 및 법인 인감
7) 등록면허세 납부필증
8) 등기신청수수료
9) 법인변경신청서 제출 ▶ 위임장
10) 주무관청 임원(이사) 변경 승인공문

11) 법인 이사회 회의록 사본(법인 인감 원본대조필)(간인)

※ 이후(법인) 인감카드계속사용 신청서 제출

★ 이외 구비서류와 절차에 일부 차이가 있을 수 있으니 반드시 해당 법원의 법인등기공무원한테 문의바람

● 현) 대표이사 사임과 새로운 대표이사 선임 절차

○ 다음 이사회에서 안건으로 대표이사 사임의 건과 이사 사임의 건을 별개의 안건으로 상정하여 의결하시고,

○ 이어서 이사 선임의 건을 상정하여 의결처리, 대표이사 선임의 건을 상정하여 의결하시면 됩니다. 이때 의결정족수는 이사 4인 이상이 참석하여야 유효합니다.

○ 그리고 주무관청에 임원보고를 하시면 됩니다만, 사전에 대표이사를 비롯한 이사진의 비공식 논의가 충분히 이루어져야 합니다.

○ 이사 임면에 필요한 사임서 및 취임승락서와 범죄경력조회, 특수관계인의 이사 1/5이상 정수 초과 여부검토는 사전에 법인사무국에서 "사회복지법인관리안내"를 참고하여 선행하시면 됩니다.

○ 주무관청에서 임원(대표이사) 변경 승인 공문이 내려오면 법원에 등기하고 세무서에 고유번호증변경과 사업자등록증 변경 등 절차가 많습니다.

○ 새로운 대표이사의 임기는 이사 본인의 임기 중이라야 합니다. (만약 새 대표이사의 이사 본인의 임기가 만료되었으나, 이사로 재선임이 되지 아니한 경우 대표이사 직위도 자동적으로 상실함)   출처 : 복지법인시설 실무카페

● 감사의 직무와 자격(사회복지사업법 제18조)

가. 감사의 직무

```
┌─────────────────────────────────────────────┐
│        ◆ 법인이사의 시설 촉탁의 지정 가능여부          │
│ ○ 법인의 이사는 산하시설의 시설자을 제외하고는 직원을 겸직  │
│ 할 수 없다고 되어 있음                           │
│ 촉탁의는 시간제 계약의사로 시설장과 따로 진료계약서를 작성    │
│ 함                                          │
│ ○ 법인의 이사가 시설종사자가 아닌 촉탁의와 겸은 가능하나,   │
│ 시설 종사자가 아니므로 4대보험은 가입할 수 없다고 명시되어   │
│ 있다. 이런 경우 주무관청에 협의를 해서 판단해야 한다.      │
└─────────────────────────────────────────────┘
```

○ 법인의 업무와 재산 상황을 감시하는 일 및 이사에 대하여 이
　에 필요한 자료의 제출 또는 의견을 요구하고 이사회에서 발
　언하는 일

○ 이사회 회의록에 기명날인하는 일

○ 법인 감사 결과 불법 부당한 점이 있음을 발견한 때에는 이를
　이사회 또는 시.도지사에게 보고하는 일
　- 감사 결과 보고를 위해 이사회 소집을 요구할 수 있음.

○ 이사가 법인의 목적 범위 외의 행위를 하거나 기타 이 법 또
　는 이 법에 의한 명령이나 정관에 위반하는 행위를 하여 법
　인에 현저한 손해를 발생하게 할 우려가 있는 경우 그 이사
　에 대하여 직무행위를 유지할 것을 법원에 청구할 수 있음.

나. 감사의 자격

○ 법률, 회계에 관한 지식이 있는 사람이므로 반드시 회계에만
　국한되는 것은 아니고, 법률과 관련된 전문적인 지식이 있는
　사람으로 인정이 되는 경우도 가능합니다.

○ 이사와 특별한 관계에 있는 자가 아니어야 합니다.

○ 감사는 법인의 다른 이사 및 시설장, 종사자를 겸직할 수 없
　다.

○ 법인의 직전 3회계연도 세입 결산 평균액이 30억원을 초과하

는 경우, 감사 1인은 주무관청에서 외부감사(공인회계사)를 추천하여야 한다.

○ 이를 위반하였을 때에는 사회복지사업법 22조 1항에 의하여 해임명령을 할 수 있습니다. 그리고 이러한 해임명령을 이행하지 않았을 경우 동법 26조에 의하여 설립허가를 취소할 수 있습니다.
이 건이 과태료의 부과에 해당하는지에 대해서는 해당 주무관청에 정확히 문의해보시기를 권해드리지만, 일단 법령상에서 이건에 대하여 직접적으로 해임명령 외의 벌칙을 정하고 있진 않은 것으로 보이고 동법 40조 및 시행규칙 별표 4에서 저지른 각종 조치에서도 해당 건에 대하여서는 정하고 있지 않고 있습니다.

○ 감사의 선임은 별도 등기사항이 아님.

다. 전문가 감사 선임과 관련한 세입 계산 방법

○ 감사를 2월에 선임하는 등 사유로 직전년도 결산보고서가 완료되지 않은 경우, 직전년도의 세입은 추정치로 계산함
(2023년 사회복지법인관리 안내, 보건복지부.p43)

● 이사

○ 이사는 법인을 대표하고 법인의 업무를 집행하는 필수기관임 (민법 제58조)

  - 이사의 행위는 대외적으로 법인의 행위로서 인정됨.

  - 법인과 이사의 이익이 상반되는 경우에는 이사는 대표권이 없으며 이 경우 이해관계인 또는 감사의 청구에 의하여 법인이 선임하는 특별대리인이 법인을 대리함(민법 제64조).

○ 이사의 정수는 대표이사를 포함하여 7인 이상이고, 임기는 3년(연임 가능)

  - 이사의 수는 정관으로 정함.

○ 이사는 선량한 관리자로서 주의로 그 직무를 행하여야 하며, 이사가 그 임무를 게을리 한 때에는, 법인에 대하여 연대하여 손해배상 책임이 있음(민법 제61조).

● 법인 대표(이사)가 사망한 경우

○ 사회복지법인 관리안내(보건복지부, p27)에 의하면 이사의 현원이 7명 미만인 경우, 이사회 개최가 불가하도 규정하고 있음

○ 사회복지사업법 제18조제1항에 의하면 법인이사회 정수(7명) 부족으로 이사회 개최가 불가하며, 의결사항은 불승인 되며, 같은 법 제22조의3제1항에 따라 주무관청에 임시이사를 선임하여야 함

○ 법인 대표이사가 사망하면 위임장이라던지 모든 종전의 권한은 효력을 상실합니다. 법인 이사회를 정관에 따라 개최하여 새로운 대표이사를 선임하여야 한다. 그리고 업무대행의 지정도 정관에 따라 판단하시면 됩니다.

● 법인 직원이 임원이 되었을 때 퇴직금 정리

○ 임원이 되더라도 근로자의 신분을 유지하는 경우라면 퇴직금을 정산할 필요는 없을 것이나, 근로자가 아닌 사용자의 지위에 준하는 전환되는 것이라며 근로자로서 지위는 상실하는 것이라서 퇴직금을 정산하고 임원으로서 신분이 바뀐다고 봄

● 임원의 임면 보고(사회복지사업법 제18조6항,시행규칙 제10조)

○ 법인 임원을 임면한 경우 지체 없이 "법인임원임면보고서"(별지 제10호 서식)와 다음 서류를 첨부하여 시. 도지사에게 제출
  – 당해 임원의 선임 또는 해임을 결의한 이사회 회의록 사본 1

부

- 임원의 취임 승낙서 및 이력서 1부
- 외부추천이사의 경우 이사 추천서 1부
- 임원 상호 간에 관계에 있어 법 제18조3항에 저촉되지 아니함을 입증하는 각서(특수관계부존재각서)
- 결격사유 부존재 각서 1부

○ 법인 임원 결원 보충에 대한 관할 등기소 변경등기의 경우 공증인법 제2조2호에 의하여 공무원이 직무상 작성한 것은 공증에서 제외한다는 규정에 의해, 주무관청의 사회복지법인 임원변경보고수리 건에 대해서는 공증에서 제외된다

● **임시이사의 선임. 해임**(사회복지사업법 제22조의3)

○ 임원중 결원이 생긴 때에는 2월 이내에 이를 보충하여야 하고, 다음의 경우에 해당하여 법인의 정상적인 운영이 어렵다고 판단되는 경우 시·도지사는 지체 없이 이해관계인의 청구 또는 직권으로 임시이사를 선임해야 함.

○ 임원중에 결원이 발생한 경우 2개월 이내 결원된 이사를 보충하지 아니하거나, 보충할 수 없는 것이 명백한 경우

○ 법인이 시. 도지사로부터 임원 해임 명령을 받고 2개월 이내에

임원의 해임에 관한 사항을 의결하기 위한 이사회를 소집하지 아니하거나, 소집할 수 없는 것이 명백한 경우

○ 임시이사는 상기 사유가 해소될 때까지 재임함.

○ 시·도지사는 임시이사가 선임되었음에 불구하고 해당 법인이 정당한 사유 없이 이사회 소집을 기피할 경우 이사회 소집을 권고할 수 있다.

○ 이해관계인이 임시이사 선임을 청구하고자 하는 때에는 청구 사유와 이해관계인임을 증명하는 서류를 시·도지사에 제출해야 함.

○ 법 제22조의3 제1항 제2호에 따라 임시이사를 선임하는 경우 법 제22조의2 1항 단서에 따라 직무집행이 정지된 이사는 자신의 해임 명령 이행을 위한 이사와 관련해서는 이사로 보지 않으며, 이 경우 해당 임시이사가 직무 정지된 이사의 지위를 대신함.

◆ 임시이사 선임사유가 해소되어 해임된 경우 임원의 결격사유에 해당하는지 여부

○ 법 제19조제1항제2호의 사유는 법 제22조에 따른 해임명령에 한정되므로, 임시이사 선임사유 해소에 따른 해임의 경우에는 법 제19조제1항제2호의 적용을 받지 않음(법인관리.p50)

● 임시이사 선임 요청이 가능한 "이해관계인" 범위

임시이사 선임 이해관계인으로는 법률상의 이해관계가 있는 자로서

○ 그 법인의 이사, 사원, 채권자 등이 이에 속하고, 위 법인의 이사에는 법인의 정당한 최후 이사였다가 퇴임한 자이거나 비록 그 선임결의의 효력이 다투어지더라도 신청 당시에 법인의 등기부상 이사로서 법인의 업무처리를 담당해온 자 등은 포함된다.

○ 대법원 2007.5.10.선고, 2006다85747판결

● **임원의 겸직금지(사회복지사업법 제21조)**

○ 이사는 법인이 설치한 사회복지시설의 장을 제외한 해당 시설의 직원을 겸할 수 없음.

　- 대표이사가 시설장을 겸직하려면 해당 시설에 대한 법령상 시설장 자격(결격사유 포함)과 이사회 의결만으로 가능함

○ 감사는 법인의 이사, 법인이 설치한 사회복지시설의 장 또는 그 직원을 겸할 수 없음.

○ A법인 등기이사가 B법인의 이사를 겸하고자 하는 경우 모두 상근이사가 아니고, 출연자 및 특수관계인에 해당하지 않으면 가능함

○ A법인의 이사로 등기되어 있는 이사가 A법인 및 시설과 전혀 관계가 없는 직원 및 시설장 또는 종사자로 근무하는데는 결격사유가 없는 한 가능함

○ 지자체의 보조금을 교부받는 사회복지법인은 공공단체이므로 지방자치법 제35조제5항에 따라 지방의회의원은 사회복지법인의 관리인인 임원이 될수 없음

● **상근 임직원 관리(공익법인법 제5조제9항 및 공익법인법 제14조)**

○ 상근 임직원의 정원과 보수에 관한 사항은 별도 규정을 재정할 수 있는 근거를 정관에 명시하고 그 규정은 주무관청에 보고하여야 함

○ 주무관청은 세입세출예산 계획 등을 통한 상근 임직원의 정원과 보수수준을 확인하여야 함

● **사회복지법인 대표이사가 상임이사로 근무가능한가요?**

○ 사회복지법인은 공익법인으로서 공익법인법 제5조 및 시행령 제14조에 따라 상근 임직원의 정수를 정하고 주무관청에 승인을 받으면 보수를 지급한다고 되어 있음

○ 상근 임직원은 법인 상임이사나 사무국장 등을 말하며, 상임이사는 정관과 법인운영규정에서 정하는 법인업무의 실무자로서 상근직이 되어야 하며, 상근직에 대해서는 일정액의 보수를 지급가능함.

○ 만약 법인대표이사가 상임이사로 근무하고자 하는 경우 이사회의결을 득하여야 가능하며, 상근하여야 합니다.

○ 정관상 무보수 명예직이기 때문에 보수 지급은 불가하나, 법인 자부담 원천의 실비수준의 수당은 이사회 의결을 득하면 가능할 것임

○ 법인상임이사는 정관변경사항으로 상근하여야 하며 특수관계인이 급여를 받는 경우는 공익법인 의무위반사항으로 상증법에 의해 세무서에서 가산세를 부과할 가능성이 많음

10. 법인이사회

● 이사회 기능과 운영(공익법인법 제6조)

○ 공익법인에 이사회를 둔다.

○ 이사회는 이사로 구성한다.

○ 이사장은 정관으로 정하는 바에 따라 이사 중에서 호선(互選)한다.

○ 이사장은 이사회를 소집하며, 이사회의 의장이 된다.

○ 공익법인법 제7조(이사회의 기능) 이사회는 다음 사항을 심의 결정한다.

  - 공익법인의 예산, 결산, 차입금 및 재산의 취득·처분과 관

리에 관한 사항

- 정관의 변경에 관한 사항
- 공익법인의 해산에 관한 사항
- 임원의 임면에 관한 사항
- 수익사업에 관한 사항
- 그 밖에 법령이나 정관에 따라 그 권한에 속하는 사항

○ 이사장이나 이사가 공익법인과 이해관계가 상반될 때에는 그 사항에 관한 의결에 참여하지 못한다.

○ 공익법인법 제8조(이사회의 소집) 이사장은 필요하다고 인정할 때에는 이사회를 소집할 수 있다.

○ 이사장은 다음 각 호의 어느 하나에 해당하는 소집요구가 있을 때에는 그 소집 요구일부터 20일 이내에 이사회를 소집하여야 한다.

- 재적이사의 과반수가 회의의 목적을 제시하여 소집을 요구할 때
- 제10조 제1항 제5호에 따라 감사가 소집을 요구할 때

○ 이사회를 소집할 때에는 적어도 회의 7일 전에 회의의 목적을 구체적으로 밝혀 각 이사에게 알려야 한다. 다만, 이사 전원이 모이고 또 그 전원이 이사회의 소집을 요구할 때에는 그러하지 아니하다.

○ 이사회를 소집하여야 할 경우에 그 소집권자가 궐위(闕位)되거나 이사회 소집을 기피하여 7일 이상 이사회 소집이 불가능한 경우에는 재적이사 과반수의 찬동으로 감독청의 승인을 받아 이사회를 소집할 수 있다. 이 경우 정관으로 정하는 이사가 이사회를 주재한다.

○ 제9조(의결정족수 등)

- 이사회의 의사(議事)는 정관에 특별한 규정이 없으면 재적이

사 과반수의 찬성으로 의결한다.

- 이사는 평등한 의결권을 가진다.

- 이사회의 의사는 서면결의에 의하여 처리할 수 없다.

- 이사회의 의결은 대한민국 국민인 이사가 출석이사의 과반수가 되어야 한다.

○ 제10조(감사의 직무) ① 감사는 다음 각 호의 직무를 수행한다.

- 공익법인의 업무와 재산상황을 감사하는 일 및 이사에 대하여 감사에 필요한 자료의 제출 또는 의견을 요구하고 이사회에서 발언하는 일

- 이사회의 회의록에 기명날인하는 일

- 공익법인의 업무와 재산상황에 대하여 이사에게 의견을 진술하는 일

- 공익법인의 업무와 재산상황을 감사한 결과 불법 또는 부당한 점이 있음을 발견한 때에 이를 이사회에 보고하는 일

- 제4호의 보고를 하기 위하여 필요하면 이사회의 소집을 요구하는 일

○ 감사는 공익법인의 업무와 재산상황을 감사한 결과 불법 또는 부당한 점이 있음을 발견한 때에는 지체 없이 주무 관청에 보고하여야 한다.

- 감사는 이사가 공익법인의 목적범위 외의 행위를 하거나 그 밖에 이 법 또는 이 법에 따른 명령이나 정관을 위반하는 행위를 하여 공익법인에 현저한 손해를 발생하게 할 우려가 있을 때에는 그 이사에 대하여 직무집행을 유지(留止)할 것을 법원에 청구할 수 있다.

● **법인이사회 소집**

○ 이사회 소집권자

- 원칙적으로 대표이사가 소집하고 그 의장이 됨(직권소집)

- 재적이사 과반수이상이 회의 목적을 제시하여 소집을 요구한 때 또는 법인감사가 법인의 업무와 재산상황을 감사한 결과 불법부당한 점이 있음을 발견하여 이사회 소집을 요구한 때는 소집요구일로부터 20일이내 이사회를 소집

- 예외 :

○ 대표이사가 궐위되거나 이를 기피함으로써 7일이상 이사회 소집이 불가능한 때에는 재적이사 과반수의 찬동으로 시.도지사의 승인을 받아 이를 소집할 수있음

○ 시.도지사의 승인을 얻고자 할 때에는

- 이사회 소집이 불가능한 사유와 이를 증명하는 서류

- 재적이사 과반수의 찬동을 증명하는 서류

- 이사회를 소집 못함으로 인해 예상되는 손해의 구체적인 사실을 증명하는 서류를 첨부하여 시.도지사에게 제출

- 이사회 소집에 대한 시.도지사의 승인은 대표이사의 궐위나 기피가 명백하고 법인 운영에 긴급한 이사회 의결이 필요한 안건이 있는 경우에 한함

○ 궐위 또는 기피 시에는 정관이 정하는 이사가 이사회를 주재

- 이사 정원이 7명미만인 경우에는 임시이사를 추천받아 이사회 개최(만약 위반시 의결은 무효가 됨)

출처 2023년 사회복지법인관리(보건복지부, p37)

● 이사회 소집 통보

○ 적어도 회의 개최 7일 전에 회의 목적(안건 등)을 구체적으로 밝혀 각 이사에게 알려야 함.

○ 이사회 개최 통보는 각 이사의 통보 사실을 확인할 수 있는

등기우편이나 전자우편 등으로 통보

- 공익법인법 제8조와 민법에 문서는 도달주의 원칙으로 한다

○ 공익법인법 제10조에 따라 감사의 직무에 해당하는 사항에 대해서는 이사회 개최 통지 시 이사뿐만 아니라 감사에게도 이사회 개최사항을 통지

● 의결 정족수(공익법인법 제9조)

○ 이사의 의사는 정관에 특별한 규정이 없는 한 재적 이사의 과반수의 찬성으로 의결

○ 표결 및 발언권 등에 있어서 각 이사는 평등한 의결권을 가지며, 이사회의 의사는 서면결의에 의할 수 없음.

○ 이사회 의결은 대한민국 국민인 이사가 출석 이사의 과반수가 되어야 함.

○ 이사회의 대리의결은 허용되지 않음.

● 현) 이사장 사임과 새로운 이사장 선임

○ 현 이사장 주재로 이사회에서 새로운 이사를 선임하고,

○ 현 이사장의 사임후 정관에서 정하는 이사가 이사회의 임시의장으로 신임이사장 선임과 현 이사장의 이사 사임을 개별 안건으로 진행하시면 가능합니다

○ 이사회 회의록 날인은 이번 회의에는 신임이사는 날인하지 아니합니다

○ 안건은 순서대로 개별 안건으로 심의 의결하시면 됨

● 이사회 회의록 날인 및 간인(사회복지사업법 제25조)

○ 출석임원 전원이 회의록 및 회의 조서 마지막 장에 날인함.

○ 날인은 반드시 인감일 필요는 없으며, 기명란에 자필 서명 후 일반날인 또는 기명란에 기명후 날인 부분에 자필서명도 가능

○ 감사는 직무상　회의 참석여부와 관계없이 회의록에 기명날인

하여야 한다.

○ 법인의 인감은 법인대표이사의 인감말고는 법인사무국에 인감 증명 1통정도 받아두시면 되며, 회의록에 반드시 인감을 날인할 필요는 없습니다

○ 이사회 회의록은 중요문서로서 부득이 수정사항이 발생되면 구체적인 재작성 사유를 회의록에 기재하고 참석이사 전원의 날인을 받아야 함

● 이사회 전차 회의록 보고

○ 전차 회의록을 확인한다는 의미임

○ 보통 전회의록을 낭독하고 대표이사가 전회으록에 대해 의견을 묻고 이의가 있는지 묻습니다

○ 이의가 없다고 하면 금일 이사회 안건을 진행하시면 됨

● 이사회 회의록의 공개(사회복지사업법 제25조)

○ 회의록은 회의일로부터 10일 이내에 법인 인터넷 홈페이지 또는 시, 군, 구에서 지정하는 인터넷 홈페이지에 3개월간 공개

○ 회의록 공개는 공개 시 "공공기관의 정보공개에 의한 법률" 제9조 제1항을 준용

● 회의록의 비공개사항

(「공공기관의 정보공개에 관한 법률」 제9조제1항제4호부터 제8호 준용)

① 진행중인 재판에 관련된 정보와 범죄의 예방, 수사, 공소의 제기 및 유지, 형의 집행, 교정, 보안처분에 관한 사항으로서 공개될 경우 그 직무수행을 현저히 곤란하게 하거나 형사피고인의 공정한 재판을 받을 권리를 침해한다고 인정할 만한 상당한 이유가 있는 정보

② 감사·감독·검사·시험·규제·입찰계약·기술개발·인사관리·의사 결정과정 또는 내부 검토과정에 있는 사항 등으로서 공개될

경우 업무의 공정한 수행이나 연구·개발에 현저한 지장을 초래한다고 인정할 만한 상당한 이유가 있는 정보

③ 당해 정보에 포함되어 있는 이름·주민등록번호 등 개인에 관한 사항으로서 공개될 경우 개인의 사생활의 비밀 또는 자유를 침해할 우려가 있다고 인정되는 정보. 다만, 다음에 열거한 개인에 관한 정보는 제외한다.

　가. 법령이 정하는 바에 따라 열람할 수 있는 정보

　나. 사회복지법인이 공표를 목적으로 작성하거나 취득한 정보로서 개인의 사생활의 비밀과 자유를 부당하게 침해하지 않는 정보

　다. 사회복지법인이 작성하거나 취득한 정보로서 공개하는 것이 공익 또는 개인의 권리구제를 위하여 필요하다고 인정되는 정보

　라. 직무를 수행한 사회복지법인 임직원의 성명·직위

　마. 공개하는 것이 공익을 위하여 필요한 경우로써 법령에 의하여 국가 또는 지방자치단체가 업무의 일부를 위탁 또는 위촉한 개인의 성명·직업

④ 법인·단체 또는 개인(이하 "법인 등"이라 한다)의 경영·영업상 비밀에 관한 사항으로서 공개될 경우 법인 등의 정당한 이익을 현저히 해할 우려가 있다고 인정되는 정보. 다만, 다음에 열거한 정보를 제외한다.

　가. 사업활동에 의하여 발생하는 위해로부터 사람의 생명·신체 또는 건강을 보호하기 위하여 공개할 필요가 있는 정보

　나. 위법·부당한 사업활동으로부터 국민의 재산 또는 생활을 보호하기 위하여 공개할 필요가 있는 정보

⑤ 공개될 경우 부동산 투기·매점매석 등으로 특정인에게 이익 또는 불이익을 줄우려가 있다고 인정되는 정보

　출처 : 2020 사회복지법인관리안내(보건복지부.p28)

◆ **이사회 소집관련 (판례)**

○ (대법원 1994.9.23 선고 94다35084 판결)

사회복지법인의 이사회가 특정 이사에게 적법한 소집통지를 하지 아니하여 그 이사가 출석하지 아니한 채 개최되었다면 그 이사회 결의는 무효

○ (대법원 2005.5.18 선고 2004마916 판결)

사회복지법인의 정관에 이사회의 소집통지시 회의의 목적을 명시하도록 정하고 있음에도 일부 이사가 참석하지 않은 상태에서 소집통지서에 회의의 목적사항을 명시한 바 없는 안건에 관하여 이사회가 결의하였다면, 적어도 그 안건과 관련하여서는 불출석한 이사에 대하여는 정관에서 규정한바 대로의 적법한 소집통지가 없었던 것과 다를 바 없으므로 그 결의 역시 무효

○ (대법원 2008.7.10. 선고2007다78159 판결)

사회복지법인 이사회 소집통지 당시에 명시되지 아니한 이사해임안건이 이사회에 상정된 경우, 당해 이사를 포함한 재적이사 전원이 출석하여다는 사정만으로 소집절차 위반의 하자가 치유될 수 없음

출처 2023년 사회복지법인 관리안내(보건복지부, p38)

● 법인 이사회 운영

○ 공익법인법 제9조에 따라 사회복지법인 이사회의 의결 정족수는 이사회 의사는 정관에 특별한 규정이 없는 한 재적이사 과반수의 찬성으로 의결

○ 표결 및 발언권 등에 있어 각 이사는 평등한 의결권을 가지며, 이사회 의사는 서면결의에 의할 수 없음.

○ 이사의 의결권은 대리하여 행사할 수 없음.

○ 감사는 이사회 참석하여 발언은 할 수 있으나, 의결권은 없음.

○ 이사회는 소집 관련 통지(심의 의안을 포함)를 적어도 7일 전에 하여야 한다. (등기우편 발송)

○ 이사회 회의록의 작성 및 공개 : 회의일로부터 10일 이내에 법인홈페이지에 게시하고 게시일로부터 3개월간 공개

출처 : 복지법인시설 실무카페

● 이사회 회의록 참석 날인 거부시

○ 이사회 회의록은 사회복지사어법 제25조 및 시행령 제10조의2에 따라 작성하고 공개하여야 함

○ 이사회는 회의록에 개의, 안건, 의사, 출석한 임원, 표결수 등 대표이사가 작성할 필요가 있다고 인정하는 사항을 기재하여야 함

○ 출석임원 전원이 회의록 및 회의조서 마지막 장에 날인하여야 하며, 만약 참석 임원중 날인을 거부하는 분이 있는 경우, 날인 거부자의 성명과 구체적인 날인거부 사유를 기재하고, 나머지 임원 연명으로 날인하시면 됩니다.

○ 그러나 중요한 사항은 이사회 참석 임원이 이사회 날인거부 사태가 발생한다는 것은 이사회 운영에 적법성내지는 분쟁의 소지가 있으므로, 법인이사회 개최진행에 대한 적법성 여부에 대한 세밀한 검토가 필요함

○ 참석이사 7명중 4명이 서명한 이사회 회의록의 효력은 발생함

● 이사회 제출 안건 상정 취소 방법

○ 이사장이 안건을 직권 상정하지 아니하면 됩니다만, 사전에 참석 이사한테 미상정 사유를 설명하고 회의록에 근거를 남겨야 합니다

11. 법인에 대한 행정처분(사회복지사업법 제26

조)
● 시정명령 또는 설립허가 취소

시·도지사는 다음 각 호의 어느 하나에 해당하는 때에는 기간을 정하여 시정명령을 하거나 설립허가를 취소를 할 수 있음.

○ 거짓이나 그 밖의 부정한 방법으로 설립허가를 받았을 때(의무적 허가 취소)
- 설립허가 조건을 위반하였을 때
- 목적사업외의 사업을 하였을 때
- 정당한 사유 없이 설립허가를 받은 날로부터 6개월 이내에 목적사업을 시작하지 아니하거나 1년 이상 사업실적이 없을 때
- 법인이 운영하는 시설에서 반복적으로 또는 집단적 성폭력범죄 및 학대관련 범죄가 발생
○ 법인 설립 후 기본재산을 출연하지 아니한 때(의무적 허가취소)
- 임원의 정수를 위반한 때
- 외부추천이사를 위반하여 이사를 선임한 때
- 임원의 해임명령을 이행하지 아니한 때
- 그 밖에 이 법 또는 이 법에 따른 명령이나 정관을 위반하였을 때

● 임원에 대한 해임명령(사회복지사업법 제22조)

○ 시. 도지사의 명령을 정당한 이유 없이 이행하지 아니하였을 때
○ 회계부정이나 인권침해 등 현저한 불법행위 또는 그 밖의 부당행위 등이 발각 되었을 때
○ 법인의 업무에 관하여 시도지사에게 보고할 사항에 대하여 고

의로 보고를 지연시키거나 거짓으로 보고를 하였을 때

○ 그 밖에 이 법 또는 이 법에 따른 정지명령을 이행하지 아니한 사람

○ 해임명령을 받은 법인은 2개월이내에 임원의 해임에 관한 사항을 의결하기 위한 이사회를 소집하여야 한다(사회복지법 제22조제3항)

◆ 일정한 법규 위반 사실에 관하여 형사판결 확정 전에 한 행정처분의 적부 (판례)

○ 행정처분과 형벌은 각각 그 권력적 기초, 대상, 목적이 다르다. 일정한 버규 위반 사실이 행정처분의 전제사실이자 형사법규 위반 사실이 되는 경우에 동일한 행정행위에 관하여 독립적으로 행정처분이나 형벌을 부과하거나 이를 병과할 수 있다. 법규가 예외적으로 향사소추 선행 원칙을 규정하고 있지 않은 이상 형사판결 확정에 앞서 일정한 위반사실을 들어 행정처분을 하였다고 절차적 위반이 있다고할 수 없다

- 국민권익위원회 행심 2012-235, 2012.08.21. (대법원 선고 85누 1002. 1986.7.08.)

12. 법인의 파산(민법 제79조)

○ 법인이 채무를 변제할 수 없는 상태, 즉 채무초과가 된 때에는 이사는 지체 없이 파산을 신청해야 함.

○ 법인의 파산원인은 단순한 채무 초과로써 충분(채무자 회생 및 파산에 관한 법률)

○ 부채라 함은 차입금을 포함하여 임대보증금 등이 포함되므로 차입금 과다 또는 임대사업을 수행 중인 법인 등은 파산 대상 유무에 대한 검토가 필요함.

13. 공익법인등의 국세청 홈택스 신고사항(공시) (사회복지법인 포함)

● 공익법인 의무이행 관련 홈택스 신고사항

제 목	내 용	근거 법령	제출 기한
○ 의무공시대상	- 모든 공익법인 (종교법인 제외) (다만, 자산5억원미만,, 수입금액 3억원 미만인 소규모 법인은 간편 서식으로 공시)	상증법 제50조의3, 시행령 제43조의3	사업연도 종료일로 부터 4개월이 내
○ 공익법인 외부회계 감사	- 자산 100억원이상, - 해당 사업연도 수입금액 등 50억원이상 또는 기부금 모금액 20억원이상	상증법 제50조 제3항 시행령 제43조 제3항	사업연도 종료일로 부터 4개월이 내
○ 공익법인 주요 신고 사항	- 출연재산 등에 보고서 제출	상증법 제48조 제5항, 시행령 제41조	사업연도 종료일로 부터 4개월이 내
	- 외부전문가의 세무확인서 보고	상증법 제50조 제1항, 시행령 제43조	사업연도 종료일로 부터 4개월이내
	- 결산서류 등 공시(다만 총자 산액 5억미만의 경우 제외)	상증법 제50조의3 시행령 제43조의3	사업연도 종료일로 부터 4개월이내
	- 기부금 모금액 및 활용실적공개	법인세법 시행령 제39조 제5항	사업연도 종료일로 부터 4개월이내

제 목	내 용	근거 법령	제출 기한
	- 기부금영수증발급명세서 제출	법인세법 제112조의2	사업연도 종료일로 부터 6개월이내
	- 기부금단체의 의무이행여부 보고	법인세법시 행령 제39조제6 항	사업연도 종료일로 부터 4개월이 내
○ 공익법인의 범위	- 공익법인 등(사회복지법인)	상증법 제16조제1 항 시행령 제12조	

※ 국세청 홈택스 신고의무를 위반하면 가산세 부과됨

◆ **공익법인 결산서류 공시의무(질의응답)**

안녕하세요. 항상 국세행정에 대한 관심과 협조에 감사드리며, 답변내용이 도움이 되었으면 합니다.

○ 귀하의 민원내용은 "무실적 공익법인의 결산서류 공시의무"에 관한 문의로 확인됩니다.

○ 실적이 없는 공익법인이라고 해도 공익법인의 요건에 해당한다면 결산서류 공시의무가 있으므로, 실적이 없더라도 무실적임을 결산서류에 명시하여 공시하여 주시기 바랍니다. 단, 총자산가액이 5억원 미만이면서 해당 과세기간 또는 사업연도의 수입금액과 그 과세기간 또는 사업연도에 출연받은 재산의 합계액이 3억원 미만인 공익법인은 간편서식으로 공시할 수 있으니 참고 부탁드립니다.

○ 앞으로도 국세행정에 대한 지속적인 관심과 협조를 보내주시기 바라며, 이와 관련하여 궁금하신 사항은 국세상담센터 상담전화

☎126번으로 전화상담을 하시거나, 국세청홈택스
(http://hometax.go.kr)홈페이지의 인터넷상담 바로가기를 클릭하여
상담할 수 있음을 알려드립니다.

2021-11-19

담당부서
국세청 중부지방국세청 수원세무서 납세자보호담당관
관련법령
상속세 및 증여세법 / 제50조의3(공익법인등의 결산서류등의 공시의
무)

● 공익법인의 국세청 홈택스 신고 자료 제출

○ 상속세 및 증여세법에 따라 공익법인인 사회복지법인은 매년
관할세무서에 사업연도 종료일로부터 4개월이내 아래 사항
보고서를 제출(홈택스)하여야 합니다.

1) 공익법인 결산 재무제표 공시(기부금 수입사용 내역 포함)
(법인, 시설, 수익 포함) (상증법 제50조의3 및 시행령
제43조의3)

2) 공익법인 출연 재산에 대한 보고(상증법 제48조제5항 및 시행
령 제41조)

3) 법인 전용통장 개설계좌 신고 (상증법 제50조의2)

★ 제출방법은 국세청 홈택스를 사용하면 됩니다만 무엇보다도 법
인 통합 재무제표가 잘 되어 있어야 가능합니다. 법인에서는 꼭
참고하세요.

★ 그리고 사회복지법인.시설 재무회계규칙에 따른 예.결산보고서의
주무관청에 제출은 당연히하여야 합니다.

출처 : 복지법인시설 실무카페

◆ 공익법인의 보조금이 수입금액에 수입금 범위에 포함되는지
여부

1. 안녕하십니까? 귀하께서 국민신문고를 통해 질의하신
   민원(신청번호 : 1AA-2010-0561284)에 대해 안내드립니다.
2. 먼저, 정부 정책에 관심을 가지시고 소중한 질의를 주신데 대하여 감사드립니다.
3. 귀하의 질의는 "수익금 범위에 정부의 보조금 수입이 포함되는지 여부"에 관한 것으로 이해됩니다.
4. 귀하의 질의사항에 대해서 검토한 의견은 다음과 같습니다.
   ○ 상속세 및 증여세법 제50조 제3항에 따라 공익법인등은 과세기간별 또는 사업연도별로 「주식회사 등의 외부감사에 관한 법률」 제2조제7호에 따른 감사인에게 회계감사를 받아야 하지만 자산 규모 및 수입금액이 대통령령으로 정하는 규모 미만인 공익법인등의 경우에는 그러하지 아니합니다.
   ○ 한편, 상속세 및 증여세법 시행령 제43조 제3항에 따르면 법 제50조제3항제1호에서 "대통령령으로 정하는 규모 미만인 공익법인 등"이란 회계감사를 받아야 하는 과세기간 또는 사업연도의 직전 과세기간 또는 직전 사업연도의 총자산가액 등이 다음 각 호를 모두 충족하는 공익법인등을 말합니다.
1. 과세기간 또는 사업연도 종료일의 재무상태표상 총자산가액(부동산인 경우 법 제60조·제61조 및 제66조에 따라 평가한 가액이 재무상태표상의 가액보다 크면 그 평가한 가액을 말한다)의 합계액이 100억원 미만일 것
2. 해당 과세기간 또는 사업연도의 수입금액과 그 과세기간 또는 사업연도에 출연받은 재산가액의 합계액이 50억원 미만일 것
3. 해당 과세기간 또는 사업연도에 출연받은 재산가액이 20억원 미만일 것
   ○ 이때의 수입금액은 해당 공익사업과 관련된 「소득세법」에 따른 수입금액 또는 「법인세법」에 따라 법인세 과세대상이 되는 수익사업과 관련된 수입금액을 말하므로 보조금이 당 공익사업과 관련된 「소득세법」에 따른 수입금액 또는 「법인세법」에 따라 법인세 과세대상6이 되는 수익사업과 관련된 수입금액에 포함되는지 여부에 따라 판단할 사항이며, 그에 대

14. 공익법인 등의 외부 세무확인

○ 공익법인(사회복지법인포함) 등은 사업연도별로 출연받은 재산
   의 공익목적사업 사용여부에 대하여 2명의 변호사, 공인회계
   사, 또는 세무사를 선임하여 사업연도 종료일로부터 2개월 이
   내에 세무확인을 받아야 한다. 다만, 다음에서 정하는 공익법
   인 등은 세무확인을 받지 않아도 된다.

○ 사업연도 종료일 현재 대차대조표상 총 자산가액의 합계액이
   5억원 미만인 공익법인 등. 다만, 해당 사업연도의 수입금액
   과 그 사업연도에 출연받은 재산가액의 합계액이 3억원 이
   상인 공익법인 등은 제외

○ 불특정다수인으로부터 재산을 출연받은 공익법인 등(출연자 1
   명과 그의 특수관계인이 출연한 출연재산가액의 합계액이 공
   익법인 등이 출연받은 총재산가액의 100분의5에 미달하는
   경우에 한함).

○ 국가나 지방자치단체가 재산을 출연하여 설립한 공익법인 등으
   로서 감사원의 회계 검사를 받은 경우

● **외부전문가의 세무확인을 받은 공익법인 등은 세무확인 보고
   서를 해당 공익법인 등이 사업연도의 종료일로부터 4월이내**

에 관할 세무서장에 보고하여야 한다.

● 과세기간 또는 사업연도의 종료일 현재 대차대조표 상 총자산가액이 5억원 이상이거나 해당 사업연도의 수입금액과 출연받은 재산가액의 합계액이 3억원 이상인 공익법인 등은 외부전문가의 세무확인을 받아야 하는 것임.

● 상속세 및 증여세법 제50조 및 같은 법 시행령 제43조 규정과 관련임.

출처 : 복지법인시설 실무카페

15. 공익법인이 외부회계감사(상증법 제50조)

● 외부회계감사대상

아래 요건 중 하나라도 해당되는 경우로

○ 직전 사업연도 종료일의 대차대조표상 총 자산가액이 100억원이상

○ 직전 사업연도의 연간 수입금액과 연간 출연받은 재산가액을 합산하여 합계가 50억원이상인 경우

○ 직전 사업연도의 연간 출연받은 재산가액이 20억원 이상

○ 사업종료일로부터 4개월이내에 감사보고서를 완료해야 한다

16. 보조사업자의 특정회계 감사보고서 제출

○ 지방보조금법 제18조에 따라 특정보조사업자가 회계감사 대상에 해당하는 경우 감사인(공인회계사 등)의 감사를 받아야 한다.

○ 이때 같은 지방보조금법 시행규칙에서 정하는 감사보고서를 지방자치단체의 장과 법인에 제출하여야 한다.

- 2년이상 계속하여 지방보조금을 교부받은 특정보조사업자로서 직전 회계연도에 감사보고서를 제출한 경우에는 해당 연도에 대한 감사보고서의 작성.제출을 생략할 수 있음

● 법인 감사보고서 작성

○ 사회복지법인은 임원 중 감사 2인 이상을 반드시 두어야 하고, 사회복지법인, 시설 재무회계규칙 제42조에 따라 법인의 감사가 법인과 법인이 운영하는 시설에 대한 매년 1회 이상 감사를 실시하는 것입니다.

○ 감사 중 1인은 법률 또는 회계에 관한 지식에 관한 사람이 있는 사람이어야 한다고 법률(사회복지사업법 제18조 제7항)에 규정되어 있으므로 반드시 세무사나 회계사일 필요는 없습니다.

○ 감사보고서는 감사가 작성, 날인하는 것이므로 감사 이외의 자는 감사의 자격이 없으며, 감사와 지도점검은 구분되어야 합니다.

다만, 법인의 직원이 감사를 보조하여 감사에게 의견을 제시할 수는 있을 것입니다. 출처 : 한국사회복지관협회 홈페이지

※ 참고사항

○ 사회복지사업법 제18조 및 시행령 제10조에 따라 법인 및 시설을 포함한 직전 3회계연도의 평균세입결산액이 30억원을 초과하는 경우, 감사인으로 공인회계사 1인 이상이 되어야 합니다(추천 : 주무관청이 공인회계사협회 협조).

○ 세입세출결산서 작성 보고서상 "감사보고서"는 필수 첨부서류입니다. 법인의 재무제표는 법인회계 및 수익회계, 시설회계를 총괄하여 작성하여야 합니다.

◆ 법인감사와 보조사업 특정회계감사는 별개(질의응답)

○ 노인일자리사업 보조금 집행 정산에 대한 감사방법
○ 보조금법 제27조의2 1항에 따른 노인일자리 감사보고서를 사회복지

법인 및 시설 재무회계규칙 제42조1항에 의한 감사보고서(법인감사)로 갈음할 수 있는지 여부?

(보건복지부 답변 내용)

○ 노인일자리 및 사회활동 지원사업에 대한 관심에 감사드립니다.

○ 귀하께서 질의주신 사회복지법인, 시설 재무회계규칙 제42조1항에 따른 감사보고서는 내부감사로서 보조금법 제27조의1항에 따른 보조금에 대한 감사와는 별개의 건으로 해당 법인 감사보고서에 포함하여 갈음 할 수 없는 사항임을 안내드립니다.

○ 답변내용에 대한 추가 문의사항이 있으실 경우
보건복지부상담센터(129) 또는 노인지원과 담당
주무관(044-202-3475)에게 연락주시면 친절히 안내해 드리도록
하겠습니다. 출처 보건복지부(인구정책실
노인정책관)(노인지원과)(2AA-2107-0751951)(2021.7.16.)
(044-202-3475)

● 법령상 외부회계감사 의무를 개별적으로 이행하여야 하는지 여부

○ 상속세 및 증여세법 제50조 제3항에 따른 외부감사대상 공익법인에 대하여, 공익법인법 시행령 제27조 제3항에 따라 외부회계감사를 받도록 하고

○ 보조금법 제27조의2에 따라 보조금액이 10억원 이상 경우 감사인이 해당 회계연도를 기준으로 작성한 보고서를 보조금 또는 간접보조금을 교부한 중앙관서의 장에게 제출하여야 함.

○ 해당 회계연도를 기준으로 한 감사보고서를 작성한다는 면에서 동일하므로 각각 별개의 감사보고서를 작성할 필요는 없음

출처 : 2020년도 부산시 사회복지법인, 시설 업무가이드

◆ 사회복지법인의 감사중 1인 궐위시 1인 단독 감사가 가능한지?(질의응답)

2023-01-13

(답변내용)

안녕하십니까. 귀하께서 [국민신문고이관민원]를 통해 신청하신 민원 (접수번호164274)에 대한 검토 결과를 다음과 같이 알려드립니다.

귀하의 민원 내용은 "사회복지법인의 (임원인) 감사 중 1인의 궐위 시 1인 단독 감사가 가능한가"에 대한 것으로 판단됩니다.

해당 내용에 대하여 보건복지부에 질의하였으며 그 답변은 아래와 같습니다.

(보건복지부 사회서비스자원과-173(2023.01.13.)호)

○ 「사회복지사업법」제18조제1항에서는 감사를 2명 이상 두어야 한다고 규정하고 있으며, 감사 정수 미달 시 같은 법 제26조제1항제8호에 해당되어 법인의 설립허가 취소사유가 될 수 있음에 유의해야 하는 바,

법인은 같은 법 제20조에 따라 2개월 이내에 감사를 보충하여 법인 감사 및 이사회를 개최하여야 함.

○ 따라서, 사회복지법인의 감사가 궐위되었을 경우 2개월 이내에 보충할 수 있으나 감사(업무)의 수행은 (임원인) 감사의 보충 후 이루어져야 하며 「사회복지사업법」제18조제1항의 이행을 위하여 이사회 개최 시에도 감사의 인원이 충족되어야 합니다.

○ 또한, 결산보고서의 제출기한 및 결산보고서에 첨부하여야 하는 서류는 「사회복지법인 및 사회복지시설 재무·회계규칙」(보건복지부령) 제19조 및 제20조에 규정된 사항으로 임의 조정은 어려울 것으로 판단됩니다.

○ 귀하의 질문에 만족스러운 답변이 되었기를 바라며, 답변 내용에 대한 추가 설명이 필요한 경우 부산광역시 복지정책과 문*진 주무관 (☎888-3162)에게 연락주시면 성심껏 안내해 드리겠습니다. 감사합니다.

처리기관 부산광역시 (부산광역시 사회복지국 복지정책과)

처리기관 접수번호2AA-2301-0030609   담당자(연락처)문*진 (051-888-3162)

17. 사회복지법인 비치서류

● 보건복지부 지침, 재무회계규칙 등에 규정된 법인의 비치 서류(법인관리 p.63)
   ○ 정관(영구)
   ○ 임원 명부(임원의 성명, 약력, 주소 등 기재)(영구)
   ○ 재산목록(기본재산과 보통재산 구분)(영구)
   ○ 회의록(총회, 임시이사회 등)(영구)
   ○ 당해 회계연도 사업계획서, 직전 회계연도의 사업실적서(10년)
      - 예산서, 결산서(추정손익계산서 및 추정대차대조표와 그 부속명세서 첨부)
   ○ 현금 및 물품의 출납대장
   ○ 보조금을 받는 경우 보조금관리대장
   ○ 자산 및 회계에 관한 증빙서류

● 법인 정관에 규정된 임직원의 임용 복무 보수 등에 관한 규정
   ○ 기타 재무회계규칙상 구비서류(시설 보관 서류 참조)

● 서류의 보존기간
   ○ 「사회복지사업법」에는 보존기간에 대한 별도의 규정 없으며 비치하여야 할 서류 목록만을 규정하고 있음. ➔ 다만 정관, 허가증, 신고증 등은 영구히 보존
      ※ 「사회복지사업법」상 법 제37조를 위반하여 시설에 갖추어야 할 서류를 두지 않은 경우 과태료 50만원의 부과 대상임.

● 타 법에 의한 서류의 보존기간
   ○ 「상속세 및 증여세법」에 의한 규정(제51조)

- 공익법인은 장부와 중요한 증명서류는 해당 공익법인의 소득세 과세기간 또는 법인세 사업연도의 종료일로부터 10년간 보존하여야 함.
- 위 조항에 의한 장부는 출연받은 재산의 보유 및 운용상태와 수익사업의 수입 및 지출 내용의 변동을 계산서와 영수증 등에 의하여 빠짐없이 보관해야함. 사회복지법인은 「상속세 및 증여세법」에 의한 공익법인 등의 범위에 포함됨

「사회복지사업법」의 규정에 의한 사회복지법인이 운영하는 사업 (상증령 제12조 3호)

○ 「보조금 관리에 관한 법률」에 의한 규정
- 간접보조사업자(보조금을 지급받는 사회복지시설)는 간접보조사업의 수행과 관련하여 「감사원법」 제25조에 따른 계산서, 증거서류 및 계산서 또는 증거서류의 내용을 설명하기 위하여 필요한 서류를 5년간 보관하여야 함(시행령 제10조의 2). - 위 서류를 보존하지 아니한 경우에는 벌칙(1천만 원 이하 벌금) 대상임(제42조).

○ 「근로기준법」상 근로계약 관련 서류는 관련 기준일로부터 3년간 보관

「상속세 및 증여세법」에 의한 장부 미보존시 벌칙 규정
- 장부의 작성·비치의무를 이행하지 아니한 사업연도의 수입금액의 합계액과 그 사업연도에 출연받은 재산가액을 합친 금액에 1만분의 7을 곱하여 계산한 금액을 상속세 또는 증여세로 징수대상이 됨(상증법 제78조 5항).
- 다만, 사업년도 종료일 총자산가액이 10억원 미만인 법인 등에 대하여는 징수대상에서 제외 ➡ 제외대상에 대한 세부내역은 시행령 제78조9항 및 43조 2항 참조

17 부 록
◆ 사회복지법인 정관 준칙(안)

[붙임]

아래 정관예시 및 별지는 보건복지부의 법인관리안내(지침)에 명시된 내용을 기초로 작성되었으며 일부 내용은 관련 법령상의 내용을 반영하였습니다.

※ 사회복지법인 정관(예시)

제1장 총 칙

제1조(목적) 이 법인은 · · · · ·법의 규정에 의한 · · · · ·을 수행함으로써 · · · · · · · ·함을 목적으로 한다.

☞ 당해 법인의 특성에 따라 목적을 개괄적으로 기재

제2조(명칭) 이 법인의 명칭은 "사회복지법인" ○○○회·원·단(이하 "법인 회·원·단"이라 한다) 이라 칭한다.

☞ 사회복지법인의 명칭은 법인과 거래하는 제3자에게 혼란을 주지 않고, 향후 등기시 문제의 소지를 일으키지 않도록 다른 법인과 유사하거나 동일한 명칭을 사용하는 것을 지양하여야 함.

※ 동일명칭 확인방법 : 대법원 인터넷 등기소 → 등기열람/발급 → 법인 → 상호찾기

제3조(사무소의 소재지) ① 이 법인의 주된 사무소는 ○○시·도 ○○○시·군·구 ○○○로 ○○(○○○동, ○○○) 에 둔다.

② 이 법인은 민법 제50조의 규정에 의하여 다음과 같은 분사무소(지부)를 둔다.

1. ○○○분사무소 : ○○시·도 ○○○시·군·구 ○○○로 ○○(○○○동, ○○○) ○○○(사회복지시설) : ○○시·도 ○○○시·군·구 ○○○로 ○○ (○○○동, ○○○)

☞ 1) 분사무소가 없는 경우에는 제2항 불필요

2) 목적사업 수행과 무관하거나, 주무관청의 인가없이 설치된 분사무소는 폐지토록 시정 조치

3) 사무소의 소재지는 도로명주소까지 구체적으로 기입

※ 2014년부터는 기존 지번주소가 아닌 도로명주소만 법정주소로 인정

제4조(목적사업의 종류) ① 이 법인은 제1조의 목적을 달성하기 위하여 다음의 사업을 수행한다.

1. 국민기초생활보장법 제○○조의 ○○사업

2. 노인복지법 제○○조의 노인의료복지시설 중 무료노인요양시설 운영

3. 아동복지법 제○○조의 아동양육시설

☞ 1) 각종 시설 운영사업은 사회복지관계 법령에서 정하는 시설명칭을 사용

2) 지원법인의 목적사업 규정은 법령근거가 애매한 경우에 한하여 법령근거 생략 가능(사업명만 기재)

3) 정관상 명시된 목적사업 미수행시 해당 사업은 삭제대상임 (「사회복지사업법」 제26조 제1항 제5호)

4) 정관상 명시되지 않은 목적사업을 수행시 해당 사업을 추가하거나, 목적사업 외의 사업 수행에 대한 처분 대상이 될 수 있음(「사회복지사업법」 제26조 제1항 제4호)

5) 국가 · 지자체와의 위수탁계약을 통하여 운영하는 시설이나 수행하는 사업도 모

기재 I. 법인관리 37

제2장 자산 및 회계

제1절 자 산

제5조(자산구분) ① 이 법인의 자산은 기본재산과 보통재산으로 구분하되, 기본재산은 목적사업용 기본재산과 수익용 기본재산으로 구분하여 관리한다.

② 기본재산은 다음 각 호의 재산으로 하며, 평가가액에 변동이 있을

때에는 지체없이 정관 변경의 절차를 밟아야 한다.

1. 설립당시 기본재산으로 출연한 재산
2. 부동산
3. 이사회의 결의에 의하여 기본재산으로 편입된 재산

③ 기본재산의 목록과 평가가액은 "별지 1"과 같다.

④ 기본재산 이외의 모든 재산은 보통재산으로 한다.

☞ 1) 설립당초의 기본재산은 반드시 <별지1>의 기본재산 목록에 등재되어야 함.

2) 시설운영을 목적으로 하지 않고 일정한 출연재산에서 얻어지는 과실로서 보호대상자에 대한 단순한 지원 등 사회복지사업을 지원하는 것을 목적으로 하는 경우에는 목적사업용 기본재산과 수익용 기본재산으로 구분하지 아니함(시행규칙 제12조 2항).

3) 기본재산의 목록은 정관의 일부로서 간인 필요

4) 기본재산 재평가를 실시한 경우 정관에 반영 (예) 기능보강사업 (증개축 등) 완료 후 재평가

제6조(자산의 관리) ① 기본재산을 매도·증여·교환·임대, 담보제공 또는 용도변경하거나 그 밖의 권리의 포기, 의무의 부담 등의 처분을 하고자 하는 때에는 이사회의 의결을 거쳐 주무관청의 사전허가를 얻어야 한다.

② 법인이 매수·기부채납·후원 등의 방법으로 재산을 취득한 때에는 지체 없이 이를 법인의 재산으로 편입조치 하여야 한다.

③ 제2항의 재산을 취득한 경우 법인은 그 취득사유, 취득재산의 종류·수량 및 가액을 매년 3월말까지 전년도의 재산취득상황을 주무관청에게 보고하여야 한다.

☞ 1) 법인 명의로 취득한 자산임에도 재산취득상황을 주무관청에 보고하지 않은 경우 「사회복지사업법」 제58조 제1항에 따라 과태료 처분대상임.

※ 부동산매매계약을 통하여 취득한 재산은 기본재산에 해당 (예) 콘도 이용권

④ 법인이 보건복지부령이 정하는 금액 이상을 장기차입 하고자 하는 때에는 주무관청의 허가를 받아야 한다.

⑤ 기본재산과 보통재산의 운영과 관리에 관하여는 법령과 이 정관에 따로 정한 경우를 제외하고는 별도의 규정이 정하는 바에 의한다.

☞ 「공익법인의 설립·운영에 관한 법률 시행령」 제16조 제3항에 따라 과도한 보통재산이 있는 경우에는 기본재산으로 편입

제7조(경비와 유지방법) 이 법인의 운영비는 기본재산에서 발생하는 과실, 수익사업의 수익금, 기부금과 그밖의 수입으로 충당한다.

제2절 회 계

제8조(회계의 구분 등) 이 법인의 회계는 법인에 속하는 법인회계와 시설운영에 속하는 시설회계 수익사업에 속하는 수익사업회계로 구분한다.

제9조(회계의 처리) 이 법인의 회계처리는 「사회복지사업법」 및 관계법규에서 따로 정한 경우를 제외하고는 별도의 규정이 정하는 바에 따른다.

제10조(회계연도) 이 법인의 회계연도는 정부의 회계연도에 따른다.

제11조(사업계획 및 예산) 이 법인의 매 회계연도의 사업계획 및 예산은 대표이사가 매 회계연도 개시 5일전까지 이사회의 의결을 거쳐 "사회복지법인 및 사회복지시설 재무·회계규칙(보건복지부령)"이 정하는 서류를 첨부하여 주무관청에 제출하여야 한다.

☞ 1) 사회복지법인 및 사회복지시설 재무·회계규칙 제10조 제2항에 따라 5일전까지 주무관청에 제출

2) "사회복지법인 재무회계규칙"으로 되어 있는 경우, 현행 명칭인 "사회복지법인 및 사회복지 시설 재무·회계 규칙"으로 개정 → 이하 동일

제12조(사업실적 및 결산) 이 법인의 매 회계연도의 사업실적 및 결산은 회계연도가 끝난 후 1월 이내에 대표이사가 작성하여 감사의 감사를 거친 후 이사회의 의결을 거쳐 "사회복지법인 및 사회복지시설 재무·회계규칙(보건복지부령)"이 정하는 서류를 첨부하여 3월 31일까지 주

무관청에 제출하여야 한다.

제13조(잉여금의 처리) 이 법인의 매회계년도 결산 잉여금은 차입금 상환 또는 다음 회계연도에 이월 사용하는 것을 원칙으로 하되, 이사회의 결의에 의하여 특정한 사업을 위한 기금으로 적립할 수 있다.

☞ 특정사업기금을 적립하고자 하는 경우 재무회계규칙 제18조에 따라 구청장·군수에게 사전 승인을 받아야 함.

제14조(예산외의 채무부담) 수지예산으로서 정한 것 이외의 의무부담 또는 권리의 포기는 이사회의 의결을 거쳐야 한다.

제3장 임 원

제15조(임원의 종류와 정수) 이 법인은 다음의 임원을 둔다.

1. 대표이사 1인
2. 상임이사 1인
3. 이사 7인(대표이사 및 상임이사 포함)
4. 감사 2인

☞ 1) 대표이사의 명칭은 회장 등의 명칭을 붙이는 것도 가능

2) 상임이사의 직이 필요한 때에는 상임이사를 두되, 필요가 없는 때에는 두지 아니하여도 됨.

3) 이사의 정수는 7인이상 감사는 2인이상으로 하고, 업무의 심의에 적정한 수를 확정적으로 기재하되, 약간인 또는 7인 이상 10인 이하 등으로 표기할 수 없음.

제16조(임원의 선임) ① 대표이사, 이사 및 감사는 이사회에서 선출한다.

② 상임이사는 대표이사가 선임된 이사 중에서 지명하여 이사회의 의결을 거쳐 선임한다.

③ 이사 정수의 1/3(소수점 이하는 버림) 이상은 사회보장위원회 또는 지역사회보장협의체에서

추천을 받아 이사회의결을 거쳐 선임한다.

④ 이사를 임면하는 경우에는 보건복지부령이 정하는 바에 의하여 지체없이 이를 주무관청에 보고하여야 한다.

⑤ 감사 중 1명은 법률 또는 회계에 관한 지식이 있는 사람 중에 선임한다. 다만, 감사 선임 당시 법인(법인이 설치·운영하는 사실을 포함한다)의 직적 3회계연도의 세입결산서에 따른 세입의 평균이 30억원 이상인 경우에는 주무관청의 추천을 받아 「주식회사의 외부감사에 관한 법률」 제3조 제1항에 따른 감사인에 속한 사람을 감사로 선임한다.

☞ 1) 대표이사는 선임된 이사 중에서 호선하여도 가능

2) 상임이사가 없는 때에는 제2항은 필요없음.

3) 상임이사의 선임방법은 달리하여도 됨.

제17조(임원선임의 제한) ① 이 법인은 이사 상호간의 관계에 있어서 「사회복지사업법」 제18조제3항의 규정에 의한 "특별한 관계에 있는 자"가 이사현원의 5분의 1을 초과할 수 없다.

② 감사는 감사 상호간 또는 이사와의 관계에 있어서 「사회복지사업법」 제18조제3항의 규정에

의한 "특별한 관계에 있는 자"가 아니어야 한다.

☞ 1) 「사회복지사업법」 제18조제2항(2012. 1. 26. 개정)으로 되어 있는 경우 제3항으로 개정

2) 특수관계자 비율이 3분의 1(2003. 7. 30. 개정)로 되어 있는 경우 5분의 1로 개정

3) 특수관계인 이사가 5분의 1을 초과하는 경우 「사회복지사업법」 제22조 제1항 제4호에 따라 임원 해임명령대상

제18조(임원의 임기 등) ① 이 법인의 대표이사 및 이사의 임기는 3년으로 하고 감사의 임기는 2년으로 하되, 연임할 수 있다.

② 임원중 결원이 생긴 때에는 2월 이내에 보충하여야 하며, 임기가 만료되는 임원의 후임자는 임기만료 1월 이전에 선임하여야 한다.

☞ 1) 임원의 법정임기를 초과하여 종신직으로 하는 것 등은 불가

2) 임기 중 사임, 해임 등 결원이 발생하여 선임된 임원의 임기는, 전임자의 잔여 임기로 할 수 없으며, 신규 임원과 동일한 임기동안 임무를 수행 (사회복지사업법 위반이므로 행정처분 대상임.)

제19조(임원의 결격사유) ① 「사회복지사업법」 제19조 각 호의 어느 하나에 해당하는 사람은 법인의 임원이 될 수 없다.

② 법인의 임원이 제1항의 사유에 해당할 때에는 그 직을 상실한다.

제20조(임원의 해임) ① 이 법인은 그의 임원에 대하여 「사회복지사업법」 제22조의 규정에 의한

시도지사의 해임명령을 받은 때에는 지체 없이 해임하여야 한다.

☞ 「사회복지사업법」 개정에 따라 해임명령 권한이 보건복지부장관에서 시도지사로 이양됨

② 이 법인은 그의 임원이 다음 각호의 하나에 해당할 때에는 이사회의 의결을 거쳐 해임할 수 있다.

1. 법령, 법인의 정관 또는 규정에 위반한 때

2. 고의 또는 중대한 과실로 법인에 상당한 손해를 끼친 때

3. 직무태만·품위손상 기타 사유로 인하여 임원으로서 적당하지 아니하다고 인정되는 때

4. 기타 임원으로서의 능력이나 자질이 현저히 부족하다고 판단되는 때

제21조(임원의 직무) ① 대표이사는 이 법인을 대표하고, 제반 사무를 총괄하여 이사회의 의장이 된다.

② 상임이사는 대표이사를 보좌한다.

☞ 상임이사 규정이 없는 경우에는 위 조문은 불필요함.

③ 이사는 이사회를 구성하고, 이사회의 권한에 속하는 사항을 심의·의결한다.

④ 대표이사 유고시에는 대표이사가 지명하는 이사가 대표이사의 직무를 대행한다. 다만, 대표이사가 직무대행자를 지명하지 못한 경우에는 나머지 이사 중에서 연장자 순으로 그 직무를 대행한다.

⑤ 감사는 다음의 직무를 행한다.

1. 이 법인의 재산상황과 회계를 감사하는 일

2. 이사회의 운영과 그 업무에 관한 사항을 감사하는 일

3. 제1호 및 제2호의 감사결과 부정 또는 불비한 점이 있음을 발견하는 때에는 이를 이사회와 주무관청에 보고하는 일

4. 제3호의 보고를 하기 위하여 필요한 때에는 이사회의 소집을 요구하는 일

5. 그 밖에 이사회 운영과 그 업무에 관한 사항에 대하여 이사회에 참석하여 의견을 진술하는 일

제22조(대표권의 제한) 이 법인의 대표이사이외의 이사는 이 법인을 대표하지 않는다.

제23조(임원의 대우) 이 법인의 상임이사를 제외한 임원은 명예직으로 하되, 예산의 범위 안에서 임원의 활동에 필요한 실비를 지급할 수 있다.

제24조(겸직금지) ① 이사는 이 법인의 시설장을 제외한 직원을 겸할 수 없다.

② 감사는 이 법인의 이사, 시설장 또는 직원을 겸할 수 없다.

제4장 이사회

제25조(이사회 구성) ① 이 법인에 대표이사 및 이사로 구성되는 이사회를 둔다.

② 감사는 이사회에 출석하여 발언할 수 있다.

제26조(의결사항) 이사회는 다음 사항을 심의 · 의결한다.

1. 정관의 변경에 관한 사항

2. 제 규정의 제정 및 개정에 관한 사항

3. 법인 합병 및 해산에 관한 사항

4. 임원 임면에 관한 사항

5. 사업계획 · 실적 및 예산 · 결산에 관한 사항

6. 재산의 취득, 처분 및 관리에 관한 사항

7. 법인이 설치한 시설의 장의 임면에 관한 사항

8. 법인이 설치한 시설의 운영에 관한 사항

9. 수익사업에 관한 사항

10. 그밖에 법령이나 이 정관에 의하여 이사회의 권한에 속하는 사항

　　☞ 1) 법인 특성에 따라서 의결사항의 변동이 있을 수 있으나 기본

적으로 아래의 내용은 반드시 이사회의 심의로 결정되어야 함
(「공설법」제7조 1항)

- 공익법인의 예산, 결산, 차입금 및 재산의 취득·처분과
  관리에 관한 사항
- 정관의 변경에 관한 사항
- 공익법인의 해산에 관한 사항
- 임원의 임면에 관한 사항
- 수익사업에 관한 사항
- 그 밖에 법령이나 정관에 따라 그 권한에 속하는 사항

2) 지원법인의 경우에는 제7호 및 제8호는 해당되지 않음.

제27조(이사회의 소집 등) ① 이사회는 정기이사회와 임시이사회로 구분한다.

② 정기이사회는 매년 1월 중에 개최하고, 임시이사회는 대표이사가 필요하다고 인정하는 때 또는 재적이사 과반수가 회의의 목적을 제시하여 소집을 요구할 때와 감사가 소집을 요구할 때에 소집한다. ☞ 「공설법」제8조 2항에 따라 이사회 소집요건에 해당하는 이사수는 과반수임.

③ 이사회를 소집하고자 하는 때에는 대표이사가 회의목적을 명시하여 회의개최 7일 이전까지 각 임원에게 서면 또는 전자적 방법으로 통지하여야 한다.

④ 대표이사는 재적이사 과반수가 회의안건을 명시하여 소집을 요구한 때와 감사가 연서로 소집을 요구한 때로부터 20일 이내에 이사회를 소집하여야 한다.

제28조(이사회의 개의와 의결정족수) ① 이사회는 이 정관에서 따로 정한 바를 제외하고는 재적이사 과반수의 출석 및 찬성으로 개의 및 의결한다.

☞ 「공설법」제9조 1항에 따라 의결요건은 특별한 규정이 없는 한 재적이사 과반수의 찬성이 되어야 함.

② 이사회의 의사는 대리인이나 서면결의에 의할 수 없다.

☞ 2014년 사회복지법인 관리안내 개정으로 대리인에 의한 의사표시 제한

☞ 「공설법」 제9조 3항에 따라 이사회의 의사는 서면결의에 의하여 처리 불가

제29조(의결제척사유) 대표이사 또는 이사가 다음 각 호의 1에 해당하는 때에는 그 의결에 참여하지 못한다.

1. 임원 선임 및 해임에 있어서 자신에 관한 사항

2. 금전 및 재산의 수수를 수반하는 사항으로서 임원 자신이 법인과 직접 관계되는 사항

　　☞ 이사장이나 이사가 공익법인과 이해관계가 상반될 때에는 그 사항에 관한 의결에 참여하지 못함(「공설법」 7조 2항).

제30조(이사회 회의록) ① 이사회의 의사에 관하여는 회의록을 작성하여야 한다.

② 회의록에는 의사의 경과, 요령 및 결과를 기재하고, 의장과 참석임원 전원이 기명 인감 날인 하여야 한다.

☞ 참석이사 뿐만 아니라 감사도 이사회에 참석시 기명·인감 날인해야 함(법 제25조 2항)

③ 회의록은 회의일부터 10일 이내에 법인 홈페이지와 주무관청에서 지정하는 인터넷 홈페이지에 3개월간 공개하며, 법인 사무실에도 비치하여야 한다.

☞ 법인 홈페이지는 전부 공개되는 카페나 블로그도 가능

– 부산시의 개정 요구에 따라 보건복지부 <2015년 사회복지법인 관리안내>부터 반영

회원 가입 등 별도 절차를 거쳐야 열람이 가능한 경우에는 '공개'로 보지 않음.

제5장 수익사업

제31조(수익사업의 종류) ① 이 법인은 「사회복지사업법」 제28조의 규정에 의하여 법인의 목적사

업 수행에 지장이 없는 범위 안에서 다음의 수익사업을 할 수 있다.

1. 부동산 임대업(예시)

☞ 수익사업을 하고자 할 때에는 「공익법인 설립·운영에 관한 법률」 제4조 제3항에 의거 정관으로 정하는 바에 따라 사업마다 주무관청의 승인을 받아야 하며, 수익사업의 수행을 위한 정관변경 인가를 반드시 득한 후 수행

② 제1항의 수익사업을 경영하기 위하여 대표이사는 이사회의 의결을 거쳐 관리자 또는 책임자를 임명한다.

제32조 (수익의 처분 및 관리) 수익사업에서 얻어지는 순수익은 법인 목적사업에 충당하거나, 이사회의 결의에 의거 특정한 기금으로 적립할 수 있다.

☞ 수익을 목적외 사용시 법 제54조 제2호에 따라 1년 이하의 징역 또는 1천만원 이하의 벌금

☞ 법인사무국에서 별도의 사회복지사업을 수행하는 경우에 한하여 "법인의 운영"에 사용할 수 있도록 정관 변경 인가

제6장 사무조직 및 운영

제33조(사무국) ① 이 법인의 업무를 처리하기 위하여 법인사무국을 둔다.

② 사무국의 조직과 운영에 관하여는 별도의 규정으로 정한다.

제34조(상근임직원) ① 법인사무국 및 시설에는 필요한 상근임직원을 두되, 채용시 공개채용을 원칙으로 하고, 면접대상자와 「사회복지사업법」 제18조제3항에 의한 특별한 관계에 있는 자는 면접관으로 참여할 수 없으며, 법인 임원 및 산하 시설의 장과 특별한 관계에 있는 자는 재무·회계를 담당할 수 없다.

② 상근임직원의 임용·복무·보수 등에 관하여는 별도의 규정으로 정하며, 시설운영위원회 등을 활용한 채용 관련 규정을 반드시 포함하여야 한다.

③ 제2항의 규정에는 종사자의 정년을 규정한 인사규정이 반드시 포함

되어야 한다.

④ 제2항의 규정은 주무관청에 보고하여야 한다.

제7장 정관변경 및 해산

제35조(정관변경) 이 법인의 정관을 변경하고자 하는 때에는 재적이사 3분의 2이상의 의결을 거쳐 주무관청의 인가를 받아야 한다.

☞ 정관변경 인가에 대한 의결정족수를 재적이사 4분의3 이상으로 과도하게 설정하지 않도록 할 것.

제36조(해산 및 합병) 이 법인을 해산하거나 다른 법인과 합병하고자 하는 때에는 재적이사 4분의 3 이상의 의결을 거쳐 주무관청의 허가를 받아야 한다.

제37조(잔여재산의 귀속) 이 법인이 해산하는 때의 청산 후 잔여재산은 주무관청의 허가를 받아 국가 또는 지방자치단체에 귀속한다.

☞ 공익법인은 공익법인 설립·운영에 관한 법률시행령 제25조에 따라 잔여재산의 귀속주체를 국가 또는 지방자치단체로 명시하여야 함(잔여재산을 유사한 목적을 가진 법인에 무상대여, 무상 사용·수익할 수 있도록 할 수 있는 권리는 법인이 아니라 국가 또는 지자체에 있음).

제8장 공고방법

제38조(공고의 방법) ① 이 법인의 법령과 정관 및 이사회의 의결에 의하여 공고하여야 할 사항은 관할 지방자치단체 홈페이지 및 법인 홈페이지 등에 게시한다

② 제1항의 공고기간은 7일 이상으로 한다.

제9장 보 칙

제39조(준용규정) 이 정관에 규정하지 아니한 사항에 대하여는 사회복지사업법, 공익법인의 설립·운영에 관한 법령 및 민법과 그 밖의 관계법규를 준용한다.

제40조(운영규정) 이 정관시행에 관하여 필요한 사항은 별도의 운영규정

으로 정한다.

제41조(규정의 제·개정) ① 이 법인의 운영과 관련된 주요규정의 제·개정에 대하여는 이사회의 의결을 거쳐야 한다.

② 제1항의 내용 중 주요규정의 여부는 이사회에서 결정한다.

부 칙

① (시행일) 이 정관은 주무관청의 설립허가(설립 이후에는 정관변경인가)를 받은 날부터 시행한다.

☞ 정관의 시행일은 설립허가일, 설립 허가 후 정관 변경시에는 정관변경인가일임.

② (설립당시의 임원선임에 대한 경과조치) 이 법인 설립당시 발기인총회에서 선임된 임원은 이

정관에 의하여 선임된 것으로 본다.

③ (설립당시의 임원 등) 이 법인 설립당시의 임원 및 법인이 사용할 인장은 '별지 2' 내지 '별지 3'과 같다.

☞ 설립당시의 임원명부 및 인장은 정관에 법적 부속서류는 아니나 보건복지부의 지침으로 명시되어 있음. 따라서 기존에 설립당시의 임원 명부가 정관에 명시되지 않은 법인의 경우는 생략가능하나 새로이 법인설립허가시에는 부속서류로 관리되도록 지도 또한, 법인의 사용 인장은 법인운영에 주요한 사항이므로 정관의 부속서류로서 관리되도록 하며 기존에 이를 부속서류로 관리하지 않은 법인은 신규 정관변경시 첨부토록 지도(비고) 부칙으로 정한 사항이 5개항 이상일 경우에는 각각 조문으로 표기한다. Ⅰ. 법인관리 45

<별지 1>

기본재산 목록

구 분 목록 소 재 지 규 모 평 가 가 액 출 연 자 비 고

목적사업용 건물

토지

금융자산

소계

수익사업용 건물

소계

합 계

※ 목적사업용과 수익사업용으로 구분 작성

※ 집합건물의 경우 가급적 세대별(호실별)로 구분 기재 가능한 부분은
구분하여 기재

※ 아래 법령은 국가법령정보센터에서 사회복지에 관련이 있는
주요 내용만 발췌한 것입니다.

◆ 사회복지법인 및 사회복지시설 재무 · 회계 규칙

[시행 2020. 5. 6] [보건복지부령 제724호, 2020. 5. 6, 일부개정]

제1장 총칙

제1조(목적) 이 규칙은 「사회복지사업법」 제23조제4항, 제34조제4항, 제45조제2항 및 제51조제2항에 따라 사회복지법인 및 사회복지시설의 재무 · 회계, 후원금관리 및 회계감사에 관한 사항을 규정하여 재무 · 회계, 후원금관리 및 회계감사의 명확성 · 공정성 · 투명성을 기함으로써 사회복지법인 및 사회복지시설의 합리적인 운영에 기여함을 목적으로 한다.

제2조(재무 · 회계운영의 기본원칙) 사회복지법인(이하 "법인"이라 한다) 및 사회복지시설(법인이 설치 · 운영하는 사회복지시설을 포함하며, 이하 "시설"이라 한다)의 재무 · 회계는 그 설립목적에 따라 건전하게 운영되어야 한다.

제2조의2(다른 법령과의 관계) 법인 및 시설의 재무 및 회계 처리에 관하

여 다른 법령에 특별한 규정이 있는 경우를 제외하고는 이 규칙이 정하는 바에 따른다.

제3조(회계연도) 법인 및 시설의 회계연도는 정부의 회계연도에 따른다. 다만, 「영유아보육법」 제2조에 따른 어린이집의 회계연도는 매년 3월 1일에 시작하여 다음 연도 2월 말일에 종료한다.

제4조(회계연도 소속구분) 법인 및 시설의 수입 및 지출의 발생과 자산 및 부채의 증감·변동에 관하여는 그 원인이 되는 사실이 발생한 날을 기준으로 하여 연도소속을 구분한다. 다만, 그 사실이 발생한 날을 정할 수 없는 경우에는 그 사실을 확인한 날을 기준으로 하여 연도소속을 구분한다.

제5조(출납기한) 1회계연도에 속하는 법인 및 시설의 세입·세출의 출납은 회계 연도가 끝나는 날까지 완결하여야 한다.

제6조(회계의 구분) ① 이 규칙에서의 회계는 법인의 업무전반에 관한 회계(이하 "법인회계"라 한다), 시설의 운영에 관한 회계(이하 "시설회계"라 한다) 및 법인이 수행하는 수익사업에 관한 회계(이하 "수익사업회계"라 한다)로 구분한다.

② 법인의 회계는 법인회계, 해당 법인이 설치·운영하는 시설의 시설회계 및 수익사업회계로 구분하여야 하며, 시설의 회계는 해당 시설의 시설회계로 한다.

제6조의2(정보통신매체에 의한 재무·회계처리) ① 법인 및 시설의 재무·회계는 컴퓨터 회계프로그램으로 처리할 수 있다.

② 보건복지부장관은 법인 및 시설의 재무·회계업무의 효율성 및 투명성을 높이기 위하여 「사회복지사업법」 제6조의2제2항에 따른 정보시스템으로서 법인 및 시설의 재무회계를 처리하기 위한 정보시스템을 구축·운영할 수 있다.

③ 보건복지부장관, 시·도지사, 시장(「제주특별자치도 설치 및 국제자유도시 조성을 위한 특별법」 제11조제2항에 따른 행정시장을 포함한다. 이하 같다)·군수·구청장(자치구의 구청장을 말한다. 이하 같다)은 법인 또는 시설에 대하여 제2항에 따른 시스템을 사용할 것을 권장할 수 있다.

④ 「사회복지사업법」 제42조에 따른 보조금을 받는 법인 및 시설과 보조금을 받지 아니하는 시설로서 「노인복지법」 제31조에 따른 노인복지시설 중 「노인장기요양보험법」 제31조에 따라 장기요양기관으로 지정받은 시설(이하 "노인장기요양기관"이라 한다)은 제1항에 따른 컴퓨터 회계프로그램 중 보건복지부장관이 검증한 표준연계모듈이 적용된 정보시스템 또는 제2항에 따른 정보시스템을 사용하여 재무ㆍ회계를 처리하여야 한다. 다만, 보건복지부장관이 정하는 법인 및 시설은 그러하지 아니하다.

⑤ 제1항에 따른 컴퓨터 회계프로그램 또는 제2항에 따른 시스템에 의하여 전자장부를 사용하는 경우에는 제24조에 따른 회계장부를 둔 것으로 본다.

[시행일] 제6조의2제4항의 개정규정은 다음 각 호의 구분에 따른 날부터 시행한다.

1. 「노인복지법」 제34조제1항에 따른 노인의료복지시설 및 같은 법 제38조제1항제2호ㆍ제3호의 서비스를 제공하는 노인장기요양기관(이하 "주ㆍ야간보호기관 등"이라 한다)으로서 2018년 5월 30일 기준으로 정원이 20명을 초과하는 기관 : 2018년 5월 30일

2. 「노인복지법」 제38조제1항제1호ㆍ제4호 및 같은 법 시행규칙 제26조의2제2호의 서비스를 제공하는 노인장기요양기관(이하 "방문요양기관 등"이라 한다)으로서 2017년 일일평균 이용자가 20명을 초과하거나, 2018년 1월 1일 이후 「노인장기요양보험법」제31조제1항에 따라 지정을 받고 같은 해 4월 30일까지 일일 평균 이용자가 20명을 초과하는 기관: 2018년 5월 30일

3. 주ㆍ야간보호기관 등으로서 2018년 5월 30일 기준으로 정원이 20명 이하인 기관: 2019년 5월 30일

4. 방문요양기관 등으로서 2017년 일일평균 이용자가 20명 이하이거나, 2018년 1월 1일 이후 「노인장기요양보험법」제31조제1항에 따라 지정을 받고 같은 해 4월 30일까지 일일평균 이용자가 20명 이하인 기관 및 2018년 5월 1일 이후 「노인장기요양보험법」제31조제1항에 따라 지정을 받은 기관: 2019년 5월 30일

제2장 예산과 결산

제1절 예산

제7조(세입·세출의 정의) 1회계연도의 모든 수입을 세입으로 하고, 모든 지출을 세출로 한다.

제8조(예산총계주의원칙) 세입과 세출은 모두 예산에 계상하여야 한다.

제9조(예산편성지침) ① 법인의 대표이사는 제2조의 취지에 따라 매 회계연도 개시 1월전까지 그 법인과 해당 법인이 설치·운영하는 시설의 예산편성 지침을 정하여야 한다.

② 법인 또는 시설의 소재지를 관할하는 시장·군수·구청장은 특히 필요하다고 인정되는 사항에 관하여는 예산편성지침을 정하여 매 회계연도 개시 2월전까지 법인 및 시설에 통보할 수 있다.

제10조(예산의 편성 및 결정절차) ① 법인의 대표이사 및 시설의 장은 예산을 편성하여 각각 법인 이사회의 의결 및 「사회복지사업법」 제36조에 따른 운영위원회 또는 「영유아보육법」 제25조에 따른 어린이집운영위원회(이하 "시설운영위원회"라 한다)에의 보고를 거쳐 확정한다. 다만, 법인이 설치·운영하는 시설인 경우에는 시설운영위원회에 보고한 후 법인 이사회의 의결을 거쳐 확정한다.

② 법인의 대표이사 및 시설의 장은 제1항에 따라 확정한 예산을 매 회계연도 개시 5일전까지 관할 시장·군수·구청장에게 제출(「사회복지사업법」 제6조의2제2항에 따른 정보시스템을 활용한 제출을 포함한다)하여야 한다.

③ 제1항에 따라 예산을 편성할 경우 법인회계와 시설회계의 예산은 별표 1부터 별표 4까지에 따른 세입·세출예산과목 구분에 따라 편성하여야 한다. 다만, 다음 각 호의 시설은 각 호에서 정하는 바에 따라 편성한다.

1. 「사회복지사업법」 제34조의5에 따른 사회복지관, 「노인복지법」 제36조제1항제1호에 따른 노인복지관, 「장애인복지법」 제58조제1항제2호에 따른 장애인 지역사회재활시설, 그 밖에 보건복지부장관이 정하여 고시하는 시설 : 별표 5 및 별표 6에 따른 세입·세출예산과

목 구분에 따라 편성

2. 「영유아보육법」 제2조에 따른 어린이집 : 별표 7 및 별표 8에 따른 세입·세출예산과목 구분에 따라 편성

3. 노인장기요양기관 : 별표 9의 세입예산과목 구분 및 별표 10의 세출예산과목 구분에 따라 편성하되, 세출예산을 편성하는 때에는 「노인장기요양보험법」 제38조제4항에 따라 장기요양급여비용 중 그 일부를 보건복지부장관이 정하여 고시하는 비율에 따라 인건비로 편성

4. 삭제 〈2012. 8. 7.〉

④ 시장·군수·구청장은 제2항에 따라 예산을 제출받은 때에는 20일 이내에 법인과 시설의 회계별 세입·세출명세서를 시(「제주특별자치도 설치 및 국제자유도시 조성을 위한 특별법」 제10조제2항에 따른 행정시를 포함한다. 이하 같다)·군·구(자치구를 말한다. 이하 같다)의 게시판과 인터넷 홈페이지에 20일 이상 공고하고, 법인의 대표이사 및 시설의 장으로 하여금 해당 법인 및 시설의 게시판과 인터넷 홈페이지에 20일 이상 공고하도록 하여야 한다.

⑤ 제4항에 따른 공고는 「사회복지사업법」 제6조의2제2항에 따른 정보시스템에 게시하거나 「영유아보육법」 제49조의2제1항에 따라 공시하는 것으로 갈음할 수 있다.

제11조(예산에 첨부하여야 할 서류) ① 예산에는 다음 각 호의 서류가 첨부되어야 한다. 다만, 단식부기로 회계를 처리하는 경우에는 제1호·제2호·제5호 및 제6호의 서류만을 첨부할 수 있고, 국가·지방자치단체·법인 외의 자가 설치·운영하는 시설로서 거주자 정원 또는 일일평균 이용자가 20명 이하인 시설(이하 "소규모 시설"이라 한다)은 제2호, 제5호(노인장기요양기관의 경우만 해당한다) 및 제6호의 서류만을 첨부할 수 있으며, 「영유아보육법」 제2조에 따른 어린이집은 보건복지부장관이 정하는 바에 따른다.

1. 예산총칙

2. 세입·세출명세서

3. 추정재무상태표

4. 추정수지계산서

5. 임직원 보수 일람표

6. 예산을 의결한 이사회 회의록 또는 예산을 보고받은 시설운영위원회 회의록 사본

② 제1항제2호부터 제5호까지의 서류는 별지 제1호서식부터 별지 제4호서식까지에 따른다. 다만, 노인장기요양기관의 장이 첨부해야 하는 제1항제5호의 임직원 보수 일람표는 별지 제4호의2서식에 따른다.

[시행일] 제11조제2항 단서의 개정규정은 다음 각 호의 구분에 따른 날부터 시행한다.

1. 「노인복지법」 제34조제1항에 따른 노인의료복지시설 및 같은 법 제38조제1항제2호·제3호의 서비스를 제공하는 노인장기요양기관 (이하 "주·야간보호기관 등"이라 한다)으로서 2018년 5월 30일 기준으로 정원이 20명을 초과하는 기관 : 2018년 5월 30일

2. 「노인복지법」 제38조제1항제1호·제4호 및 같은 법 시행규칙 제26조의2제2호의 서비스를 제공하는 노인장기요양기관(이하 "방문요양기관 등"이라 한다)으로서 2017년 일일평균 이용자가 20명을 초과하거나, 2018년 1월 1일 이후 「노인장기요양보험법」제31조제1항에 따라 지정을 받고 같은 해 4월 30일까지 일일평균 이용자가 20명을 초과하는 기관: 2018년 5월 30일

3. 주·야간보호기관 등으로서 2018년 5월 30일 기준으로 정원이 20명 이하인 기관: 2019년 5월 30일

4. 방문요양기관 등으로서 2017년 일일평균 이용자가 20명 이하이거나, 2018년 1월 1일 이후 「노인장기요양보험법」 제31조제1항에 따라 지정을 받고 같은 해 4월 30일까지 일일평균 이용자가 20명 이하인 기관 및 2018년 5월 1일 이후 「노인장기요양보험법」 제31조제1항에 따라 지정을 받은 기관 : 2019년 5월 30일

제12조(준예산) 회계연도 개시전까지 법인 및 시설의 예산이 성립되지 아니한 때에는 법인의 대표이사 및 시설의 장은 시장·군수·구청장에게 그 사유를 보고하고 예산이 성립될 때까지 다음의 경비를 전년도 예산에 준하여 집행할 수 있다.

1. 임·직원의 보수

2. 법인 및 시설운영에 직접 사용되는 필수적인 경비

3. 법령상 지급의무가 있는 경비

제13조(추가경정예산) ① 법인의 대표이사 및 시설의 장은 예산성립후에 생긴 사유로 인하여 이미 성립된 예산에 변경을 가할 필요가 있을 때에는 제10조 및 제11조의 규정에 의한 절차에 준하여 추가경정예산을 편성·확정할 수 있다. 이 경우 노인장기요양기관의 장은 「노인장기요양보험법」 제38조제4항에 따라 장기요양급여비용 중 그 일부를 보건복지부장관이 정하여 고시하는 비율에 따라 인건비로 편성하여야 한다.

② 법인의 대표이사 및 시설의 장은 추가경정예산이 확정된 날로부터 7일이내에 이를 시장·군수·구청장에게 제출하여야 한다.

제14조(예비비) 법인의 대표이사 및 시설의 장은 예측할 수 없는 예산외의 지출 또는 예산의 초과지출에 충당하기 위하여 예비비를 세출예산에 계상할 수 있다.

제15조(예산의 목적외 사용금지) 법인회계 및 시설회계의 예산은 세출예산이 정한 목적 외에 이를 사용하지 못한다.

제16조(예산의 전용) ① 법인의 대표이사 및 시설의 장은 관·항·목간의 예산을 전용할 수 있다. 다만, 법인 및 시설(소규모 시설은 제외한다)의 관간 전용 또는 동일 관내의 항간 전용을 하려면 이사회의 의결 또는 시설운영위원회에의 보고를 거쳐야 하되, 법인이 설치·운영하는 시설인 경우에는 시설운영위원회에 보고한 후 법인 이사회의 의결을 거쳐야 한다.

② 제1항에도 불구하고 예산총칙에서 전용을 제한하고 있거나 이사회 및 시설 예산심의과정에서 삭감한 관·항·목으로는 전용하여서는 아니되며, 노인장기요양기관의 장은 예산을 전용하는 때에는 「노인장기요양보험법」 제38조제4항에 따라 장기요양급여비용 중 그 일부를 보건복지부장관이 정하여 고시하는 비율에 따라 인건비로 편성하여야 한다.

③ 법인의 대표이사 및 시설의 장은 제1항에 따라 관·항 간 예산을 전용한 경우에는 관할 시장·군수·구청장에게 제19조 및 제20조에 따른 결산보고서를 제출할 때에 과목 전용조서를 첨부하여야 한다.

제17조(세출예산의 이월) 법인의 대표이사 및 시설의 장은 법인회계와 시

설회계의 세출예산중 경비의 성질상 당해회계연도안에 지출을 마치지 못할 것으로 예측되는 경비와 연도내에 지출원인행위를 하고 불가피한 사유로 인하여 연도내에 지출하지 못한 경비를 각각 이사회의 의결 및 시설운영위원회에의 보고를 거쳐 다음 연도에 이월하여 사용할 수 있다. 다만, 법인이 설치·운영하는 시설인 경우에는 시설운영위원회에 사전 보고한 후 법인 이사회의 의결을 거쳐야 한다.

제18조(특정목적사업 예산) ① 법인의 대표이사 및 시설의 장은 완성에 수년을 요하는 공사나 제조 그밖의 특수한 사업을 위하여 2회계연도 이상에 걸쳐서 그 재원을 적립할 필요가 있는 때에는 회계연도마다 일정액을 예산에 계상하여 특정목적사업을 위한 적립금으로 적립할 수 있다.

② 적립금의 적립 및 사용 계획(변경된 계획을 포함한다)은 시장·군수·구청장에게 사전에 보고하여야 한다.

③ 적립금은 그 적립목적에만 사용하여야 한다.

④ 시장·군수·구청장은 법인 및 시설의 재정 상태 등을 고려하여 적립금의 적립 여부, 규모 및 적립기간 등에 관하여 필요한 조치를 할 수 있다.

제2절 결산

제19조(결산서의 작성 제출) ① 법인의 대표이사 및 시설의 장은 법인회계와 시설회계의 세입·세출 결산보고서를 작성하여 각각 이사회의 의결 및 시설운영위원회에의 보고를 거친 후 다음 연도 3월 31일까지(「영유아보육법」 제2조에 따른 어린이집의 경우에는 5월 31일까지를 말한다) 시장·군수·구청장에게 제출(「사회복지사업법」 제6조의2제2항에 따른 정보시스템을 활용한 제출을 포함한다)하여야 한다. 다만, 법인이 설치·운영하는 시설인 경우에는 시설운영위원회에 보고한 후 법인 이사회의 의결을 거쳐 제출하여야 한다.

② 시장·군수·구청장은 제1항에 따라 결산보고서를 제출받은 때에는 20일 이내에 법인 및 시설의 세입·세출결산서를 시·군·구의 게시판과 인터넷 홈페이지에 20일 이상 공고하고, 법인의 대표이사 및 시설의 장으로 하여금 해당 법인 및 시설의 게시판과 인터넷 홈페이지에 20일 이상 공고하도록 하여야 한다.

1. 삭제 〈2012. 8. 7.〉

2. 삭제 〈2012. 8. 7.〉

③ 제2항에 따른 공고는 「사회복지사업법」 제6조의2제2항에 따른 정보시스템에 게시하거나 「영유아보육법」 제49조의2제1항에 따라 공시하는 것으로 갈음할 수 있다.

제20조(결산보고서에 첨부해야 할 서류) ① 결산보고서에는 다음 각 호의 서류가 첨부되어야 한다. 다만, 단식부기로 회계를 처리하는 경우에는 제1호부터 제3호까지 및 제14호부터 제23호까지의 서류만을 첨부할 수 있고, 소규모 시설의 경우에는 제1호 및 제17호의 서류(노인장기요양기관의 경우에는 제1호부터 제3호까지 및 제16호부터 제21호까지의 서류)만을 첨부할 수 있으며, 「영유아보육법」 제2조에 따른 어린이집은 보건복지부장관이 정하는 바에 따른다.

1. 세입ㆍ세출결산서

2. 과목 전용조서

3. 예비비 사용조서

4. 재무상태표

5. 수지계산서

6. 현금 및 예금명세서

7. 유가증권명세서

8. 미수금명세서

9. 재고자산명세서

10. 그 밖의 유동자산명세서(제6호부터 제9호까지의 유동자산 외의 유동자산을 말한다)

11. 고정자산(토지ㆍ건물ㆍ차량운반구ㆍ비품ㆍ전화가입권)명세서

12. 부채명세서(차입금ㆍ미지급금을 포함한다)

13. 각종 충당금 명세서

14. 기본재산수입명세서(법인만 해당한다)

15. 사업수입명세서

16. 정부보조금명세서

17. 후원금수입 및 사용결과보고서(전산파일을 포함한다)

18. 후원금 전용계좌의 입출금내역

19. 인건비명세서

20. 사업비명세서

21. 그 밖의 비용명세서(인건비 및 사업비를 제외한 비용을 말한다)

22. 감사보고서

23. 법인세 신고서(수익사업이 있는 경우만 해당한다)

② 제1항제1호부터 제3호까지의 서류는 별지 제5호서식·별지 제5호의 2서식부터 별지 제5호의4서식까지·별지 제6호서식 및 별지 제7호서식에 따르고, 제1항제4호 및 제5호의 서류는 별지 제2호서식 및 별지 제3호서식에 따르며, 제6호부터 제17호까지의 서류는 별지 제8호서식부터 별지 제19호서식까지에 따르고, 제19호부터 제22호까지의 서류는 별지 제20호서식부터 별지 제23호서식까지에 따른다. 다만, 노인장기요양기관의 장이 첨부해야 하는 제1항제19호의 인건비명세서는 별지 제4호의2서식에 따른다.

[시행일] 제20조제2항 단서의 개정규정은 다음 각 호의 구분에 따른 날부터 시행한다.

1. 「노인복지법」 제34조제1항에 따른 노인의료복지시설 및 같은 법 제38조제1항제2호·제3호의 서비스를 제공하는 노인장기요양기관 (이하 "주·야간보호기관 등"이라 한다)으로서 2018년 5월 30일 기준으로 정원이 20명을 초과하는 기관: 2018년 5월 30일

2. 「노인복지법」 제38조제1항제1호·제4호 및 같은 법 시행규칙 제 26조의2제2호의 서비스를 제공하는 노인장기요양기관(이하 "방문요양기관 등"이라 한다)으로서 2017년 일일평균 이용자가 20명을 초과하거나, 2018년 1월 1일 이후 「노인장기요양보험법」 제31 조제1항에 따라 지정을 받고 같은 해 4월 30일까지 일일평균 이용자가 20명을 초과하는 기관: 2018년 5월 30일

3. 주·야간보호기관 등으로서 2018년 5월 30일 기준으로 정원이 20 명 이하인 기관: 2019년 5월 30일

4. 방문요양기관 등으로서 2017년 일일평균 이용자가 20명 이하이거나, 2018년 1월 1일 이후 「노인장기요양보험법」 제31조제1항에

따라 지정을 받고 같은 해 4월 30일까지 일일평균 이용자가 20명 이하인 기관 및 2018년 5월 1일 이후 「노인장기요양보험법」 제31조제1항에 따라 지정을 받은 기관 : 2019년 5월 30일

제3장 회계

제1절 총칙

제21조(수입 및 지출사무의 관리) ① 법인의 대표이사와 시설의 장은 법인과 시설의 수입 및 지출에 관한 사무를 관리한다.

② 법인의 대표이사와 시설의 장은 수입 및 지출원인행위에 관한 사무를 각각 소속직원에게 위임할 수 있다.

제22조(수입과 지출의 집행기관) ① 법인과 시설에는 수입과 지출의 현금 출납업무를 담당하게 하기 위하여 각각 수입원과 지출원을 둔다. 다만, 법인 또는 시설의 규모가 소규모인 경우에는 수입원과 지출원을 동일인으로 할 수 있다.

② 제1항의 수입원과 지출원은 각각 그 법인의 대표이사와 시설의 장이 임면한다.

제23조(회계의 방법) 회계는 단식부기에 의한다. 다만, 법인회계와 수익사업회계에 있어서 복식부기의 필요가 있는 경우에는 복식부기에 의한다.

제24조(장부의 종류) ① 법인 및 시설에는 다음의 회계장부를 둔다.

1. 현금출납부
2. 총계정원장
3. 삭제 〈2012. 8. 7.〉
4. 재산대장
5. 비품관리대장
6. 삭제 〈2009. 2. 5.〉

② 노인장기요양기관의 장이 제10조에 따른 예산을 기한 내에 제출하지 않은 경우에는 제1항제1호 및 제2호에 따른 회계장부(해당 회계연도 1월부터 6월까지의 회계장부를 말한다)를 해당 회계연도 8월 15일까지 시장·군수·구청장에게 정보시스템을 사용하여 제출해야 한다.

③ 노인장기요양기관의 장이 제19조에 따른 결산보고서를 기한 내에 제

출하지 않은 경우에는 제1항제1호 및 제2호에 따른 회계장부(해당 회계연도의 다음 연도 1월부터 6월까지의 회계장부를 말한다)를 해당 회계연도의 다음 연도 8월 15일까지 시장·군수·구청장에게 정보시스템을 사용하여 제출해야 한다.

④ 제1항제1호부터 제5호까지의 규정에 따른 회계장부는 별지 제24호서식, 별지 제24호의2서식, 별지 제25호서식, 별지 제25호의2서식 및 별지 제26호서식부터 별지 제28호서식까지에 따른다.

[시행일] 제24조제2항의 개정규정은 다음 각 호의 구분에 따른 날부터 시행한다.

  1. 「노인복지법」 제34조제1항에 따른 노인의료복지시설 및 같은 법 제38조제1항제2호·제3호의 서비스를 제공하는 노인장기요양기관(이하 "주·야간보호기관 등"이라 한다)으로서 2018년 5월 30일 기준으로 정원이 20명을 초과하는 기관 : 2018년 5월 30일

  2. 「노인복지법」 제38조제1항제1호·제4호 및 같은 법 시행규칙 제26조의2제2호의 서비스를 제공하는 노인장기요양기관(이하 "방문요양기관 등"이라 한다)으로서 2017년 일일평균 이용자가 20명을 초과하거나, 2018년 1월 1일 이후 「노인장기요양보험법」 제31조제1항에 따라 지정을 받고 같은 해 4월 30일까지 일일평균 이용자가 20명을 초과하는 기관: 2018년 5월 30일

  3. 주·야간보호기관 등으로서 2018년 5월 30일 기준으로 정원이 20명 이하인 기관 : 2019년 5월 30일

  4. 방문요양기관 등으로서 2017년 일일평균 이용자가 20명 이하이거나, 2018년 1월 1일 이후 「노인장기요양보험법」 제31조제1항에 따라 지정을 받고 같은 해 4월 30일까지 일일평균 이용자가 20명 이하인 기관 및 2018년 5월 1일 이후 「노인장기요양보험법」 제31조제1항에 따라 지정을 받은 기관 : 2019년 5월 30일

제2절 수입

제25조(수입금의 수납) ① 모든 수입금의 수납은 이를 금융기관에 취급시키는 경우를 제외하고는 수입원이 아니면 수납하지 못한다.

② 수입원이 수납한 수입금은 그 다음날까지 금융기관에 예입하여야 한

다.

③ 제1항 및 제2항의 규정에 의한 수입금에 대한 금융기관의 거래통장은 제6조의 규정에 의한 회계별로 구분될 수 있도록 보관·관리하여야 한다.

제26조(과년도 수입과 반납금 여입) ① 출납이 완결한 연도에 속하는 수입 기타 예산외의 수입은 모두 현년도의 세입에 편입하여야 한다.

② 지출된 세출의 반납금은 각각 지출한 세출의 당해과목에 다시 넣을 수 있다.

제27조(과오납의 반환) 과오납된 수입금은 수입한 세입에서 직접 반환한다.

제3절 지출

제28조(지출의 원칙) ① 지출은 제21조의 규정에 의한 지출사무를 관리하는 자 및 그 위임을 받아 지출명령이 있는 것에 한하여 지출원이 행한다.

② 제1항의 지출명령은 예산의 범위 안에서 하여야 한다.

제29조(지출의 방법) ① 지출은 상용의 경비 또는 소액의 경비지출을 제외하고는 예금통장에 의하거나 「전자문서 및 전자거래 기본법」 제2조 제5호에 따른 전자거래로 행하여야 한다. 다만, 시설에 지원되는 국가 또는 지방자치단체의 보조금 지출은 보조금 결제 전용카드나 전용계좌를 이용하여야 한다.

② 제1항에도 불구하고 지출원은 상용의 경비 또는 소액의 경비를 지출할 수 있으며, 이를 위하여 100만원 이하의 현금을 보관할 수 있다.

③ 제1항 및 제2항에 따른 상용의 경비 또는 소액의 경비지출의 범위는 시·도지사가 정할 수 있다.

제30조(지출의 특례) ① 선금지급할 수 있는 경비의 범위는 다음과 같다.

1. 외국에서 직접 구입하는 기계, 도서, 표본 또는 실험용재료의 대가
2. 정기간행물의 대가
3. 토지 또는 가옥의 임대료와 용선료
4. 운 임
5. 소속직원중 특별한 사정이 있는 자에 대하여 지급하는 급여의 일부

6. 관공서(「공공기관의 운영에 관한 법률」에 따른 공공기관 및 특별법에 의하여 설립된 특수법인을 포함한다)에 대하여 지급하는 경비

7. 외국에서 연구 또는 조사에 종사하는 자에 대하여 지급하는 경비

8. 보조금

9. 사례금

10. 계약금액이 1천만원이상인 공사나 제조 또는 물건의 매입을 하는 경우에 계약금액의 100분의 50을 초과하지 아니하는 금액

② 추산지급할 수 있는 경비의 범위는 다음과 같다.

1. 여비 및 판공비

2. 관공서(「공공기관의 운영에 관한 법률」에 따른 공공기관 및 특별법에 의하여 설립된 특수법인을 포함한다)에 대하여 지급하는 경비

3. 보조금

4. 소송비용

제4절 계약

제30조의2(계약의 원칙) 계약에 관한 사항은 「지방자치단체를 당사자로 하는 계약에 관한 법률」, 같은 법 시행령 및 같은 법 시행규칙을 준용한다. 다만, 국가·지방자치단체·법인 외의 자가 설치·운영하는 시설의 경우에는 그러하지 아니하다.

제31조(계약담당자) ① 계약에 관한 사무는 각각 그 법인의 대표이사와 시설의 장이 처리한다.

② 법인의 대표이사와 시설의 장은 계약체결에 관한 사무를 소속직원에게 위임할 수 있다.

제4장 물품

제38조(물품의 관리자와 출납원) ① 법인의 대표이사와 시설의 장은 그 소관에 속하는 물품(현금 및 유가증권을 제외한 동산을 말한다. 이하 같다)을 관리한다. 〈개정 1998. 1. 7.〉

② 법인의 대표이사와 시설의 장은 그 소관에 속하는 물품관리에 관한 사무를 소속직원에게 위임할 수 있다.

③ 법인의 대표이사와 시설의 장(제2항의 규정에 의하여 위임을 받은

자를 포함한다. 이하 "물품관리자"라 한다)은 물품의 출납보관을 위하여 소속직원중에서 물품출납원을 지정하여야 한다.

제39조(물품의 관리의무) 물품관리자 및 물품출납원은 선량한 관리자의 주의로써 사무에 종사하여야 한다.

제40조(물품의 관리) ① 물품관리자는 물품을 출납하게 하고자 할 때에는 물품출납원에게 출납하여야 할 물품의 분류를 명백히 하여 그 출납을 명령하여야 한다.

② 물품출납원은 제1항의 규정에 의한 명령이 없이는 물품을 출납할 수 없다.

제40조의2(재물조사) 법인의 대표이사와 시설의 장은 연 1회 그 관리에 속하는 물품에 대하여 정기적으로 재물조사를 실시하여야 하며, 필요하다고 인정하는 때에는 정기재물조사외에 수시로 재물조사를 할 수 있다.

제41조(불용품의 처리) ① 법인과 시설의 물품관리자는 물품중 그 사용이 불가능하거나 수리하여 다시 사용할 수 없게 된 물품이 있을 때에는 그 물품에 대하여 불용의 결정을 하여야 한다.

② 제1항의 규정에 의한 불용품을 매각한 경우 그 대금은 당해법인 또는 시설의 세입예산에 편입시켜야 한다.

제4장의2 후원금의 관리

제41조의2(후원금의 범위 등) ① 법인의 대표이사와 시설의 장은 「사회복지사업법」 제45조에 따른 후원금의 수입·지출 내용과 관리에 명확성이 확보되도록 하여야 한다. 시설거주자가 받은 개인결연후원금을 당해인이 정신질환 기타 이에 준하는 사유로 관리능력이 없어 시설의 장이 이를 관리하게 되는 경우에도 또한 같다.

② 삭제 〈1999. 3. 11.〉

제41조의3 삭제 〈1999. 3. 11.〉

제41조의4(후원금의 영수증 발급 등) ① 법인의 대표이사와 시설의 장은 후원금을 받은 때에는 「소득세법 시행규칙」 제101조제20호의2에 따른 기부금영수증 서식 또는 「법인세법 시행규칙」 제82조제7항제3호의3에 따른 기부금영수증 서식에 따라 후원금 영수증을 발급하여야 하며, 영수증 발급목록을 별도의 장부로 작성·비치하여야 한다.

② 법인의 대표이사와 시설의 장은 금융기관 또는 체신관서의 계좌입금을 통하여 후원금을 받은 때에는 법인명의의 후원금전용계좌나 시설의 명칭이 부기된 시설장 명의의 계좌(이하 "후원금전용계좌 등"이라 한다)를 사용하여야 한다. 이 경우 후원자가 영수증 발급을 원하는 경우를 제외하고는 제1항에 따른 영수증의 발급을 생략할 수 있다.

③ 법인의 대표이사 및 시설의 장은 후원금을 받을 때에는 각각의 법인 및 시설별로 후원금전용계좌 등을 구분하여 사용하여야 하며, 미리 후원자에게 후원금전용계좌 등의 구분에 관한 사항을 안내하여야 한다.

④ 모든 후원금의 수입 및 지출은 후원금전용계좌 등을 통하여 처리하여야 한다. 다만, 물품 형태의 후원금은 그러하지 아니하다.

제41조의5(후원금의 수입 및 사용내용통보) 법인의 대표이사와 시설의 장은 연 1회이상 해당 후원금의 수입 및 사용내용을 후원금을 낸 법인·단체 또는 개인에게 통보하여야 한다. 이 경우 법인이 발행하는 정기간행물 또는 홍보지 등을 이용하여 일괄 통보할 수 있다.

제41조의6(후원금의 수입·사용결과 보고 및 공개) ① 법인의 대표이사와 시설의 장은 제19조 및 제20조에 따른 결산보고서를 제출할 때에 별지 제19호서식에 따른 후원금수입 및 사용결과보고서(전산파일을 포함한다)를 관할 시장·군수·구청장에게 제출(「사회복지사업법」 제6조의2 제2항에 따른 정보시스템을 활용한 제출을 포함한다)하여야 한다.

② 시장·군수·구청장은 제1항에 따라 제출받은 후원금수입 및 사용결과보고서를 제출받은 날부터 20일 이내에 인터넷 등을 통하여 3개월 동안 공개하여야 하며, 법인의 대표이사 및 시설의 장은 해당 법인 및 시설의 게시판과 인터넷 홈페이지에 같은 기간 동안 공개하여야 한다. 다만, 후원자의 성명(법인 등의 경우는 그 명칭)은 공개하지 아니한다.

③ 제2항에 따른 공개는 「사회복지사업법」 제6조의2제2항에 따른 정보시스템에 게시하는 것으로 갈음할 수 있다.

제41조의7(후원금의 용도외 사용금지) ① 법인의 대표이사와 시설의 장은 후원금을 후원자가 지정한 사용용도외의 용도로 사용하지 못한다.

② 보건복지부장관은 후원자가 사용용도를 지정하지 아니한 후원금에 대하여 그 사용기준을 정할 수 있다.

③ 후원금의 수입 및 지출은 제10조의 규정에 의한 예산의 편성 및 확정절차에 따라 세입·세출예산에 편성하여 사용하여야 한다.

제42조(감사) ① 법인의 감사는 당해법인과 시설에 대하여 매년 1회이상 감사를 실시하여야 한다.

② 법인의 대표이사는 시설의 장과 수입원 및 지출원이 사망하거나 경질된 때에는 그 관장에 속하는 수입, 지출, 재산, 물품 및 현금 등의 관리상황을 감사로 하여금 감사하게 하여야 한다.

③ 제2항에 따른 감사를 실시할 때에는 전임자가 참관해야 하며, 전임자가 참관할 수 없으면 관계 직원 중에서 전임자의 전임자나 법인의 대표이사가 지정한 사람이 참관해야 한다.

④ 감사는 제1항 내지 제3항의 규정에 의하여 감사를 한 때는 감사보고서를 작성하여 당해법인의 이사회에 보고하여야 하며, 재산상황 또는 업무집행에 관하여 부정 또는 불비한 점이 발견된 때에는 시장·군수·구청장에게 보고하여야 한다.

⑤ 제4항의 감사보고서에는 감사가 서명 또는 날인하여야 한다.

제42조의2(회계감사) ① 시·도지사 또는 시장·군수·구청장은 법인 및 시설이 다음 각 호의 어느 하나에 해당하는 경우 회계감사를 실시할 수 있다.

1. 「사회복지사업법」 제40조제1항제4호에 따른 회계부정이나 불법행위 또는 그 밖의 부당행위 등이 발견된 경우
2. 「사회복지사업법」 제42조제3항제1호에 따라 거짓이나 그 밖의 부정한 방법으로 보조금을 받은 경우
3. 「사회복지사업법」 제42조제3항제2호에 따라 사업 목적 외의 용도에 보조금을 사용한 경우
4. 「사회복지사업법」 또는 「사회복지사업법」에 따른 명령을 위반한 경우
5. 제42조제4항에 따라 감사가 시장·군수·구청장에게 보고한 경우

② 제1항에서 규정한 사항 외에 공인회계사 또는 감사인의 추천 등 회계감사의 실시와 관련하여 필요한 사항은 해당 지방자치단체의 조례로

정한다.

제6장 보칙

제43조(사무의 인계·인수) ① 회계사무를 담당하는 직원이 교체된 때에는 당해사무의 인계·인수는 발령일로부터 5일이내에 행하여져야 한다.

② 인계자는 인계할 장부와 증빙서류 등의 목록을 각각 3부씩 작성하여 인계·인수자가 각각 서명 또는 날인한 후 각각 1부씩 보관하고, 1부는 이를 예금잔고증명과 함께 인계·인수보고서에 첨부하여 법인의 대표이사 및 시설의 장에게 제출하여야 한다. 이 경우 법인이 설치·운영하는 시설에 있어서는 시설의 장을 거쳐 제출하여야 한다.

제44조(시행세칙) 이 규칙의 시행을 위하여 필요한 세부사항은 보건복지부장관이 정한다.

제45조 삭제 〈2018. 12. 28.〉

부칙 〈제724호, 2020. 5. 6.〉

이 규칙은 공포한 날부터 시행한다.

■ 사회복지법인 및 사회복지시설 재무·회계 규칙 [별표 1] 〈개정 2012.8.7.〉

법인회계 세입예산과목구분 (제10조제3항 본문 관련)

과목			내역
관	항	목	
01 재산수입	11 기본재산수입	111 임대료수입	부동산 임대수입
		112 배당 및 이자수입	소유주식배당수입, 예금이자수입
		113 재산매각수입	부동산매각수입
		114 기타수입	불용재산매각 등 그 밖의 재산수입

02	사업수입	21	사업수입	211	○○사업수입	법인의 자체사업으로 얻어지는 수입 ※ 법인의 수익사업은 수익사업회계로 처리
03	과 년 도 수 입	31	과년도수입	311	과년도수입	전년도에 세입조정된 수입으로서 금년도에 수입으로 확정된 것
04	보 조 금 수 입	41	보조금수입	411	국고보조금	국가로부터 받은 경상보조금 및 자본보조금
				412	시·도 보조금	시·도로부터 받은 경상보조금 및 자본보조금
				413	시·군·구보조금	시·군·구로부터 받은 경상보조금 및 자본보조금
				414	기타 보조금	그 밖에 국가, 지방자치단체 및 사회복지사업 기금 등에서 공모사업 선정으로 받은 보조금
05	후 원 금 수 입	51	후원금수입	511	지정후원금	국내외 민간단체 및 개인으로부터 후원명목으로 받은 기부금·결연후원금·위문금·찬조금 중 후원목적이 지정된 수입
				512	비지정후원금	국내외 민간단체 및 개인으로부터 후원명목으로 받은 기부금·결연후원금·위문금·찬조금 중 후원목적이 지정되지 아니한 수입과 자선행사 등으로 얻어지는 수입
06	차입금	61	차입금	611	금융기관 차입금	금융기관으로부터의 차입금
				612	기타차입금	개인·단체 등으로부터의 차입금
07	전입금	71	전입금	711	다른 회계로부터의 전입금	수익사업회계 및 시설회계로부터의 전입금
08	이월금	81	이월금	81	전년도이월금	전년도 불용액으로서 이월된

				금액
		81 2	전년도이월금 (후원금)	전년도 후원금에 대한 불용액으로서 이월된 금액
		81 3	○○이월사업비	전년도에 종료되지 못한 ○○사업의 이월된 금액
09 잡수입	91 잡수입	91 1	불용품매각대	비품·집기·기계·기구 등과 그 밖의 불용품의 매각대
		91 2	기타예금이자수입	기본재산예금 외의 예금이자수입
		91 3	기타잡수입	그 밖의 재산매각수입, 변상금 및 위약금수입 등과 다른 과목에 속하지 아니하는 수입

■ 사회복지법인 및 사회복지시설 재무·회계 규칙 [별표 2] 〈개정 2015.12.24.〉

법인회계 세출예산과목구분(제10조제3항 본문 관련)

과목			내역
관	항	목	
01 사무비	11 인건비	11 1 급여	법인 임·직원에 대한 기본봉급(기말·정근수당 포함)
		11 2 제수당	법인 임·직원에 대한 상여금 및 제수당(직종·직급별로 일정액을 지급하는 수당과 시간외근무수당·야간근무수당·휴일근무수당 등) 및 기타 수당
		11 3 일용잡급	일급 또는 단기간 채용하는 임시직에 대한 급여
		11 5 퇴직금 및 퇴직적립금	법인 임·직원퇴직급여제도에 따른 퇴직급여 및 퇴직적립금(충당금)
		11 6 사회보험 부담금	법인 임·직원의 사회보험(국민연금, 국민건강보험, 고용보

					험, 산업재해보상보험 등)부담금
			117	기타후생경비	법인 임·직원의 건강진단비·기타 복리후생에 소요되는 비용
12	업무추진비		121	기관운영비	기관운영 및 유관기관과의 업무협의 등에 소요되는 제경비
			122	직책보조비	법인 임·직원의 직책수행을 위하여 정기적으로 지급하는 경비
			123	회의비	법인의 이사회·후원회 등 각종 회의의 다과비 등에 소요되는 제경비
13	운영비		131	여비	법인 임·직원의 국내·외 출장여비
			132	수용비 및 수수료	사무용품비·인쇄비·집기구입비(물건의 성질상 장기간사용 또는 고정자산으로 취급되는 집기류는 212목에 계상)·도서구입비·공고료·수수료·등기료·운송비·통행료 및 주차료·소규모수선비·포장비 등
			133	공공요금	우편료·전신전화료·전기료·상하수도료·가스료 및 오물수거료
			134	제세공과금	법령에 의하여 지급하는 제세(법인세·자동차세 등), 협회가입비, 화재·자동차보험료, 기타 보험료
			135	차량비	차량유류대·차량정비유지비·차량소모품비
			136	연료비	보일러 및 난방시설연료비
			137	기타운영비	그 밖에 운영경비로 위에 분류되지 아니한 경비

02	재 산 조 성 비	21	시설비	211	시설비	시설 신·증축비 및 부대경비, 기타 시설비
				212	자산취득비	법인운영에 필요한 비품구입비, 토지·건물·기타 자산의 취득비
				213	시설장비유지비	건물 및 건축설비(구축물·기계장치)·공구·기구·비품수선비(소규모수선비는 132목에 계상) 기타 시설물의 유지관리비
03	사업비	31	일반사업비	311	○○사업비	법인에서 시설운영외의 지원사업 등을 하는 경우의 사업비 예 : 학자금지원·저소득층지원 등 사업별로 목을 설정함
04	전출금	41	전출금	411	○○시설전출금	법인이 유지·경영하는 시설에 대한 부담금을 시설별로 목을 설정함
				412	○○시설전출금(후원금)	법인이 유지·경영하는 시설에 대한 부담금(후원금)을 시설별로 목을 설정
05	과 년 도 지 출	51	과년도지출	511	과년도지출	과년도미지급금 및 과년도사업비의 지출
06	상환금	61	부채상환금	611	원금상환금	차입금원금상환금
				612	이자지급금	차입금이자지급금
07	잡지출	71	잡지출	711	잡지출	법인이 지출하는 보상금·사례금·소송경비 등
08	예비비 및 기타	81	예비비 및 기타	811	예비비	예비비
				812	반환금	정부보조금 반환금

시설회계 세입예산과목구분(제10조제3항 본문 관련)

과목			내역
관	항	목	
01 입소자부담금 수입	11 입소비용수입	111 ○○비용수입	입소자로부터 받는 보호에 소요되는 비용수입을 종류별로 목을 설정
02 사업수입	21 사업수입	211 ○○사업수입	시설운영으로 인하여 발생되는 사업수입을 종류별로 목을 설정 예: 입소자가 제작한 물품판매 수입
03 과년도수입	31 과년도수입	311 과년도수입	전년도에 세입조정된 수입으로서 금년도에 수입으로 확정된 것
04 보조금수입	41 보조금수입	411 국고보조금	국가로부터 받은 경상보조금 및 자본보조금
		412 시·도 보조금	시·도로부터 받은 경상보조금 및 자본보조금
		413 시·군·구 보조금	시·군·구로부터 받은 경상보조금 및 자본보조금
		414 기타 보조금	그 밖에 국가, 지방자치단체 및 사회복지사업 기금 등에서 공모사업 선정으로 받은 보조금
05 후원금수입	51 후원금수입	511 지정후원금	국내외 민간단체 및 개인으로부터 후원명목으로 받은 기부금·결연후원금·위문금·찬조금 중 후원목적이 지정된 수입
		512 비지정후원금	국내외 민간단체 및 개인으로부터 후원명목으로 받은 기부금·결연후원금·위문금·찬조금 중 후원목적이 지정되지

				아니한 수입과 자선행사 등으로 얻어지는 수입
06 요양 급여수입	61 요양 급여수입	611	장기요양 급여수입	노인장기요양보험급여 수입
07 차입금	71 차입금	711	금융기관 차입금	금융기관으로부터의 차입금
		712	기타차입금	개인·단체 등으로부터의 차입금
08 전입금	81 전입금	811	법인전입금	법인으로부터의 전입금(국가 및 지방자치단체의 보조금은 제외함)
		812	법인전입금 (후원금)	법인으로부터의 전입금(후원금)
09 이월금	91 이월금	911	전년도이월금	전년도 불용액으로서 이월된 금액
		912	전년도이월금 (후원금)	전년도에 후원금에 대한 불용액으로서 이월된 금액
		913	○○ 이월사업비	전년도에 종료되지 못한 ○○사업의 이월된 금액
10 잡수입	101 잡수입	1011	불용품매각대	비품·집기·기계·기구 등과 그 밖의 불용품의 매각대
		1012	기타예금이자수입	기본재산예금 외의 예금이자수입
		1013	기타잡수입	그 밖의 재산매각수입, 변상금
				및 위약금수입 등과 다른 과목에 속하지 아니하는 수입

시설회계 세출예산과목구분(제10조제3항 본문 관련)

과목			내역
관	항	목	
01 사무비	11 인건비	111 급여	시설직원에 대한 기본 봉급(기말·정근수당 포함)
		112 제수당	시설직원에 대한 상여금 및 제수당(직종·직급별로 일정액을 지급하는 수당과 시간외근무수당·야간근무수당·휴일근무수당 등) 및 기타 수당
		113 일용잡급	일급 또는 단기간 채용하는 임시직에 대한 급여
		115 퇴직금 및 퇴직적립금	시설직원 퇴직급여제도에 따른 퇴직급여 및 퇴직적립금(충당금)
		116 사회보험부담금	시설직원의 사회보험(국민연금, 국민건강보험, 고용보험, 산업재해보상보험 등)부담금
		117 기타후생경비	시설직원의 건강진단비·기타 복리후생에 소요되는 비용
	12 업무추진비	121 기관운영비	기관운영 및 유관기관과의 업무협의 등에 소요되는 제경비
		122 직책보조비	시설직원의 직책수행을 위하여 정기적으로 지급하는 경비
		123 회의비	후원회 등 각종 회의의 다과비 등에 소요되는 제경비
	13 운영비	131 여비	시설직원의 국내·외 출장여비
		132 수용비 및 수수료	사무용품비·인쇄비·집기구입비(물건의 성질상 장기간사용 또는 고정자산으로 취급되는 집기류는 212목에 계상)

						・도서구입비・공고료・수수료・등기료・운송비・통행료 및 주차료・소규모수선비・포장비 등
				13 3	공공요금	우편료・전신전화료・전기료・상하수도료・가스료 및 오물수거료
				13 4	제세공과금	법령에 의하여 지급하는 제세(자동차세 등), 협회가입비, 화재・자동차보험료, 기타 보험료
				13 5	차량비	차량유류대・차량정비유지비・차량소모품비
				13 6	기타운영비	시설직원 상용피복비・급량비 등 운영경비로 위에 분류되지 아니한 경비
02	재산조성비	21	시설비	21 1	시설비	시설 신・증축비 및 부대경비, 그 밖에 시설비
				21 2	자산취득비	시설운영에 필요한 비품구입비, 토지・건물・그 밖에 자산의 취득비
				21 3	시설장비유지비	건물 및 건축설비(구축물・기계장치), 공구・기구, 비품수선비(소규모수선비는 132목에 계상) 그 밖의 시설물의 유지관리비
03	사업비	31	운영비	31 1	생계비	주식비, 부식비, 특별부식비, 장유비, 월동용 김장비
				31 2	수용기관경비	입소자를 위한 수용비(치약・칫솔・수건구입비 등)
				31 3	피복비	입소자의 피복비
				31 4	의료비	입소자의 보건위생 및 시약대

		315	장의비	입소자중 사망자의 장의비
		316	직업재활비	입소자의 직업훈련재료비
		317	자활사업비	입소자의 자활을 위한 기자재 구입비
		318	특별급식비	입소자의 간식, 우유 등 생계 외의 급식제공을 위한 비용
		319	연료비	보일러 및 난방시설연료비, 취사에 필요한 연료비
32	교육비	321	수업료	입소자중 학생에 대한 수업료
		322	학용품비	입소자중 학생에 대한 학용품비
		323	도서구입비	입소자중 학생에 대한 도서구입비, 부교재비
		324	교통비	입소자중 학생에 대한 대중교통비
		325	급식비	입소자중 학생에 대한 학교급식비
		326	학습지원비	입소자중 학생에 대한 사교육비(피아노교습, 사설학원 수강 등)
		327	수학여행비	입소자중 학생에 대한 수학여행비
		328	교복비	입소자중 학생에 대한 교복비
		329	이미용비	입소자중 학생에 대한 이, 미용비
33	○○사업비	330	기타교육비	입소자중 학생에 대한 그 밖의 교육경비(학습재료 등)
		331	의료재활사업비	입소자(재활·물리·작업·언어·청능)치료비, 수술비용, 의수족 등 장애인 보조기기 제작수리비 또는 입소자를 위

						한 의료재활 프로그램비용
				332	사회심리 재활사업비	입소자를 위한 사회심리재활 프로그램 운영비
				333	교육재활 사업비	입소자를 위한 교육프로그램 운영비
				334	직업재활 사업비	입소자를 위한 직업재활프로그램 운영비
				335	○○사업비	의료재활, 직업재활, 교육재활 등 전문프로그램이 아닌 입소자를 위한 프로그램운영비(하계캠프, 방과 후 공부방 운영 등)
04	전출금	41	전출금	411	법인회계전출금	법인회계로의 전출금(보건복지부장관이 정하는 경우만 해당함)
05	과년도지출	51	과년도지출	511	과년도지출	과년도미지급금 및 과년도사업비의 지출
06		61	부채상환금	611	원금상환금	차입금원금상환금
				612	이자지불금	차입금이자지급금
07	잡지출	71	잡지출	711		시설이 지출하는 보상금·사례금·소송경비 등
08	예비비 및 기타	81	예비비 및 기타	811	예비비	예비비
				812	반환금	정부보조금 반환금
09	삭제 〈2018. 3. 30.〉					
10	삭제 〈2018. 3. 30.〉					

노인장기요양기관의 세입예산과목 구분(제10조제3항제3호 관련)

과목			명세
관	항	목	
01 입소자(이용자)부담금 수입	11 입소(이용)비용수입	112 본인부담금 수입	장기요양급여비용 중 본인부담금
		113 식재료비수입	비급여대상 중 식재료비 수납비용
		114 상급침실이용료	비급여대상 중 상급침실료
		115 이미용비	비급여대상 중 이용·미용비
		116 기타비급여수입	비급여대상 중 식재료비, 이용·미용비를 제외한 비급여
02 사업수입	21 사업수입	211 ○○사업수입	시설운영으로 인하여 발생되는 사업수입을 종류별로 목을 설정 (예: 입소자(이용자)가 제작한 물품 판매 수입)
03 과년도수입	31 과년도수입	311 과년도수입	전년도에 세입 조정된 수입으로서 금년도에 수입으로 확정된 것
04 보조금수입	41 보조금수입	411 국고보조금	국가로부터 받은 경상보조금 및 자본보조금
		412 시·도 보조금	시·도로부터 받은 경상보조금 및 자본보조금
		413 시·군·구 보조금	시·군·구로부터 받은 경상보조금 및 자본보조금
		414 기타 보조금	그 밖에 국가, 지방자치단체 및 사회복지사업 기금 등에서 공모사업 선정으로 받은 보조금

05	후원금수입	51	후원금수입	511	지정후원금	국내외 민간단체 및 개인으로부터 후원 명목으로 받은 기부금·결연후원금·위문금·찬조금 중 후원목적이 지정된 수입
				512	비지정후원금	국내외 민간단체 및 개인으로부터 후원 명목으로 받은 기부금·결연후원금·위문금·찬조금 중 후원목적이 지정되지 않은 수입과 자선행사 등으로 생긴 수입
06	요양 급여수입	61	요양 급여수입	611	장기요양 급여수입	노인장기요양보험급여 수입
				612	가산금 수입	노인장기요양보험 가산금 수입
07	차입금	71	차입금	711	금융기관 차입금	금융기관으로부터의 차입금
				712	기타차입금	개인·단체 등으로부터의 차입금
08	전입금	81	전입금	811	법인전입금	법인으로부터의 전입금 (국가 및 지방자치단체의 보조금은 제외한다)
				812	법인전입금 (후원금)	법인으로부터의 전입금(후원금)
				813	기타전입금	기타 법인, 개인 등 설치·운영자로부터의 운영지원금
				814	기타전입금 (후원금)	기타 법인, 개인 등 설치·운영자로부터의 운영지원금(후원금)
09	이월금	91	이월금	911	전년도이월금	전년도 불용액으로서 이월된 금액
				912	전년도이월금 (후원금)	전년도에 후원금에 대한 불용액으로서 이월된 금액
				913	전년도이월	전년도 식재료비수입에 대한

관	항	목		명세
			금 (식재료비)	불용액으로서 이월된 금액
		914	○○이월사업비	전년도에 종료되지 못한 ○○ 사업의 이월된 금액
10 잡수입	101 잡수입	1011	불용품매각대	비품·집기·기계·기구 등과 그 밖의 불용품의 매각대
		1012	기타예금이자수입	기본재산예금 외의 예금이자수입
		1013	직원식재료비수입	직원으로부터 수납하는 식재료비 수입
		1014	기타잡수입	그 밖의 재산매각수입, 변상금 및 위약금수입 등과 다른 과목에 속하지 않는 수입
11 적립금 및 준비금 (특별회계)	111 운영충당 적립금 및 환경개선준비금	1111	운영충당 적립금	노인장기요양기관의 안정적인 기관운영을 위해 세출되어(911목) 적립된 금액(특별회계)
		1112	시설환경 개선 준비금	노인장기요양기관 입소자(이용자)에 대한 시설이미지 개선을 위해 세출되어(912목) 적립된 금액(특별회계)

■ 사회복지법인 및 사회복지시설 재무·회계 규칙 [별표 10] 〈개정 2019. 6. 12.〉

노인장기요양기관의 세출예산과목 구분(제10조제3항제3호 관련)

과목			명세
관	항	목	
01 사무비	11 인건비	111 급여	시설직원에 대한 기본 봉급 (기말·정근수당을 포함한다)
		112 각종 수당	시설직원에 대한 상여금 및 각종 수당(직종·직급별로 일정액을 지급하는 수당과 시간

				외근무수당 · 야간근무수당 · 휴일근무수당 등) 및 그 밖의 수당
		113	일용잡급	일급 또는 단기간 채용하는 임시직에 대한 급여
		115	퇴직금 및 퇴직적립금	시설직원 퇴직급여제도에 따른 퇴직급여 및 퇴직적립금 (충당금)
		116	사회보험 부담금	시설직원의 사회보험(국민연금, 국민건강보험, 고용보험, 산업재해보상보험 등)부담금
12	업무추진비	121	기관운영비	기관운영 및 유관기관과의 업무협의 등에 드는 각종 경비
		122	직책보조비	시설직원의 직책 수행을 위하여 정기적으로 지급하는 경비
		123	회의비	후원회 등 각종 회의의 다과비 등에 소요되는 각종 경비
13	운영비	131	여비	시설직원의 국내외 출장여비
		132	수용비 및 수수료	사무용품비 · 인쇄비 · 집기구입비(물건의 성질상 장기간 사용 또는 고정자산으로 취급되는 집기류는 212목에 계상) · 도서구입비 · 공고료 · 수수료 · 등기료 · 운송비 · 통행료 및 주차료 · 소규모수선비 · 포장비 등
		133	공공요금 및 각종 세금공과금	우편료 · 전신전화료 · 전기료 · 상하수도료 · 가스료 및 오물수거료 및 법령에 따라 지급하는 각종 세금(자동차세 등), 협회가입비, 화재 · 자동차보험료, 그 밖의 보험료
		135	차량비	차량유류대 · 차량정비유지비 · 차량소모품비
		136	임차료	시설을 운영하는데 필요한 건

					물,토지 등에 대하여 지불한 임차료
			137	기타운영비	시설직원 건강진단비, 그 밖의 복리후생에 드는 비용, 상용의류비, 급량비 등 운영경비로 위에 분류되지 않은 경비
02	재산조성비	21 시설비	211	시설비	시설 개보수 등으로 발생하는 비용 및 부대경비
			212	자산취득비	시설운영에 필요한 비품구입비, 토지·건물 그 밖에 자산의 취득비
			213	시설장비 유지비	건물 및 건축설비(구축물·기계장치), 공구·기구, 비품수선비(소규모수선비는 132목에 계상) 그 밖의 시설물의 유지관리비
03	사업비	31 운영비	311	생계비	주식비, 부식비, 특별부식비, 장유비, 월동용 김장비
			312	수용기관경비	입소자(이용자)를 위한 수용비(치약·칫솔·수건 구입비 등)
			314	의료비	입소자(이용자)의 보건위생 및 시약대(施藥代)
			315	장의비	입소자(이용자) 중 사망인을 위한 장의비
		33 ○○사업비	331	프로그램사업비	의료재활, 사회심리재활 등 입소자(이용자)를 위한 프로그램운영비
04	전출금	41 전출금	411	법인회계 전출금	법인회계로의 전출금 (보건복지부장관이 정하는 경우에만 해당한다)
			412	기타전출금	사회복지법인 이외의 법인, 개인 등 설치·운영자로의 전출금

05	과년도지출	51	과년도지출	511	과년도지출	과년도미지급금 및 과년도사업비의 지출
06	상환금	61	부채상환금	611	원금상환금	차입금원금상환금
				612	이자지불금	차입금이자지급금
07	잡지출	71	잡지출	711	잡지출	시설이 지출하는 보상금·사례금·소송경비 등
08	예비비 및 기타	81	예비비 및 기타	811	예비비	예비비
				812	반환금	정부보조금 반환금
09	적립금 및 준비금	91	운영충당 적립금 및 환경개선준비금	911	운영충당 적립금	노인장기요양기관의 안정적인 기관운영을 위한 적립금(보건복지부장관이 정하는 경우에만 해당한다)
				912	시설환경 개선준비금	입소자(이용자)에 대한 시설이미지 개선을 위한 시설환경개선 준비금(보건복지부장관이 정하는 경우에만 해당한다)
10	적립금 및 준비금 지출 (특별회계)	101	운영충당 적립금 지출 및 환경개선준비금 지출	1011	운영충당 적립금 지출	세입계정으로 적립된 운영충당적립금(1111목) 중 노인장기요양기관의 안정적인 기관운영을 위해 지출한 비용(특별회계)
				1012	시설환경 개선준비금 지출	세입계정으로 적립된 시설환경개선준비금(1112목) 중 노인장기요양기관 입소자(이용자)에 대한 시설이미지 개선을 위해 지출한 비용(특별회계)

◆ 사회복지사업법

[제1장 총칙

제1조(목적) 이 법은 사회복지사업에 관한 기본적 사항을 규정하여 사회복지를 필요로 하는 사람에 대하여 인간의 존엄성과 인간다운 생활을 할 권리를 보장하고 사회복지의 전문성을 높이며, 사회복지사업의 공정·투명·적정을 도모하고, 지역사회복지의 체계를 구축하고 사회복지서비스의 질을 높여 사회복지의 증진에 이바지함을 목적으로 한다.

제2조(정의) 이 법에서 사용하는 용어의 뜻은 다음과 같다.

1. "사회복지사업"이란 다음 각 목의 법률에 따른 보호·선도(善導) 또는 복지에 관한 사업과 사회복지상담, 직업지원, 무료 숙박, 지역사회복지, 의료복지, 재가복지(在家福祉), 사회복지관 운영, 정신질환자 및 한센병력자의 사회복귀에 관한 사업 등 각종 복지사업과 이와 관련된 자원봉사활동 및 복지시설의 운영 또는 지원을 목적으로 하는 사업을 말한다.

가. 「국민기초생활 보장법」
나. 「아동복지법」
다. 「노인복지법」
라. 「장애인복지법」
마. 「한부모가족지원법」
바. 「영유아보육법」
사. 「성매매방지 및 피해자보호 등에 관한 법률」
아. 「정신건강증진 및 정신질환자 복지서비스 지원에 관한 법률」
자. 「성폭력방지 및 피해자보호 등에 관한 법률」
차. 「입양특례법」
카. 「일제하 일본군위안부 피해자에 대한 생활안정지원 및 기념사업 등에 관한 법률」
타. 「사회복지공동모금회법」
파. 「장애인·노인·임산부 등의 편의증진 보장에 관한 법률」
하. 「가정폭력방지 및 피해자보호 등에 관한 법률」
거. 「농어촌주민의 보건복지증진을 위한 특별법」
너. 「식품등 기부 활성화에 관한 법률」
더. 「의료급여법」
러. 「기초연금법」

머. 「긴급복지지원법」

버. 「다문화가족지원법」

서. 「장애인연금법」

어. 「장애인활동 지원에 관한 법률」

저. 「노숙인 등의 복지 및 자립지원에 관한 법률」

처. 「보호관찰 등에 관한 법률」

커. 「장애아동 복지지원법」

터. 「발달장애인 권리보장 및 지원에 관한 법률」

퍼. 「청소년복지 지원법」

허. 그 밖에 대통령령으로 정하는 법률

2. "지역사회복지"란 주민의 복지증진과 삶의 질 향상을 위하여 지역사회 차원에서 전개하는 사회복지를 말한다.

3. "사회복지법인"이란 사회복지사업을 할 목적으로 설립된 법인을 말한다.

4. "사회복지시설"이란 사회복지사업을 할 목적으로 설치된 시설을 말한다.

5. "사회복지관"이란 지역사회를 기반으로 일정한 시설과 전문인력을 갖추고 지역주민의 참여와 협력을 통하여 지역사회의 복지문제를 예방하고 해결하기 위하여 종합적인 복지서비스를 제공하는 시설을 말한다.

6. "사회복지서비스"란 국가·지방자치단체 및 민간부문의 도움을 필요로 하는 모든 국민에게 「사회보장기본법」 제3조제4호에 따른 사회서비스 중 사회복지사업을 통한 서비스를 제공하여 삶의 질이 향상되도록 제도적으로 지원하는 것을 말한다.

7. "보건의료서비스"란 국민의 건강을 보호·증진하기 위하여 보건의료인이 하는 모든 활동을 말한다.

제2조(정의) 이 법에서 사용하는 용어의 뜻은 다음과 같다

1. "사회복지사업"이란 다음 각 목의 법률에 따른 보호·선도(善導) 또는 복지에 관한 사업과 사회복지상담, 직업지원, 무료 숙박, 지역사회복지, 의료복지, 재가복지(在家福祉), 사회복지관 운영, 정신질환자 및 한센병력자의 사회복귀에 관한 사업 등 각종 복지사업과 이와 관련된 자원봉사활동 및 복지시설의 운영 또는 지원을 목적으로 하는 사업을 말한다.

가. 「국민기초생활 보장법」

나. 「아동복지법」

다. 「노인복지법」

라. 「장애인복지법」

마.「한부모가족지원법」

바.「영유아보육법」

사.「성매매방지 및 피해자보호 등에 관한 법률」

아.「정신건강증진 및 정신질환자 복지서비스 지원에 관한 법률」

자.「성폭력방지 및 피해자보호 등에 관한 법률」

차.「국내입양에 관한 특별법」 및 「국제입양에 관한 법률」

카.「일제하 일본군위안부 피해자에 대한 생활안정지원 및 기념사업 등에 관한 법률」

타.「사회복지공동모금회법」

파.「장애인ㆍ노인ㆍ임산부 등의 편의증진 보장에 관한 법률」

하.「가정폭력방지 및 피해자보호 등에 관한 법률」

거.「농어촌주민의 보건복지증진을 위한 특별법」

너.「식품등 기부 활성화에 관한 법률」

더.「의료급여법」

러.「기초연금법」

머.「긴급복지지원법」

버.「다문화가족지원법」

서.「장애인연금법」

어.「장애인활동 지원에 관한 법률」

저.「노숙인 등의 복지 및 자립지원에 관한 법률」

처.「보호관찰 등에 관한 법률」

커.「장애아동 복지지원법」

터.「발달장애인 권리보장 및 지원에 관한 법률」

퍼.「청소년복지 지원법」

허. 그 밖에 대통령령으로 정하는 법률

2. "지역사회복지"란 주민의 복지증진과 삶의 질 향상을 위하여 지역사회 차원에서 전개하는 사회복지를 말한다.

3. "사회복지법인"이란 사회복지사업을 할 목적으로 설립된 법인을 말한다.

4. "사회복지시설"이란 사회복지사업을 할 목적으로 설치된 시설을 말한다.

5. "사회복지관"이란 지역사회를 기반으로 일정한 시설과 전문인력을 갖추고 지역주민의 참여와 협력을 통하여 지역사회의 복지문제를 예방하고 해결하기 위하여 종합적인 복지서비스를 제공하는 시설을 말한다.

6. "사회복지서비스"란 국가ㆍ지방자치단체 및 민간부문의 도움을 필요로

하는 모든 국민에게 「사회보장기본법」 제3조제4호에 따른 사회서비스 중 사회복지사업을 통한 서비스를 제공하여 삶의 질이 향상되도록 제도적으로 지원하는 것을 말한다.

7. "보건의료서비스"란 국민의 건강을 보호·증진하기 위하여 보건의료인이 하는 모든 활동을 말한다.

제6조의2(사회복지시설 업무의 전자화)① 보건복지부장관은 사회복지법인 및 사회복지시설의 종사자, 거주자 및 이용자에 관한 자료 등 운영에 필요한 정보의 효율적 처리와 기록·관리 업무의 전자화를 위하여 정보시스템을 구축·운영할 수 있다.

② 보건복지부장관은 제1항에 따른 정보시스템을 구축·운영하는 데 필요한 자료를 수집·관리·보유할 수 있으며 관련 기관 및 단체에 필요한 자료의 제공을 요청할 수 있다. 이 경우 요청을 받은 기관 및 단체는 정당한 사유가 없으면 그 요청에 따라야 한다.

③ 지방자치단체의 장은 사회복지사업을 수행할 때 관할 복지행정시스템과 제1항에 따른 정보시스템을 전자적으로 연계하여 활용하여야 한다.

④ 사회복지법인의 대표이사와 사회복지시설의 장은 국가와 지방자치단체가 실시하는 사회복지업무의 전자화 시책에 협력하여야 한다.

⑤ 보건복지부장관은 제1항에 따른 정보시스템을 효율적으로 운영하기 위하여 「사회보장기본법」 제37조제7항에 따른 전담기구에 그 운영에 관한 업무를 위탁할 수 있다.

제11조의2(사회복지사의 결격사유)다음 각 호의 어느 하나에 해당하는 사람은 사회복지사가 될 수 없다.

1. 피성년후견인 또는 피한정후견인
2. 금고 이상의 형을 선고받고 그 집행이 끝나지 아니하였거나 그 집행을 받지 아니하기로 확정되지 아니한 사람
3. 법원의 판결에 따라 자격이 상실되거나 정지된 사람
4. 마약·대마 또는 향정신성의약품의 중독자
5. 「정신건강증진 및 정신질환자 복지서비스 지원에 관한 법률」 제3조제1호에 따른 정신질환자. 다만, 전문의가 사회복지사로서 적합하다고 인정하는 사람은 그러하지 아니하다.

제11조의2(사회복지사의 결격사유)다음 각 호의 어느 하나에 해당하는 사람은 사회복지사가 될 수 없다.

1. 피성년후견인

2. 금고 이상의 형을 선고받고 그 집행이 끝나지 아니하였거나 그 집행을 받지 아니하기로 확정되지 아니한 사람

3. 법원의 판결에 따라 자격이 상실되거나 정지된 사람

4. 마약·대마 또는 향정신성의약품의 중독자

5. 「정신건강증진 및 정신질환자 복지서비스 지원에 관한 법률」제3조제1호에 따른 정신질환자. 다만, 전문의가 사회복지사로서 적합하다고 인정하는 사람은 그러하지 아니하다.

제11조의3(사회복지사의 자격취소 등)① 보건복지부장관은 사회복지사가 다음 각 호의 어느 하나에 해당하는 경우 그 자격을 취소하거나 1년의 범위에서 정지시킬 수 있다. 다만, 제1호부터 제3호까지에 해당하면 그 자격을 취소하여야 한다.

1. 거짓이나 그 밖의 부정한 방법으로 자격을 취득한 경우

2. 제11조의2 각 호의 어느 하나에 해당하게 된 경우

3. 자격증을 대여·양도 또는 위조·변조한 경우

4. 사회복지사의 업무수행 중 그 자격과 관련하여 고의나 중대한 과실로 다른 사람에게 손해를 입힌 경우

5. 자격정지 처분을 3회 이상 받았거나, 정지 기간 종료 후 3년 이내에 다시 자격정지 처분에 해당하는 행위를 한 경우

6. 자격정지 처분 기간에 자격증을 사용하여 자격 관련 업무를 수행한 경우

② 보건복지부장관은 제1항제4호에 해당하여 사회복지사의 자격을 취소하거나 정지시키려는 경우에는 제46조에 따른 한국사회복지사협회의 장 등 관계 전문가의 의견을 들을 수 있다.

③ 제1항에 따라 자격이 취소된 사람은 취소된 날부터 15일 내에 자격증을 보건복지부장관에게 반납하여야 한다.

④ 보건복지부장관은 제1항에 따라 자격이 취소된 사람에게는 그 취소된 날부터 2년 이내에 자격증을 재교부하지 못한다.

제13조(사회복지사의 채용 및 교육 등)① 사회복지법인 및 사회복지시설을 설치·운영하는 자는 대통령령으로 정하는 바에 따라 사회복지사를 그 종사자로 채용하고, 보고방법·보고주기 등 보건복지부령으로 정하는 바에 따라 특별시장·광역시장·특별자치시장·도지사·특별자치도지사(이하 "시·도지사"라 한다) 또는 시장·군수·구청장에게 사회복지사의 임면에 관한 사항을 보고하여야 한다. 다만, 대통령령으로 정하는 사회복지시설은 그러하지 아니하다.

② 보건복지부장관은 사회복지사의 자질 향상을 위하여 필요하다고 인정하면 사회복지사에게 교육을 받도록 명할 수 있다. 다만, 사회복지법인 또는 사회복지시설에 종사하는 사회복지사는 정기적으로 인권에 관한 내용이 포함된 보수교육(補修敎育)을 받아야 한다.

③ 사회복지법인 또는 사회복지시설을 운영하는 자는 그 법인 또는 시설에 종사하는 사회복지사에 대하여 제2항 단서에 따른 교육을 이유로 불리한 처분을 하여서는 아니 된다.

④ 보건복지부장관은 제2항에 따른 교육을 보건복지부령으로 정하는 기관 또는 단체에 위탁할 수 있다.

⑤ 제2항에 따른 교육의 기간·방법 및 내용과 제4항에 따른 위탁 등에 관하여 필요한 사항은 보건복지부령으로 정한다.

제2장 사회복지법인

제16조(법인의 설립허가)① 사회복지법인(이하 이 장에서 "법인"이라 한다) 을 설립하려는 자는 대통령령으로 정하는 바에 따라 시·도지사의 허가를 받아야 한다.

② 제1항에 따라 허가를 받은 자는 법인의 주된 사무소의 소재지에서 설립 등기를 하여야 한다.

제17조(정관)① 법인의 정관에는 다음 각 호의 사항이 포함되어야 한다.

1. 목적
2. 명칭
3. 주된 사무소의 소재지
4. 사업의 종류
5. 자산 및 회계에 관한 사항
6. 임원의 임면(任免) 등에 관한 사항
7. 회의에 관한 사항
8. 수익(收益)을 목적으로 하는 사업이 있는 경우 그에 관한 사항
9. 정관의 변경에 관한 사항
10. 존립시기와 해산 사유를 정한 경우에는 그 시기와 사유 및 남은 재산의 처리방법
11. 공고 및 공고방법에 관한 사항

② 법인이 정관을 변경하려는 경우에는 시·도지사의 인가를 받아야 한다. 다만, 보건복지부령으로 정하는 경미한 사항의 경우에는 그러하지 아니하다.

제**18조**(임원)① 법인은 대표이사를 포함한 이사 7명 이상과 감사 2명 이상을 두어야 한다.

② 법인은 제1항에 따른 이사 정수의 3분의 1(소수점 이하는 버린다) 이상을 다음 각 호의 어느 하나에 해당하는 기관이 3배수로 추천한 사람 중에서 선임하여야 한다.

1. 「사회보장급여의 이용·제공 및 수급권자 발굴에 관한 법률」제40조제1항에 따른 시·도사회보장위원회

2. 「사회보장급여의 이용·제공 및 수급권자 발굴에 관한 법률」제41조제1항에 따른 지역사회보장협의체

③ 이사회의 구성에 있어서 대통령령으로 정하는 특별한 관계에 있는 사람이 이사 현원(現員)의 5분의 1을 초과할 수 없다.

④ 이사의 임기는 3년으로 하고 감사의 임기는 2년으로 하며, 각각 연임할 수 있다.

⑤ 외국인인 이사는 이사 현원의 2분의 1 미만이어야 한다.

⑥ 법인은 임원을 임면하는 경우에는 보건복지부령으로 정하는 바에 따라 지체 없이 시·도지사에게 보고하여야 한다.

⑦ 감사는 이사와 제3항에 따른 특별한 관계에 있는 사람이 아니어야 하며, 감사 중 1명은 법률 또는 회계에 관한 지식이 있는 사람 중에서 선임하여야 한다. 다만, 대통령령으로 정하는 일정 규모 이상의 법인은 시·도지사의 추천을 받아 「주식회사 등의 외부감사에 관한 법률」제2조제7호에 따른 감사인에 속한 사람을 감사로 선임하여야 한다.

⑧ 제2항 각 호의 기관은 제2항에 따라 이사를 추천하기 위하여 매년 다음 각 호의 어느 하나에 해당하는 사람으로 이사 후보군을 구성하여 공고하여야 한다. 다만, 사회복지법인의 대표자, 사회복지사업을 하는 비영리법인 또는 단체의 대표자, 「사회보장급여의 이용·제공 및 수급권자 발굴에 관한 법률」제41조에 따른 지역사회보장협의체의 대표자는 제외한다

1. 사회복지 또는 보건의료에 관한 학식과 경험이 풍부한 사람

2. 사회복지를 필요로 하는 사람의 이익 등을 대표하는 사람

3. 「비영리민간단체 지원법」제2조에 따른 비영리민간단체에서 추천한 사람

4. 「사회복지공동모금회법」제14조에 따른 사회복지공동모금지회에서 추천한 사람

제**18조의2**(임원선임 관련 금품 등 수수 금지)누구든지 임원의 선임과 관련하여 금품, 향응 또는 그 밖의 재산상 이익을 주고받거나 주고받을 것을

약속하여서는 아니 된다.

제19조(임원의 결격사유) ① 다음 각 호의 어느 하나에 해당하는 사람은 임원이 될 수 없다.

1. 미성년자

1의2. 피성년후견인 또는 피한정후견인

1의3. 파산선고를 받고 복권되지 아니한 사람

1의4. 법원의 판결에 따라 자격이 상실되거나 정지된 사람

1의5. 금고 이상의 실형을 선고받고 그 집행이 끝나거나(집행이 끝난 것으로 보는 경우를 포함한다) 집행이 면제된 날부터 3년이 지나지 아니한 사람

1의6. 금고 이상의 형의 집행유예를 선고받고 그 유예기간 중에 있는 사람

1의7. 제1호의5 및 제1호의6에도 불구하고 사회복지사업 또는 그 직무와 관련하여 「아동복지법」 제71조, 「보조금 관리에 관한 법률」 제40조부터 제42조까지, 「지방재정법」 제97조, 「영유아보육법」 제54조제2항제1호, 「장애아동 복지지원법」 제39조제1항제1호 또는 「형법」 제28장·제40장 (제360조는 제외한다)의 죄를 범하거나 이 법을 위반하여 다음 각 목의 어느 하나에 해당하는 사람

가. 100만원 이상의 벌금형을 선고받고 그 형이 확정된 후 5년이 지나지 아니한 사람

나. 형의 집행유예를 선고받고 그 형이 확정된 후 7년이 지나지 아니한 사람

다. 징역형을 선고받고 그 집행이 끝나거나(집행이 끝난 것으로 보는 경우를 포함한다) 집행이 면제된 날부터 7년이 지나지 아니한 사람

1의8. 제1호의5부터 제1호의7까지의 규정에도 불구하고 「성폭력범죄의 처벌 등에 관한 특례법」 제2조의 성폭력범죄 또는 「아동·청소년의 성보호에 관한 법률」 제2조제2호의 아동·청소년대상 성범죄를 저지른 사람으로서 형 또는 치료감호를 선고받고 확정된 후 그 형 또는 치료감호의 전부 또는 일부의 집행이 끝나거나(집행이 끝난 것으로 보는 경우를 포함한다) 집행이 유예·면제된 날부터 10년이 지나지 아니한 사람

1의9. 제1호의5부터 제1호의8까지의 규정에도 불구하고 「아동복지법」 제3조제7호의2에 따른 아동학대관련범죄를 저지른 사람으로서 다음 각 목의 어느 하나에 해당하는 사람

가. 금고 이상의 실형을 선고받고 그 집행이 끝나거나(집행이 끝난 것으로

보는 경우를 포함한다) 집행이 면제된 날부터 10년이 지나지 아니한 사람

나. 금고 이상의 형의 집행유예를 선고받고 그 집행유예가 확정된 날부터 10년이 지나지 아니한 사람

다. 벌금형을 선고받고 그 형이 확정된 날부터 5년이 지나지 아니한 사람

2. 제22조에 따른 해임명령에 따라 해임된 날부터 5년이 지나지 아니한 사람

2의2. 제26조에 따라 설립허가가 취소된 사회복지법인의 임원이었던 사람 (그 허가의 취소사유 발생에 관하여 직접적인 또는 이에 상응하는 책임이 있는 자로서 대통령령으로 정하는 사람으로 한정한다)으로서 그 설립허가가 취소된 날부터 5년이 지나지 아니한 사람

2의3. 제40조에 따라 시설의 장에서 해임된 사람으로서 해임된 날부터 5년이 지나지 아니한 사람

2의4. 제40조에 따라 폐쇄명령을 받고 3년이 지나지 아니한 사람

3. 사회복지분야의 6급 이상 공무원으로 재직하다 퇴직한 지 3년이 경과하지 아니한 사람 중에서 퇴직 전 5년 동안 소속하였던 기초자치단체가 관할하는 법인의 임원이 되고자 하는 사람

② 임원이 제1항 각 호의 어느 하나에 해당하게 되었을 때에는 그 자격을 상실한다.

제20조(임원의 보충)이사 또는 감사 중에 결원이 생겼을 때에는 2개월 이내에 보충하여야 한다.

제21조(임원의 겸직 금지)① 이사는 법인이 설치한 사회복지시설의 장을 제외한 그 시설의 직원을 겸할 수 없다.

② 감사는 법인의 이사, 법인이 설치한 사회복지시설의 장 또는 그 직원을 겸할 수 없다.

제22조(임원의 해임명령)①시·도지사는 임원이 다음 각 호의 어느 하나에 해당할 때에는 법인에 그 임원의 해임을 명할 수 있다.

1. 시·도지사의 명령을 정당한 이유 없이 이행하지 아니하였을 때

2. 회계부정이나 인권침해 등 현저한 불법행위 또는 그 밖의 부당행위 등이 발견되었을 때

3. 법인의 업무에 관하여 시·도지사에게 보고할 사항에 대하여 고의로 보고를 지연하거나 거짓으로 보고를 하였을 때

4. 제18조제2항·제3항 또는 제7항을 위반하여 선임된 사람

5. 제21조를 위반한 사람

6. 제22조의2에 따른 직무집행 정지명령을 이행하지 아니한 사람

7. 그 밖에 이 법 또는 이 법에 따른 명령을 위반하였을 때

② 제1항에 따른 해임명령은 시·도지사가 해당 법인에게 그 사유를 들어 시정을 요구한 날부터 15일이 경과하여도 이에 응하지 아니한 경우에 한한다. 다만, 시정을 요구하여도 시정할 수 없는 것이 명백하거나 회계부정, 횡령, 뇌물수수 등 비리의 정도가 중대한 경우에는 시정요구 없이 임원의 해임을 명할 수 있으며, 그 세부적 기준은 대통령령으로 정한다.

③ 제1항에 따라 해임명령을 받은 법인은 2개월 이내에 임원의 해임에 관한 사항을 의결하기 위한 이사회를 소집하여야 한다.

제22조의2(임원의 직무집행 정지)① 시·도지사는 제22조에 따른 해임명령을 하기 위하여 같은 조 제1항 각 호의 사실 여부에 대한 조사나 감사가 진행 중인 경우 및 해임명령 기간 중인 경우에는 해당 임원의 직무집행을 정지시킬 수 있다. 다만, 제22조제1항제4호에 해당하여 해임명령을 받은 경우에는 해당임원의 직무집행을 정지시켜야 한다.

② 시·도지사는 제1항에 따른 임원의 직무집행 정지사유가 소멸되면 즉시 직무집행 정지명령을 해제하여야 한다.

제22조의3(임시이사의 선임)① 법인이 다음 각 호의 어느 하나에 해당하여 법인의 정상적인 운영이 어렵다고 판단되는 경우 시·도지사는 지체 없이 이해관계인의 청구 또는 직권으로 임시이사를 선임하여야 한다.

1. 제20조에 따른 기간 내에 결원된 이사를 보충하지 아니하거나 보충할 수 없는 것이 명백한 경우

2. 제22조제3항에 따른 기간 내에 임원의 해임에 관한 사항을 의결하기 위한 이사회를 소집하지 아니하거나 소집할 수 없는 것이 명백한 경우

② 임시이사는 제1항에 따른 사유가 해소될 때까지 재임한다.

③ 시·도지사는 임시이사가 선임되었음에도 불구하고 해당 법인이 정당한 사유 없이 이사회 소집을 기피할 경우 이사회 소집을 권고할 수 있다.

④ 제1항에 따른 임시이사의 선임 등에 필요한 사항은 보건복지부령으로 정한다.

⑤ 제1항제2호에 따라 임시이사를 선임하는 경우 제22조의2제1항 단서에 따라 직무집행이 정지된 이사는 자신의 해임명령 이행을 위한 이사회와 관련해서는 이사로 보지 않으며, 이 경우 해당 임시이사가 직무집행이 정지된 이사의 지위를 대신한다.

제22조의4(임시이사의 해임)① 시·도지사는 다음 각 호의 어느 하나에 해당하는 경우 이해관계인의 청구 또는 직권으로 임시이사를 해임할 수 있다. 이 경우 제2호부터 제4호까지의 규정에 따라 임시이사를 해임하는 때에는 지체 없이 그 후임자를 선임하여야 한다.

1. 임시이사 선임사유가 해소된 경우
2. 임시이사가 제19조제1항제1호 및 제1호의2부터 제1호의8까지의 어느 하나에 해당하는 경우
3. 임시이사가 직무를 태만히 하여 법인의 정상화가 어려운 경우
4. 임시이사가 제22조제1항 각 호의 어느 하나에 해당하는 경우

② 법인은 제1항에 따라 해임된 임시이사를 이사로 선임할 수 없다.

제23조(재산 등)① 법인은 사회복지사업의 운영에 필요한 재산을 소유하여야 한다.

② 법인의 재산은 보건복지부령으로 정하는 바에 따라 기본재산과 보통재산으로 구분하며, 기본재산은 그 목록과 가액(價額)을 정관에 적어야 한다.

③ 법인은 기본재산에 관하여 다음 각 호의 어느 하나에 해당하는 경우에는 시·도지사의 허가를 받아야 한다. 다만, 보건복지부령으로 정하는 사항에 대하여는 그러하지 아니하다.

1. 매도·증여·교환·임대·담보제공 또는 용도변경을 하려는 경우
2. 보건복지부령으로 정하는 금액 이상을 1년 이상 장기차입(長期借入)하려는 경우

④ 제1항에 따른 재산과 그 회계에 관하여 필요한 사항은 보건복지부령으로 정한다.

제24조(재산 취득 보고)법인이 매수·기부채납(寄附採納), 후원 등의 방법으로 재산을 취득하였을 때에는 지체 없이 이를 법인의 재산으로 편입조치하여야 한다. 이 경우 법인은 그 취득 사유, 취득재산의 종류·수량 및 가액을 매년 시·도지사에게 보고하여야 한다.

제25조(회의록의 작성 및 공개 등)① 이사회는 다음 각 호의 사항을 기재한 회의록을 작성하여야 한다. 다만, 이사회 개최 당일에 회의록 작성이 어려운 사정이 있는 경우에는 안건별로 심의·의결 결과를 기록한 회의조서를 작성한 후 회의록을 작성할 수 있다.

1. 개의, 회의 중지 및 산회 일시
2. 안건
3. 의사

4. 출석한 임원의 성명

5. 표결수

6. 그 밖에 대표이사가 작성할 필요가 있다고 인정하는 사항

② 회의록 및 회의조서에는 출석임원 전원이 날인하되 그 회의록 또는 회의조서가 2매 이상인 경우에는 간인(間印)하여야 한다.

③ 제1항 단서에 따라 회의조서를 작성한 경우에는 조속한 시일 내에 회의록을 작성하여야 한다.

④ 법인은 회의록을 공개하여야 한다. 다만, 대통령령으로 정하는 사항에 대하여는 이사회의 의결로 공개하지 아니할 수 있다.

⑤ 회의록의 공개에 관한 기간·절차, 그 밖에 필요한 사항은 대통령령으로 정한다.

제26조(설립허가 취소 등)① 시·도지사는 법인이 다음 각 호의 어느 하나에 해당할 때에는 기간을 정하여 시정명령을 하거나 설립허가를 취소할 수 있다. 다만, 제1호 또는 제7호에 해당할 때에는 설립허가를 취소하여야 한다.

1. 거짓이나 그 밖의 부정한 방법으로 설립허가를 받았을 때

2. 설립허가 조건을 위반하였을 때

3. 목적 달성이 불가능하게 되었을 때

4. 목적사업 외의 사업을 하였을 때

5. 정당한 사유 없이 설립허가를 받은 날부터 6개월 이내에 목적사업을 시작하지 아니하거나 1년 이상 사업실적이 없을 때

6. 법인이 운영하는 시설에서 반복적 또는 집단적 성폭력범죄 및 학대관련 범죄가 발생한 때

6의2. 법인이 운영하는 시설에서 중대하고 반복적인 회계부정이나 불법행위가 발생한 때

7. 법인 설립 후 기본재산을 출연하지 아니한 때

8. 제18조제1항의 임원정수를 위반한 때

9. 제18조제2항을 위반하여 이사를 선임한 때

10. 제22조에 따른 임원의 해임명령을 이행하지 아니한 때

11. 그 밖에 이 법 또는 이 법에 따른 명령이나 정관을 위반하였을 때

② 법인이 제1항 각 호(제1호 및 제7호는 제외한다)의 어느 하나에 해당하여 설립허가를 취소하는 경우는 다른 방법으로 감독 목적을 달성할 수 없거나 시정을 명한 후 6개월 이내에 법인이 이를 이행하지 아니한 경우로

한정한다.

제**27**조(**남은 재산의 처리**)① 해산한 법인의 남은 재산은 정관으로 정하는 바에 따라 국가 또는 지방자치단체에 귀속된다.

② 제1항에 따라 국가 또는 지방자치단체에 귀속된 재산은 사회복지사업에 사용하거나 유사한 목적을 가진 법인에 무상으로 대여하거나 무상으로 사용·수익하게 할 수 있다. 다만, 해산한 법인의 이사 본인 및 그와 대통령령으로 정하는 특별한 관계에 있는 사람이 이사로 있는 법인에 대하여는 그러하지 아니하다.

제**28**조(**수익사업**)① 법인은 목적사업의 경비에 충당하기 위하여 필요할 때에는 법인의 설립 목적 수행에 지장이 없는 범위에서 수익사업을 할 수 있다.

② 법인은 제1항에 따른 수익사업에서 생긴 수익을 법인 또는 법인이 설치한 사회복지시설의 운영 외의 목적에 사용할 수 없다.

③ 제1항에 따른 수익사업에 관한 회계는 법인의 다른 회계와 구분하여 회계처리하여야 한다.

제**32**조(**다른 법률의 준용**)법인에 관하여 이 법에서 규정한 사항을 제외하고는 「민법」과 「공익법인의 설립·운영에 관한 법률」을 준용한다.

제3장 사회복지시설

제**34**조(**사회복지시설의 설치**)① 국가나 지방자치단체는 사회복지시설(이하 "시설"이라 한다)을 설치·운영할 수 있다

② 국가 또는 지방자치단체 외의 자가 시설을 설치·운영하려는 경우에는 보건복지부령으로 정하는 바에 따라 시장·군수·구청장에게 신고하여야 한다. 다만, 다음 각 호의 어느 하나에 해당하는 자는 시설의 설치·운영 신고를 할 수 없다

1. 제40조에 따라 폐쇄명령을 받고 3년이 지나지 아니한 자

2. 제19조제1항제1호 및 제1호의2부터 제1호의8까지의 어느 하나에 해당하는 개인 또는 그 개인이 임원인 법인

③ 시장·군수·구청장은 제2항에 따른 신고를 받은 경우 그 내용을 검토하여 이 법에 적합하면 신고를 수리하여야 한다.

④ 시설을 설치·운영하는 자는 보건복지부령으로 정하는 재무·회계에 관한 기준에 따라 시설을 투명하게 운영하여야 한다.

⑤ 제1항에 따라 국가나 지방자치단체가 설치한 시설은 필요한 경우 사회복지법인이나 비영리법인에 위탁하여 운영하게 할 수 있다.

⑥ 제5항에 따른 위탁운영의 기준·기간 및 방법 등에 관하여 필요한 사항은 보건복지부령으로 정한다.

제**34**조의**3**(보험가입 의무)① 시설의 운영자는 다음 각 호의 손해배상책임을 이행하기 위하여 손해보험회사의 책임보험에 가입하거나 「사회복지사 등의 처우 및 지위 향상을 위한 법률」 제4조에 따른 한국사회복지공제회의 책임공제에 가입하여야 한다.

1. 화재로 인한 손해배상책임

2. 화재 외의 안전사고로 인하여 생명·신체에 피해를 입은 보호대상자에 대한 손해배상책임

② 국가나 지방자치단체는 예산의 범위에서 제1항에 따른 책임보험 또는 책임공제의 가입에 드는 비용의 전부 또는 일부를 보조할 수 있다.

③ 제1항에 따라 책임보험이나 책임공제에 가입하여야 할 시설의 범위는 대통령령으로 정한다.

제**34**조의**4**(시설의 안전점검 등)① 시설의 장은 시설에 대하여 정기 및 수시 안전점검을 실시하여야 한다.

② 시설의 장은 제1항에 따라 정기 또는 수시 안전점검을 한 후 그 결과를 시장·군수·구청장에게 제출하여야 한다.

③ 시장·군수·구청장은 제2항에 따른 결과를 받은 후 필요한 경우에는 시설의 운영자에게 시설의 보완 또는 개수(改修)·보수를 요구할 수 있으며, 이 경우 시설의 운영자는 요구에 따라야 한다.

④ 국가나 지방자치단체는 예산의 범위에서 제1항부터 제3항까지의 규정에 따른 안전점검, 시설의 보완 및 개수·보수에 드는 비용의 전부 또는 일부를 보조할 수 있다.

⑤ 제1항부터 제4항까지의 규정에 따른 정기 또는 수시 안전점검을 받아야 하는 시설의 범위, 안전점검 시기, 안전점검기관 및 그 절차는 대통령령으로 정한다.

제**35**조(시설의 장)① 시설의 장은 상근(常勤)하여야 한다.

② 다음 각 호의 어느 하나에 해당하는 사람은 시설의 장이 될 수 없다.

1. 제19조제1항제1호, 제1호의2부터 제1호의9까지 및 제2호의2부터 제2호의4까지의 어느 하나에 해당하는 사람

2. 제22조에 따른 해임명령에 따라 해임된 날부터 5년이 지나지 아니한 사람

3. 사회복지분야의 6급 이상 공무원으로 재직하다 퇴직한 지 3년이 경과하

지 아니한 사람 중에서 퇴직 전 5년 동안 소속하였던 기초자치단체가 관할하는 시설의 장이 되고자 하는 사람

③ 시설의 장이 제2항 각 호의 어느 하나에 해당하게 되었을 때에는 그 자격을 상실한다.

제35조의2(종사자)① 사회복지법인과 사회복지시설을 설치·운영하는 자는 시설에 근무할 종사자를 채용할 수 있다.

② 다음 각 호의 어느 하나에 해당하는 사람은 사회복지법인 또는 사회복지시설의 종사자가 될 수 없다.

1. 제19조제1항제1호의7부터 제1호의9까지의 어느 하나에 해당하는 사람

2. 제1호에도 불구하고 종사자로 재직하는 동안 시설이용자를 대상으로 「성폭력범죄의 처벌 등에 관한 특례법」 제2조에 따른 성폭력범죄 및 「아동·청소년의 성보호에 관한 법률」 제2조제2호에 따른 아동·청소년대상 성범죄를 저질러 금고 이상의 형 또는 치료감호를 선고받고 그 형이 확정된 사람

③ 종사자가 제2항 각 호의 어느 하나에 해당하게 되었을 때에는 그 자격을 상실한다.

제36조(운영위원회)① 시설의 장은 시설의 운영에 관한 다음 각 호의 사항을 심의하기 위하여 시설에 운영위원회를 두어야 한다. 다만, 보건복지부령으로 정하는 경우에는 복수의 시설에 공동으로 운영위원회를 둘 수 있다.

1. 시설운영계획의 수립·평가에 관한 사항

2. 사회복지 프로그램의 개발·평가에 관한 사항

3. 시설 종사자의 근무환경 개선에 관한 사항

4. 시설 거주자의 생활환경 개선 및 고충 처리 등에 관한 사항

5. 시설 종사자와 거주자의 인권보호 및 권익증진에 관한 사항

6. 시설과 지역사회의 협력에 관한 사항

7. 그 밖에 시설의 장이 운영위원회의 회의에 부치는 사항

② 운영위원회의 위원은 다음 각 호의 어느 하나에 해당하는 사람 중에서 관할 시장·군수·구청장이 임명하거나 위촉한다.<신설 2012. 1. 26.>

1. 시설의 장

2. 시설 거주자 대표

3. 시설 거주자의 보호자 대표

4. 시설 종사자의 대표

5. 해당 시·군·구 소속의 사회복지업무를 담당하는 공무원

6. 후원자 대표 또는 지역주민

7. 공익단체에서 추천한 사람

8. 그 밖에 시설의 운영 또는 사회복지에 관하여 전문적인 지식과 경험이
   풍부한 사람

③ 시설의 장은 다음 각 호의 사항을 제1항에 따른 운영위원회에 보고하여
야 한다.

1. 시설의 회계 및 예산·결산에 관한 사항

2. 후원금 조성 및 집행에 관한 사항

3. 그 밖에 시설운영과 관련된 사건·사고에 관한 사항

④ 그 밖에 운영위원회의 조직 및 운영에 관한 사항은 보건복지부령으로 정
한다.

제37조(시설의 서류 비치)시설의 장은 후원금품대장 등 보건복지부령으로
정하는 서류를 시설에 갖추어 두어야 한다.

제38조(시설의 휴지·재개·폐지 신고 등)① 제34조제2항에 따른 신고를
한 자는 지체 없이 시설의 운영을 시작하여야 한다.

② 시설의 운영자는 그 운영을 일정 기간 중단하거나 다시 시작하거나 시설
을 폐지하려는 경우에는 보건복지부령으로 정하는 바에 따라 시장·군수·
구청장에게 신고하여야 한다.

③ 시장·군수·구청장은 제2항에 따라 시설 운영이 중단되거나 시설이 폐
지되는 경우에는 보건복지부령으로 정하는 바에 따라 시설 거주자의 권익을
보호하기 위하여 다음 각 호의 조치를 하고 신고를 수리하여야 한다.

1. 시설 거주자가 자립을 원하는 경우 자립을 할 수 있도록 지원하고 그 이
   행을 확인하는 조치

2. 시설 거주자가 다른 시설을 선택할 수 있도록 하고 그 이행을 확인하는
   조치

3. 시설 거주자가 이용료·사용료 등의 비용을 부담하는 경우 납부한 비용
   중 사용하지 아니한 금액을 반환하게 하고 그 이행을 확인하는 조치

4. 보조금·후원금 등의 사용 실태 확인과 이를 재원으로 조성한 재산 중
   남은 재산의 회수조치

5. 그 밖에 시설 거주자의 권익 보호를 위하여 필요하다고 인정되는 조치

④ 시설 운영자가 제2항에 따라 시설운영을 재개하려고 할 때에는 보건복지
부령으로 정하는 바에 따라 시설 거주자의 권익을 보호하기 위하여 다음

각 호의 조치를 하여야 한다. 이 경우 시장·군수·구청장은 그 조치 내용을 확인하고 제2항에 따른 신고를 수리하여야 한다.

1. 운영 중단 사유의 해소
2. 향후 안정적 운영계획의 수립
3. 그 밖에 시설 거주자의 권익 보호를 위하여 보건복지부장관이 필요하다고 인정하는 조치

⑤ 제1항과 제2항에 따른 시설 운영의 개시·중단·재개 및 시설 폐지의 신고 등에 관하여 필요한 사항은 보건복지부령으로 정한다

제4장 보칙

제42조(보조금 등)① 국가나 지방자치단체는 사회복지사업을 하는 자 중 대통령령으로 정하는 자에게 운영비 등 필요한 비용의 전부 또는 일부를 보조할 수 있다.

② 제1항에 따른 보조금은 그 목적 외의 용도에 사용할 수 없다.

③ 국가나 지방자치단체는 제1항에 따라 보조금을 받은 자가 다음 각 호의 어느 하나에 해당할 때에는 이미 지급한 보조금의 전부 또는 일부의 반환을 명할 수 있다. 다만, 제1호 및 제2호의 경우에는 반환을 명하여야 한다.<개정 2016. 2. 3.>

1. 거짓이나 그 밖의 부정한 방법으로 보조금을 받았을 때
2. 사업 목적 외의 용도에 보조금을 사용하였을 때
3. 이 법 또는 이 법에 따른 명령을 위반하였을 때

④ 제1항에 따른 보조금과 관련하여 이 법에서 규정한 사항 외에는 「보조금 관리에 관한 법률」 및 「지방재정법」을 따른다.

제43조의2(시설의 평가)① 보건복지부장관과 시·도지사는 보건복지부령으로 정하는 바에 따라 시설을 정기적으로 평가하고, 그 결과를 공표하거나 시설의 감독·지원 등에 반영할 수 있으며 시설 거주자를 다른 시설로 보내는 등의 조치를 할 수 있다.

② 보건복지부장관이나 시·도지사는 제1항의 평가 결과에 따라 시설 거주자를 다른 시설로 보내는 경우에는 제38조제3항의 조치를 하여야 한다.

제44조(비용의 징수)이 법에 따른 복지조치에 필요한 비용을 부담한 지방자치단체의 장이나 그 밖에 시설을 운영하는 자는 그 혜택을 받은 본인 또는 그 부양의무자로부터 대통령령으로 정하는 바에 따라 그가 부담한 비용의 전부 또는 일부를 징수할 수 있다.

제45조(후원금의 관리)① 사회복지법인의 대표이사와 시설의 장은 아무런

대가 없이 무상으로 받은 금품이나 그 밖의 자산(이하 "후원금"이라 한다)의 수입·지출 내용을 공개하여야 하며 그 관리에 명확성이 확보되도록 하여야 한다.

② 후원금에 관한 영수증 발급, 수입 및 사용결과 보고, 그 밖에 후원금 관리 및 공개 절차 등 구체적인 사항은 보건복지부령으로 정한다.

제47조(비밀누설의 금지)사회복지사업 또는 사회복지업무에 종사하였거나 종사하고 있는 사람은 그 업무 수행 과정에서 알게 된 다른 사람의 비밀을 누설하여서는 아니 된다.

제51조(지도·감독 등)① 보건복지부장관, 시·도지사 또는 시장·군수·구청장은 사회복지사업을 운영하는 자의 소관 업무에 관하여 지도·감독을 하며, 필요한 경우 그 업무에 관하여 보고 또는 관계 서류의 제출을 명하거나, 소속 공무원으로 하여금 사회복지법인의 사무소 또는 시설에 출입하여 검사 또는 질문을 하게 할 수 있다.

② 시·도지사 또는 시장·군수·구청장은 사회복지법인과 사회복지시설에 대하여 지방의회의 추천을 받아 「공인회계사법」 제7조에 따라 등록한 공인회계사 또는 「주식회사 등의 외부감사에 관한 법률」 제2조제7호에 따른 감사인을 선임하여 회계감사를 실시할 수 있다. 이 경우 공인회계사 또는 감사인의 추천, 회계감사의 대상 및 그 밖에 필요한 사항은 보건복지부령으로 정하는 기준에 따라 지방자치단체의 조례로 정한다.

③ 사회복지법인의 주된 사무소의 소재지와 시설의 소재지가 같은 시·도 또는 시·군·구에 있지 아니한 경우 그 시설의 업무에 관하여는 시설 소재지의 시·도지사 또는 시장·군수·구청장이 지도·감독·회계감사 등을 한다. 이 경우 지도·감독·회계감사 등을 위하여 필요할 때에는 사회복지법인의 업무에 대하여 사회복지법인의 주된 사무소 소재지의 시·도지사 또는 시장·군수·구청장에게 협조를 요청할 수 있다.

④ 제3항에 따른 지도·감독·회계감사 등에 관하여 따로 지방자치단체 간에 협약을 체결한 경우에는 제2항에도 불구하고 협약에서 정한 시·도지사 또는 시장·군수·구청장이 지도·감독·회계감사 등의 업무를 수행한다.

⑤ 제1항 및 제2항에 따라 검사·질문 또는 회계감사를 하는 관계 공무원 등은 그 권한을 표시하는 증표를 지니고 이를 관계인에게 보여주어야 한다.

⑥ 보건복지부장관, 시·도지사 또는 시장·군수·구청장은 지도·감독·회계감사를 실시한 후 제26조 및 제40조에 따른 행정처분 등을 한 경우에는 처분 대상인 법인 또는 시설의 명칭, 처분사유, 처분내용 등 처분과 관련된

정보를 대통령령으로 정하는 바에 따라 공표할 수 있다.

⑦ 지도·감독 기관은 사회복지 사업을 운영하는 자의 소관 업무에 대한 지도·감독에 있어 필요한 경우 촉탁할 수 있으며 촉탁받은 자의 업무범위와 권한은 대통령령으로 정한다.<

제5장 벌칙>

제53조(벌칙) 다음 각 호의 어느 하나에 해당하는 자는 5년 이하의 징역 또는 5천만원 이하의 벌금에 처한다.

1. 제23조제3항을 위반한 자
2. 제42조제2항을 위반한 자

제54조(벌칙) 다음 각 호의 어느 하나에 해당하는 자는 1년 이하의 징역 또는 1천만원 이하의 벌금에 처한다.

1. 제6조제1항을 위반한 자

1의2. 제11조제6항을 위반하여 사회복지사 자격증을 다른 사람에게 빌려주거나 빌린 사람

1의3. 제11조제7항을 위반하여 사회복지사 자격증을 빌려주거나 빌리는 것을 알선한 사람

1의4. 제18조의2를 위반하여 금품, 향응 또는 재산상의 이익을 주고받거나 주고받을 것을 약속한 사람

2. 제28조제2항을 위반한 자
3. 제34조제2항에 따른 신고를 하지 아니하고 시설을 설치·운영한 자
4. 정당한 이유 없이 제38조제3항(제40조제2항에서 준용하는 경우를 포함한다)에 따른 시설 거주자 권익 보호조치를 기피하거나 거부한 자
5. 정당한 이유 없이 제40조제1항에 따른 명령을 이행하지 아니한 자
6. 제47조를 위반한 자
7. 정당한 이유 없이 제51조제1항 및 제2항에 따른 보고를 하지 아니하거나 거짓으로 보고한 자, 자료를 제출하지 아니하거나 거짓 자료를 제출한 자, 검사·질문·회계감사를 거부·방해 또는 기피한 자

제56조(양벌규정) 법인의 대표자나 법인 또는 개인의 대리인·사용인, 그 밖의 종업원이 그 법인 또는 개인의 업무에 관하여 제53조, 제54조 및 제55조의 위반행위를 하면 그 행위자를 벌하는 외에 그 법인 또는 개인에게도 해당 조문의 벌금형을 과(科)한다. 다만, 법인 또는 개인이 그 위반행위를 방지하기 위하여 해당 업무에 관하여 상당한 주의와 감독을 게을리하지 아니한 경우에는 그러하지 아니하다.

제**57조**(벌칙 적용 시의 공무원 의제)제12조제1항 또는 제52조제2항에 따라 위탁받은 업무를 수행하는 제6조의2제5항에 따른 전담기구, 사회복지 관련 기관 또는 단체 임직원은 「형법」 제129조부터 제132조까지의 규정을 적용할 때에는 공무원으로 본다.

■ 저자

이 상문

- 현)복지법인시설실무카페(네이버) 운영자
- 현)부산광역시 소재 사회복지법인 사무국장
- 현)한국사회복지사협회 패널
- 신라대학교 사회복지대학원(사회복지학과) 졸업(사회복지석사)
- 사회복지사 1급
- 행정사(2014년도)
- 홍조근정훈장
- 지방부이사관으로 퇴직